Antología crítica del cuento hispanoamericano del siglo XX

2. La gran síntesis y después

Antología crítica del cuento hispanoamericano del siglo XX

2. La gran síntesis y después

Selección, introducción, comentarios, bibliografía
y notas de José Miguel Oviedo

Alianza editorial
El libro de bolsillo

Primera edición: 1992
Tercera edición: 2017

Diseño de colección: Estudio de Manuel Estrada con la colaboración de Roberto
Turégano y Lynda Bozarth
Diseño de cubierta: Manuel Estrada
Fotografía de Amador Toril

© de la selección y preparación: José Miguel Oviedo, 1992
© Alianza Editorial, S. A., Madrid, 1992, 2017
    Calle Juan Ignacio Luca de Tena, 15
    28027 Madrid
    www.alianzaeditorial.es

ISBN: 978-84-9104-787-2 (O.C.)
ISBN: 978-84-9104-742-1 (T. 2)
Depósito legal: M. 8.995-2017
Printed in Spain

Si quiere recibir información periódica sobre las novedades de Alianza Editorial,
envíe un correo electrónico a la dirección: alianzaeditorial@anaya.es

Índice

III. La gran síntesis: hacia el «boom»

11   Miguel Ángel Asturias (1899-1974)
18   *Leyenda de la Tatuana*
25   Alejo Carpentier (1904-1980)
32   *Viaje a la semilla*
50   José Lezama Lima (1910-1976)
56   *Cangrejos, golondrinas*
72   Juan Carlos Onetti (1909-1994)
79   *Bienvenido, Bob*
89   *El infierno tan temido*
107 Julio Cortázar (1914-1984)
116   *Casa tomada*
123   *La autopista del sur*
153 Juan Rulfo (1918-1986)
159   *No oyes ladrar los perros*
165 José Donoso (1924-1997)
172   *Dos cartas*
183 Gabriel García Márquez (1928-2014)
193   *Un día de éstos*
197   *Un señor muy viejo con unas alas enormes*
206 Carlos Fuentes (1928-2012)
213   *La muñeca reina*
234 Mario Vargas Llosa (1936)
243   *Día domingo*

IV. Otras direcciones: desde el «boom»

269   Elena Poniatowska (1933)

274   *Cine Prado*

281   José Emilio Pacheco (1939-2014)

287   *Cuando salí de La Habana, válgame Dios*

297   Alfredo Bryce Echenique (1939)

302   *Con Jimmy, en Paracas*

315   Rosario Ferré (1942-2016)

321   *La muñeca menor*

329   Álvaro Mutis (1923-2013)

335   *Cocora*

341   Bibliografía general

III. La gran síntesis: hacia el «boom»

Miguel Ángel Asturias

(Guatemala, 1899-Madrid, 1974) Hay que reconocer que, tras haber sido considerado en su tiempo uno de los nombres capitales de la novela hispanoamericana y una de sus grandes figuras intelectuales (pues ganó el Premio Lenin en 1966 y el Nobel en 1967), su renombre parece haberse apagado un tanto. Eso quizá se deba a que Asturias fue un escritor de transición –y, como tal, históricamente decisivo– entre una estética cuyas bases eran tradicionales y otra que exploraba vías y perspectivas muy distintas. A medias entre la tradición realista (en sus vertientes regionalista e indigenista) y la renovación vanguardista, su obra presenta un constante dilema no siempre resuelto con lucidez. Asturias era además un intelectual «comprometido» y creyó, como Neruda, Nicolás Guillén y tantos otros de su misma época, en las virtudes de la literatura propagandística y en la necesidad de tomar partido y ocupar una trinchera en la pugna que sostenían entonces los dos bandos que se disputaban la supremacía mundial. A esa causa dedicó las novelas «antiimperialistas» de su trilogía bananera, que nacen de un impulso auténtico pero que están dañadas por el simplismo ideológico de la visión. Su fama no deriva realmente de esas novelas, sino de *El señor Presidente,* fundadora (si descontamos como antecedente al *Tirano Banderas* de Valle Inclán) de la larga serie de «novelas de la dictadura» a la que han contribuido, entre otros, Carpentier *(véase),* Roa Bastos y García Márquez *(véase).* El tremendismo grotesco y el horror melodramático de este libro sobrecogieron a los lectores e infortunadamente los convencieron de que ésa era la obra maestra de Asturias, y no *Hombres de maíz,* que es un trabajo novelístico mucho más sólido y perdurable. Lo que sí es importante subrayar es el descubrimiento y la asimilación novelística que hizo Asturias del abigarrado mundo mitológico del pueblo maya; sin él, ese fascinante conjunto de creencias vivas en la conciencia de su pueblo habría quedado en buena parte marginado de la literatura y ésta se habría privado de un lenguaje profundamente americano, de metáforas serpenteantes y luminosas. En eso Asturias fue único y también es justo reconocerlo.

Su vida y su obra guardan interesantes similitudes con las de otros escritores hispanoamericanos que llegaron a ser, como él, figuras públicas internacionales y voceros de su pueblo y cultura. Con Neruda (de quien fue muy amigo) comparte las experiencias del destierro y la persecución política, pero también las del reconocimiento mundial, los cargos honoríficos y la gloria en vida; como él cumplió los varios papeles de Poeta (en el más amplio sentido de la palabra), Profeta y Maestro de las multitudes que no los podían leer. Con Carpentier lo une el descubrimiento –estimulado por sus años europeos– de las raíces ancestrales de su cultura, al mismo tiempo que el rápido aprendizaje de los lenguajes de la vanguardia, especialmente del surrealismo. Poética y política, primitivismo y modernidad, americanismo y cosmopolitismo: esas opuestas vertientes se conjugan en Asturias y en sus compañeros de aventuras en el vasto escenario de la cultura mundial. Su aporte dentro de ese contexto no es, pues, menudo, y refleja bien las presiones y las expectativas con las cuales se escribía la literatura entonces. Era un período en el que el elemento «exótico» distinguía a nuestra gran literatura, sobre todo si recibía el espaldarazo europeo, particularmente el de Francia. Asturias no sólo gozó de esa confirmación, sino que alcanzó la revelación de que pertenecía a una remota cultura aborigen gracias a la mediación francesa, pues no conocía la lengua maya. Antes de llegar a París, en su tesis universitaria, había expresado ideas reaccionarias y racistas sobre la cuestión indígena.

Estando en París desde 1924, inicia al año siguiente estudios antropológicos en la Escuela de Altos Estudios bajo la dirección del profesor Georges Raynaud; luego, con el investigador J. M. González de Mendoza empieza a traducir al español el *Popol Vuh* y los *Anales de los Xahil,* a partir de la traducción francesa de Raynaud. Esa labor de acercamiento a un mundo y una lengua antiguos y propios es fundamental para su obra creadora, y ocurre justamente cuando traba relación con Tzara, Breton y otros escritores surrealistas, además de Joyce y Unamuno. Al publicar en 1930 sus *Leyendas de Guatemala* (que se traducen al francés al año siguiente y provocan una famosa carta-elogio de Valéry) comienza la porción significativa de su obra. Su importancia crece con la aparición en 1946 de *El señor Presidente,* pero hay que aclarar que la redacción de esta novela comienza mucho antes, hacia 1932, desfase que quizá pueda explicar por qué el libro parece hoy incómodamente colocado entre dos épocas literarias. *Hombres de maíz* es, en cierta medida, un retorno al relato poético y de entonación oral de las *Leyendas...*, y deja escuchar la voz quizá más profunda del narrador; es, además, como el monumental estudio de Gerald Martin ha demostrado, una síntesis de lo mejor de él: la inagotable reelaboración e interpretación de la mitología; la expresión de un pensamiento salvaje en una lengua furiosa; la unidad de la magia y la ciencia, la naturaleza y la historia, el origen y la utopía, la verdad del códice y el poder del chamán. Luego inicia su ciclo bananero *(Viento fuerte, El Papa Verde, Los ojos de los enterrados)*, cuyo interés literario es mucho menor. Asturias siguió escribiendo hasta su muerte novela, poesía, teatro y cuentos.

El mundo de las *Leyendas...* es un reflejo fiel del fondo mitológico maya: un mundo fabuloso, proliferante, laberíntico, barroco hasta el delirio, dinámico e intemporal, donde los límites de lo real y lo imaginario no existen. La elasticidad de las figuraciones siempre cambiantes de ese mundo permite una serie de juegos narrativos que Asturias suele aprovechar hábilmente. Eso puede apreciarse en la «Leyenda de la Tatuana». La originalidad de esta y otras leyendas consiste en que se basan en reglas, estructuras y lenguaje que muy poco tienen que ver con la tradición narrativa recibida de Europa: es un modo americano de contar. El relato es un surtidor de imágenes de las sucesivas metamorfosis que sufren personajes que son una mezcla indefinible de dioses y hombres: estamos a la vez en el reino de allá y el de acá, fascinados por los calidoscópicos milagros que ocurren a cada momento. Un mundo ajeno a la razón que se parece al cielo pero también al infierno, y que bulle de vida, de actos rituales, de creencias mágicas. Como en los relatos del Oriente y los pueblos llamados primitivos, esta leyenda cuenta una historia maravillosa sin dejar de ser elemental: El Maestro Almendro es un hombre-árbol, un sacerdote que conoce los secretos del cielo pero cuya alma va a parar a manos de un mercader. Las incidencias se acumulan y se complican sin cesar, pues vemos que el mercader se niega a devolverle su alma, inicia un largo viaje en busca de una bella esclava y regresa con ella a su tierra. La pareja vive en un mundo paradisíaco hasta que una tormenta mata al mercader, lo que permite al Maestro tomar a la esclava como amante. En el bellísimo final, ambos son condenados a morir pero él le salva la vida y le otorga la libertad mediante un tatuaje mágico (de allí el nombre Tatuana). La danza verbal de imágenes y metáforas (algunas de cuño vanguardista: los relámpagos son «fogonazos de un fotógrafo loco»), el rítmico juego de reiteraciones y frases rituales, las caprichosas suspensiones y circularidades del tiempo dan la impresión de que estamos escuchando un salmo, una oración mágica, lo que probablemente es: este texto nos produce un efecto hipnótico e incantatorio. Estamos ante un nuevo arte de contar un cuento; estamos ante los gérmenes de lo que luego se llamaría el realismo mágico americano.

Obra narrativa (obras principales)

Leyendas de Guatemala, Madrid: Oriente, 1930; Madrid: Alianza Editorial, 1981; *El señor Presidente,* México: Costa-Amic, 1946; Madrid: Alianza Editorial, 1981; ed. Alejandro Lanoël-d'Aussenac, Madrid: Cátedra, 1997; *Hombres de maíz,* Buenos Aires: Losada, 1949; Madrid: Alianza Editorial, 1972; ed. crít. Gerald Martin; con ensayos de Mario Vargas Llosa, G. M. y Giovanni Meo Zilio, París-México: Klincksieck Éditions-Fondo de Cultura Económica, 1981; ed. crít. G. M., Madrid: Archivos, 1992; ed. crít. de *Viento fuerte,* Buenos Aires: Losada, 1950; Madrid: Alianza Editorial, 1982; *El Papa Verde,* Buenos Aires: Losada, 1954; Madrid: Alianza Editorial, 1982; *Obras escogidas,* 3 vols., Madrid: Aguilar, 1955, 1961 y 1966; *Los ojos de los enterrados,* Buenos Aires: Losada, 1960; *El alhajadito,* Buenos Aires: Goyanarte, 1961; *Mulata de Tal,* Buenos Aires: Losada, 1963; ed. crít. de Arturo Arias, Nanterre: ALLCA XX, 2000; *El espejo de Lida Sal,* México: Siglo XXI, 1967; *Obras completas,* pról. José María Souviron, 3 vols., Madrid: Aguilar, 1968; *Maladrón,* Buenos Aires: Losada, 1969; Madrid: Alianza Editorial, 1984; *Novelas y cuentos de juventud,* ed. Claude Couffon, París: Centre de Recherches de l'Institut d'Études Hispaniques, 1971; *Lo mejor de mi obra. Autoantología de M. Á. A.,* Barcelona: Novaro, 1974; *Tres obras [Leyendas de Guatemala. El alhajadito. El señor Presidente],* pról. Arturo Uslar Pietri, notas y cronol. Giuseppe Bellini, Caracas: Biblioteca Ayacucho, 1977; *Edición crítica de las Obras Completas de M. Á. A.,* 4 vols. *[El señor Presidente, Hombres de maíz, Viernes de dolores, Tres de cuatro soles],* varios eds., París: Éditions Klincksieck/México-Madrid-Buenos Aires: Fondo de Cultura Económica, 1977-1981.

Crítica (selección mínima)

Bellini, Giuseppe, *La narrativa de M. Á. A.,* Buenos Aires: Losada, 1969; *Mundo mágico y mundo real: la narrativa de Miguel Ángel Asturias,* Roma, Bulzoni, 1999; Callan, Richard J., *M. Á. A.,* Nueva York: Twayne, 1970; Cardoza y Aragón, Luis, *M. Á. A.,* México: Era, 1991; *Escritura,* número especial, 3-5 y 6 (1978); Franco, Jean, «M. Á. A.», en Carlos A. Solé, ed.*, 854-73; Giacoman, Helmy F., ed., *Homenaje de M. Á. A.,* Nueva York: Las Américas, 1971; Harss, Luis*, «M. Á. A., o la tierra florida», 87-127; Hurtado Heras, Saúl, *Por las tierras de Ilóm: el realismo mágico en «Hombres de maíz»,* México: Universidad Autónoma del Estado de México, 1997; *La narrativa de Miguel Ángel Asturias: una revisión crítica,* México D. F., Universidad Nacional Autónoma de México, 2006; Nouhaud, Dorita, *La Brulure de Cinq Soleils: biographie raisonné de M. A. A.,* Limoges, P. U. de Limoges, 1991; Prieto, René, *M. Á.*

A.: Archeology of Return, Cambridge-Nueva York: Cambridge University Press, 1993; *Revista Iberoamericana,* número especial, 67 (1969), 135-267; Royano Gutiérrez, Lourdes, *Las novelas de M. A. A. desde la teoría de la recepción,* Valladolid: Universidad; Sáenz García, Jimena, *Genio y figura de M. Á. A.,* Buenos Aires: Eudeba, 1974; Verdugo Iber, *El carácter de la literatura y la novelística de M. Á. A.,* Guatemala: Editorial Universitaria, 1968.

Leyenda de la Tatuana

Ronda por Casa-Mata la Tatuana...

El Maestro Almendro tiene la barba rosada, fue uno de los sacerdotes que los hombres blancos tocaron creyéndoles de oro, tanta riqueza vestían, y sabe el secreto de las plantas que lo curan todo, el vocabulario de la obsidiana –piedra que habla– y leer los jeroglíficos de las constelaciones.

Es el árbol que amaneció un día en el bosque donde está plantado, sin que ninguno lo sembrara, como si lo hubieran llevado los fantasmas. El árbol que anda... El árbol que cuenta los años de cuatrocientos días por las lunas que ha visto, que ha visto muchas lunas, como todos los árboles, y que vino ya viejo del Lugar de la Abundancia.

Al llenar la luna del Búho-Pescador (nombre de uno de los veinte meses del año de cuatrocientos días), el Maestro Almendro repartió el alma entre los caminos. Cuatro eran los caminos y se marcharon por opuestas direcciones hacia las cuatro extremidades del cielo. La negra extremidad: Noche sortílega. La verde extremidad: Tormenta primaveral. La roja extremidad: Guacamayo o éxtasis de trópico. La blanca extremidad: Promesa de tierras nuevas. Cuatro eran los caminos.

–¡Caminín! ¡Caminito!... –dijo al Camino Blanco una paloma blanca, pero el Caminito Blanco no la oyó. Quería que le diera el alma del Maestro, que cura de sueños. Las palomas y los niños padecen de ese mal.

–¡Caminín! ¡Caminito!... –dijo al Camino Rojo un corazón rojo; pero el Camino Rojo no lo oyó. Quería distraerlo para que olvidara el alma del Maestro. Los corazones, como los ladrones, no devuelven las cosas olvidadas.

–¡Caminín! ¡Caminito!... –dijo al Camino Verde un emparrado verde, pero el Camino Verde no lo oyó. Quería que con el alma del Maestro le desquitase algo de su deuda de hojas y de sombra.

¿Cuántas lunas pasaron andando los caminos?

¿Cuántas lunas pasaron andando los caminos?

El más veloz, el Camino Negro, el camino al que ninguno habló en el camino, se detuvo en la ciudad, atravesó la plaza y en el barrio de los mercaderes, por un ratito de descanso, dio el alma del Maestro al Mercader de Joyas sin precio.

Era la hora de los gatos blancos. Iban de un lado a otro. ¡Admiración de los rosales! Las nubes parecían ropas en los tendederos del cielo.

Al saber el Maestro lo que el Camino Negro había hecho, tomó naturaleza humana nuevamente, desnudándose de la forma vegetal en un riachuelo que nacía bajo la luna ruborosa como una flor de almendro, y encaminose a la ciudad.

Llegó al valle después de una jornada, en el primer dibujo de la tarde, a la hora en que volvían los rebaños, conversando los pastores, que contestaban monosilábicamente a sus preguntas, extrañados, como ante una aparición, de su túnica verde y su barba rosada.

En la ciudad se dirigió a Poniente. Hombres y mujeres rodeaban las pilas públicas. El agua sonaba a besos al ir llenando los cántaros. Y guiado por las sombras, en el barrio de los mercaderes encontró la parte de su alma vendida por el Camino Negro al Mercader de Joyas sin precio. La guardaba en el fondo de una caja de cristal con cerradores de oro.

Sin perder tiempo se acercó al Mercader, que en un rincón fumaba, a ofrecerle por ella cien arrobas de perlas.

El Mercader sonrió de la locura del Maestro. ¿Cien arrobas de perlas? ¡No, sus joyas no tenían precio!

El Maestro aumentó la oferta. Los mercaderes se niegan hasta llenar su tanto. Le daría esmeraldas, grandes como maíces, de cien en cien almudes, hasta formar un lago de esmeraldas.

El Mercader sonrió de la locura del Maestro. ¿Un lago de esmeraldas? ¡No, sus joyas no tenían precio!

Le daría amuletos, ojos de namik[1] para llamar el agua, plumas contra la tempestad, mariguana para su tabaco...

El Mercader se negó.

¡Le daría piedras preciosas para construir, a medio lago de esmeraldas, un palacio de cuento!

El Mercader se negó. Sus joyas no tenían precio, y, además, ¿a qué seguir hablando?, ese pedacito de alma lo quería para cambiarlo, en un mercado de esclavas, por la esclava más bella.

Y todo fue inútil, inútil que el Maestro ofreciera y dijera, tanto como lo dijo, su deseo de recobrar el alma. Los mercaderes no tienen corazón.

1. *Namik:* venado.

Una hebra de humo de tabaco separaba la realidad del sueño. Los gatos negros de los gatos blancos y al Mercader del extraño comprador, que al salir sacudió sus sandalias en el quicio de la puerta. El polvo tiene maldición.

Después de un año de cuatrocientos días –sigue la leyenda– cruzaba los caminos de la cordillera el Mercader. Volvía de países lejanos, acompañado de la esclava comprada con el alma del Maestro, del pájaro flor, cuyo pico trocaba en jacintos las gotitas de miel, y de un séquito de treinta servidores montados.

–¡No sabes –decía el Mercader a la esclava, arrendando su caballería– cómo vas a vivir en la ciudad! ¡Tu casa será un palacio y a tus órdenes estarán todos mis criados, yo el último, si así lo mandas tú!

»Allá –continuaba con la cara a mitad bañada por el sol– todo será tuyo. ¡Eres una joya, y yo soy el Mercader de Joyas sin precio! ¡Vales un pedacito de alma que no cambié por un lago de esmeraldas!... En una hamaca juntos veremos caer el sol y levantarse el día, sin hacer nada, oyendo los cuentos de una vieja mañosa que sabe mi destino. Mi destino, dice, está en los dedos de una mano gigante, y sabrá el tuyo, si así lo pides tú.

La esclava se volvía al paisaje de colores diluidos en azules que la distancia iba diluyendo a la vez. Los árboles tejían a los lados del camino una caprichosa decoración de güipil[2]. Las aves daban la impresión de volar dormidas, sin alas, en la tranquilidad del cielo, y en el silencio de granito, el jadeo de las bestias, cuesta arriba, cobraba acento humano.

La esclava iba desnuda. Sobre sus senos, hasta sus piernas, rodaba su cabellera negra envuelta en un solo manojo,

2. *Güipil:* camisa sin mangas usada por las mujeres.

como una serpiente. El Mercader iba vestido de oro, abrigadas las espaldas con una manta de lana de chivo. Palúdico y enamorado, al frío de su enfermedad se unía el temblor de su corazón. Y los treinta servidores montados llegaban a la retina como las figuras de un sueño.

Repentinamente, aislados goterones rociaron el camino, percibiéndose muy lejos, en los abajaderos, el grito de los pastores que recogían los ganados, temerosos de la tempestad. Las cabalgaduras apuraron el paso para ganar un refugio, pero no tuvieron tiempo: tras los goterones, el viento azotó las nubes, violentando selvas hasta llegar al valle, que a la carrera se echaba encima las mantas mojadas de la bruma, y los primeros relámpagos iluminaron el paisaje, como los fogonazos de un fotógrafo loco que tomase instantáneas de tormenta.

Entre las caballerías que huían como asombros, rotas las riendas, ágiles las piernas, grifa la crin al viento y las orejas vueltas hacia atrás, un tropezón del caballo hizo rodar al Mercader al pie de un árbol, que fulminado por el rayo en ese instante, le tomó con las raíces como una mano que recoge una piedra, y le arrojó al abismo.

En tanto, el Maestro Almendro, que se había quedado en la ciudad perdido, deambulaba como loco por las calles, asustando a los niños, recogiendo basuras y dirigiéndose de palabra a los asnos, a los bueyes y a los perros sin dueño, que para él formaban con el hombre la colección de bestias de mirada triste.

–¿Cuántas lunas pasaron andando los caminos?... –preguntaba de puerta en puerta a las gentes, que cerraban sin responderle, extrañadas, como ante una aparición, de su túnica verde y su barba rosada.

Y pasado mucho tiempo, interrogando a todos, se detuvo a la puerta del Mercader de Joyas sin precio a preguntar a la esclava, única sobreviviente de aquella tempestad:

–¿Cuántas lunas pasaron andando los caminos?...

El sol, que iba sacando la cabeza de la camisa blanca del día, borraba en la puerta, claveteada de oro y plata, la espalda del Maestro y la cara morena de la que era un pedacito de su alma, joya que no compró con un lago de esmeraldas.

–¿Cuántas lunas pasaron andando los caminos?...

Entre los labios de la esclava se acurrucó la respuesta y endureció como sus dientes. El Maestro callaba con insistencia de piedra misteriosa. Llenaba la luna del Búho-Pescador. En silencio se lavaron la cara con los ojos, al mismo tiempo, como dos amantes que han estado ausentes y se encuentran de pronto.

La escena fue turbada por ruidos insolentes. Venían a prenderles en nombre de Dios y el Rey, por brujo a él y por endemoniada a ella. Entre cruces y espadas bajaron a la cárcel, el Maestro con la barba rosada y la túnica verde, y la esclava luciendo las carnes que de tan firmes parecían de oro.

Siete meses después, se les condenó a morir quemados en la Plaza Mayor. La víspera de la ejecución, el Maestro acercose a la esclava y con la uña le tatuó un barquito en el brazo, diciéndole:

–Por virtud de este tatuaje, Tatuana, vas a huir siempre que te halles en peligro, como vas a huir hoy. Mi voluntad es que seas libre como mi pensamiento; traza este barquito en el muro, en el suelo, en el aire, donde quieras, cierra los ojos, entra en él y vete...

»¡Vete, pues mi pensamiento es más fuerte que ídolo de barro amasado con cebollín!

»¡Pues mi pensamiento es más dulce que la miel de las abejas que liban la flor del suquinay!

»¡Pues mi pensamiento es el que se torna invisible!

Sin perder un segundo la Tatuana hizo lo que el Maestro dijo: trazó el barquito, cerró los ojos y entrando en él –el barquito se puso en movimiento–, escapó de la prisión y de la muerte.

Y a la mañana siguiente, la mañana de la ejecución, los alguaciles encontraron en la cárcel un árbol seco que tenía entre las ramas dos o tres florecitas de almendro, rosadas todavía.

Alejo Carpentier

(Lausana, Suiza, 1904-París, 1980) Hasta que el *Paradiso* de Lezama Lima *(véase)* fue conocido, Carpentier fue el único e indiscutido representante de la novela barroca en América, su teórico más influyente y su encarnación más visible dentro y fuera del continente. Pero mientras Lezama sólo alcanzó a completar esa única novela, Carpentier publicó varias, entre ellas las que configuran la denominada «trilogía de lo real-maravilloso» *(El reino de este mundo, Los pasos perdidos, El siglo de las luces),* y siguió haciéndolo hasta un año antes de su muerte; además hay que distinguir entre un poeta que escribió ficción (Lezama) y un narrador nato (Carpentier). La gran cuestión del realismo mágico fue planteada por él y eso ayudó a convertirlo en un gran orientador de la novela hispanoamericana. Mucho se ha escrito sobre él y eso nos ahorra el trabajo de repasar en detalle su vida y su obra; sólo apuntaremos aquí lo indispensable para establecer su aporte.

Ese aporte es esencial por varias razones. En primer término porque representa un modelo del más alto rigor artístico, basado en el cuidado casi maniático por el detalle, la reconstrucción precisa de la época histórica, la documentación erudita como soporte al trabajo de la imaginación. Carpentier aspiraba nada menos que a la perfección en cada página que escribía; eso, en una época literaria en la que todavía predominaban la improvisación intelectual y el lenguaje desprolijo, eran innovaciones bienvenidas. Algo más: como Asturias *(véase),* pero de un modo todavía más coherente y lúcido, Carpentier fundió el conocimiento profundo de lo ancestral americano y los descubrimientos de la vanguardia europea (especialmente del surrealismo, al que estuvo vinculado en París), y alimentó con esa simbiosis un mundo narrativo que tenía los elementos seductores de lo primitivo y lo refinado, del mundo prodigioso y la elaboración racional, de la nostalgia paradisíaca y la crisis filosófica del mundo moderno. En segundo lugar, Carpentier reintroduce lo que sería uno de los grandes temas de la novela contemporánea (después de haberlo sido en la del siglo XIX): la Historia, no como un sumario de fechas y hazañas, sino como una *vivencia reveladora,* pues traspasa la vida individual y la coloca sobre el tapete del tiempo colectivo, esa tarea de Sísifo que comenzamos una y otra vez como si fuese la primera. El tiempo es uno de los mayores protagonistas de sus relatos porque es en su flujo donde nos salvamos o perdemos, donde buscamos nuestro sentido. Por último, hay que recordar que se atrevió, más de una vez, al candente y arduo tema de la política (dentro y fuera de su obra), y que indagó por la esencia del fenómeno revolucionario como constante del quehacer humano a lo largo de los siglos. Su respuesta fue algo ambigua porque, queriendo mostrar su fe en esa empresa, su arte novelístico la describió, espléndidamente, más bien como una catástrofe.

Las biografías del autor lo hacen nacer en La Habana; hoy sabemos que este cubano nació en Suiza. Hijo de un arquitecto francés que amaba la música y una profesora rusa de idiomas, Carpentier encontró en su hogar el estímulo que decidió su vocación artística. Artística y no sólo literaria (aunque ésta fue la principal) porque dentro y fuera de sus novelas dejó numerosos testimonios de sus grandes pasiones: la arquitectura, la música, el arte, la danza, etc. Carpentier estudió música y arquitectura, hizo crítica musical, colaboró con músicos como el cubano Amadeo Roldán, el brasileño Heitor Villa-Lobos y los franceses Darius Milhaud y Edgar Varèse, y fue un destacado musicólogo él mismo. La huella arquitectónica es igualmente visible en la monumentalidad y precisión geométrica de sus construcciones novelísticas, que están a veces inspiradas en imágenes específicas: Piranesi, las catedrales góticas, el arte barroco, la decoración rococó. (Esa monumentalidad a veces produce un efecto de hieratismo y pesadez, más notorias por la casi absoluta falta de humor en su arte novelístico.) La presencia de la música (tan decisiva en *El acoso, Los pasos perdidos, La consagración de la primavera y Concierto barroco)* se nota en los registros polifónicos de sus novelas, en las que los temas y motivos se despliegan siguiendo ritmos perfectamente calculados. Mundo de precisos volúmenes arquitectónicos y de *tempi* compuestos siguiendo las leyes de la armonía o la disonancia, el de Carpentier quiso ofrecer una válida alternativa estética al escritor americano que no quería quedarse limitado por un concepto provinciano de su realidad y su cultura. Su propuesta fue un estilo sincrético, que retornaba a las profundas raíces propias por vía del contacto con las variadas formas del arte universal, sobre todo europeo; Carpentier llamó «lo real maravilloso» a esa salida auténtica al dilema surrealismo/arte comprometido. Europa parecía haber agotado sus opciones; el realismo maravilloso americano, hundiendo sus manos en la historia asombrosa de sus pueblos mestizos, abría otra vez las puertas a la creación humana.

Aparte de sus novelas, Carpentier publicó cuentos y relatos más breves. Los más célebres están recogidos bajo el título *Guerra del tiempo.* Este volumen reúne una novela breve de tema político, *El acoso,* y tres relatos: «El camino de Santiago», «Viaje a la semilla» y «Semejante a la noche». Los textos son notables porque cada uno experimenta de manera distinta con el tiempo narrativo: el tiempo circular, el tiempo revertido, el tiempo discontinuo. «Viaje a la semilla» apareció primero en una edición privada en 1944; su título debe tomarse en un sentido casi literal porque explora con un tiempo reversible, que marcha del fin hacia el principio. La idea guarda analogías con la *recurrencia* en el sentido musical y está realizada con gran maestría, como una objetivación visual de un proceso insólito. Dividido externamente en trece secuencias, el cuerpo principal de la historia está contenido entre las secuencias 3 y 12; las otras funcionan, respectivamente, como apertura y conclusión: abrazan, con un aire de aparente normalidad, los asombrosos acontecimientos que hemos de presenciar. El personaje principal, el marqués Don Marcial, ha muerto y está siendo velado al finalizar la secuencia 2. Al comenzar la tercera, los mismos cirios de su funeral vuelven a crecer y la rica mansión colonial –importante símbolo de su poder y de su existencia terrenal– que habíamos visto demoler vuelve a estar en su lugar. A partir de allí todo inicia una enloquecida –y, sin embargo, rigurosamente observada– fuga hacia atrás: «Era el amanecer. El reloj del comedor acababa de dar las seis de la tarde». Asistimos a su boda,

28

después a una gran fiesta para celebrar el día «en que alcanzó la minoría de edad», luego a su ingreso al seminario, etc. La alteración radical de la perspectiva desde la que Don Marcial contempla el mundo físico y la disolución de lo que percibe en una serie inconexa de sensaciones contradicen las leyes de la verosimilitud pero se presentan como fenómenos naturales: «Los muebles crecían. Se hacía más difícil sostener los antebrazos sobre el borde de la mesa del comedor». Finalmente, reducido a «un ser totalmente sensible y táctil», reingresa al útero materno y «resbala hacia la vida». El misterioso final, en el que reaparece el negro viejo del principio (seguramente un brujo), y la alusión a la muerte de la Marquesa, sugieren sutilmente que esta vuelta a la vida es un acto de magia negra, que obliga al héroe, en terrible penitencia, a revivir (a desnacer) sus días. Esta narración que invierte la corriente del tiempo se inscribe en una ilustre tradición literaria: *El Conde Lucanor,* Quevedo, Borges, H. G. Wells, Virginia Woolf, Priestley, etc., pero tampoco hay que olvidar que el procedimiento es normal en el lenguaje cinematográfico, que el autor conocía bien.

Obra narrativa

¡Ecué-Yamba-O! Historia afrocubana, Madrid: Editorial España, 1933; Madrid: Alianza Editorial, 1989; *El reino de este mundo,* pról. A. C., México: Cía. General de Ediciones, 1949; pról. Florinda Friedmann de Goldberg, Buenos Aires: Librería del Colegio, 1975; *Los pasos perdidos,* México: EDIAPSA, 1953; ed. Roberto González Echevarría, Madrid: Cátedra, 1985; Madrid: Alianza Editorial, 1988; *El acoso,* Buenos Aires: Losada, 1956; ed. Roberto González Echevarría, Madrid: Cátedra, 1985; *Guerra del tiempo* [incluye *El acoso],* México: EDIAPSA, 1958; Madrid: Alianza

Editorial, 1988; *El siglo de las luces,* México: Cía. General de Ediciones, 1962; pról. Carlos Fuentes, cronol. Araceli García Carranza, Caracas: Biblioteca Ayacucho, 1979; ed. Ambrosio Fornet, Madrid: Cátedra, 1985; *El derecho de asilo,* Barcelona: Lumen, 1972; *Concierto barroco,* México: Siglo XXI, 1974; est. prelim. Federico Acevedo, San Juan: Universidad de Puerto Rico, 1994; *El recurso del método,* México: Siglo XXI, 1974; *Novelas y relatos,* La Habana: UNEAC, 1975; *La consagración de la primavera,* México: Siglo XXI, 1978; ed. Julio Rodríguez Puértolas, Madrid: Castalia, 1998; *El arpa y la sombra,* México: Siglo XXI, 1979; *Cuentos completos,* Barcelona: Bruguera, 1980; *Obras completas,* 16 vols., México: Siglo XXI, 1983-1994; *Historia de lunas. Los fugitivos,* Madrid: Mondadori, 1990.

Crítica (selección mínima)

Arias, Salvador, ed., *Recopilación de textos sobre A. C.,* La Habana: Casa de las Américas, 1977; Birkenmaier, Anke, *A. C. y la cultura del surrealismo en América latina,* Madrid, Fráncfort: Iberoamericana, Vervuoert, 2006; Durán, Manuel, «*Viaje a la semilla:* el cómo y el porqué de una pequeña obra maestra», en Klaus Müller-Bergh, ed., *Asedios a C.,* Santiago: Edit. Universitaria, 1972, 63-87; Giacoman, Helmy F., ed., *Homenaje a A. C.,* Nueva York: Las Américas, 1970; González, Eduardo, *A. C.: el tiempo del hombre,* Caracas: Monte Ávila, 1978; González Echevarría, Roberto, *A. C. The Pilgrim at Home,* Ithaca, Nueva York: Cornell University Press, 1977; Harvey, Sally, *Carpentier's Proustian Fiction. The Influence of M. Proust on C.,* Londres: Támesis, 1994; Janney, Frank, *A. C. and His Early Works,* Londres: Tamesis Books, 1981; Luis, William, «Historia, naturaleza y memoria en *Viaje a la semilla*», *Revista Iberoamericana,* 57: 154 (1991), 151-60; Márquez Rodríguez, Alexis, *La obra narrativa de A. C.,* Caracas: Ediciones de la Biblioteca de la Universidad de Caracas, 1970; Müller-Bergh, Klaus, *A. C. Estudio biográfico-crítico,* Nueva York-Madrid: Las

Américas, 1972; Rama, Ángel, *Primeros cuentos*, 39-43; Shaw, Donald, *A. C.,* Boston: Twayne, 1985; Padura, Leonardo, *Un camino de medio siglo: A. C. y la narrativa de lo real maravilloso,* México D. F.: Fondo de Cultura Económica, 2002; Wakefield, Steve, *Carpentier's baroque fiction: returning medusa's gaze,* Woodbridge: Tamesis, 2004.

Viaje a la semilla

1

—¿Qué quieres, viejo?...

Varias veces cayó la pregunta de lo alto de los andamios. Pero el viejo no respondía. Andaba de un lugar a otro, fisgoneando, sacándose de la garganta un largo monólogo de frases incomprensibles. Ya habían descendido las tejas, cubriendo los canteros muertos con su mosaico de barro cocido. Arriba, los picos desprendían piedras de mampostería, haciéndolas rodar por canales de madera, con gran revuelo de cales y de yesos. Y por las almenas sucesivas que iban desdentando las murallas aparecían —despojados de su secreto— cielos rasos ovales o cuadrados, cornisas, guirnaldas, dentículos, astrágalos y papeles encolados que colgaban de los testeros como viejas pieles de serpiente en muda. Presenciando la demolición, una Ceres con la nariz rota y el pelo desvaído, veteado de negro el tocado de mieses, se erguía en el traspatio sobre su fuente de mascarones borrosos. Visitados por el sol en horas de sombra, los peces grises del estanque bostezaban en agua musgosa y tibia, mirando con el ojo redondo aquellos obreros, negros sobre claro de cielo, que iban rebajando la altura secular de la casa. El viejo se había sentado, con el cayado apuntalándole la barba, al pie de la estatua. Miraba el subir y bajar de cubos en que viajaban restos apreciables. Oíanse, en sordina, los rumores de la calle mientras, arriba, las poleas concertaban, sobre ritmos de hierro con piedras, sus gorjeos de aves desagradables y pechugonas.

Dieron las cinco. Las cornisas y entablamentos se desplomaron. Sólo quedaron escaleras de mano, preparando el asalto del día siguiente. El aire se hizo más fresco, aligerado de sudores, blasfemias, chirridos de cuerdas, ejes que pedían alcuzas y palmadas en torsos pringosos. Para la casa mondada el crepúsculo llegaba más pronto. Se vestía de sombras en horas en que su ya caída balaustrada superior solía regalar a las fachadas algún relumbre de sol. La Ceres apretaba los labios. Por primera vez las habitaciones dormirían sin persianas abiertas sobre un paisaje de escombros.

Contrariando sus apetencias, varios capiteles yacían entre las hierbas. Las hojas de acanto descubrían su condición vegetal. Una enredadera aventuró sus tentáculos hacia la voluta jónica, atraída por un aire de familia. Cuando cayó la noche, la casa estaba más cerca de la tierra. Un marco de puerta se erguía aún, en lo alto, con tablas de sombra suspendidas de sus bisagras desorientadas.

2

–Entonces el negro viejo, que no se había movido, hizo gestos extraños, volteando su cayado sobre un cementerio de baldosas.

Los cuadrados de mármol, blancos y negros, volaron a los pisos, vistiendo la tierra. Las piedras, con saltos certeros, fueron a cerrar los boquetes de las murallas. Hojas de nogal claveteadas se encajaron en sus marcos, mientras los tornillos de las charnelas volvían a hundirse en sus hoyos, con rápida rotación. En los canteros muertos, levantadas por el esfuerzo de las flores, las tejas juntaron sus fragmentos, alzando un sonoro torbellino de barro, para caer en lluvia sobre la armadura del techo. La casa creció, traída nuevamente a sus proporciones habituales, pudorosa y vestida. La Ceres fue menos gris. Hubo más peces en la fuente. Y el murmullo del agua llamó begonias olvidadas.

El viejo introdujo una llave en la cerradura de la puerta principal, y comenzó a abrir ventanas. Sus tacones sonaban a hueco. Cuando encendió los velones, un estremecimiento amarillo corrió por el óleo de los retratos de familia, y gentes vestidas de negro murmuraron en todas las galerías, al compás de cucharas movidas en jícaras de chocolate.

Don Marcial, Marqués de Capellanías, yacía en su lecho de muerte, el pecho acorazado de medallas, escoltado por cuatro cirios con largas barbas de cera derretida.

3

Los cirios crecieron lentamente, perdiendo sudores. Cuando recobraron su tamaño, los apagó la monja apartando una lumbre. Las mechas blanquearon, arrojando el pabilo. La casa se vació de visitantes y los carruajes partieron en la noche. Don Marcial pulsó un teclado invisible y abrió los ojos.

Confusas y revueltas, las vigas del techo se iban colocando en su lugar. Los pomos de medicina, las borlas de damasco, el escapulario de la cabecera, los daguerrotipos, las palmas de la reja, salieron de sus nieblas. Cuando el médico movió la cabeza con desconsuelo profesional, el enfermo se sintió mejor. Durmió algunas horas y despertó bajo la mirada negra y cejuda del Padre Anastasio. De franca, detallada, poblada de pecados, la confesión se hizo reticente, penosa, llena de escondrijos. ¿Y qué derecho tenía, en el fondo, aquel carmelita, a entrometerse en su vida? Don Marcial se encontró, de pronto, tirado en medio del aposento. Aligerado de un peso en las sienes, se levantó con sorprendente celeridad. La mujer desnuda que se desperezaba sobre el brocado del lecho buscó enaguas y corpiños, llevándose, poco después, sus rumores de seda estrujada y su perfume. Abajo, en el coche cerrado, cubriendo tachuelas del asiento, había un sobre con monedas de oro.

Don Marcial no se sentía bien. Al arreglarse la corbata frente a la luna de la consola se vio congestionado. Bajó al despacho donde lo esperaban hombres de justicia, abogados y escribientes, para disponer la venta pública de la casa. Todo había sido inútil. Sus pertenencias se irían a manos del mejor postor, al compás de martillo golpeando una tabla. Saludó y le dejaron solo. Pensaba en los misterios de la letra escrita, en esas hebras negras que se enlazan y desenlazan sobre anchas hojas afiligranadas de balanzas, enlazando y desenlazando compromisos, juramentos, alianzas, testimonios, declaraciones, apellidos, títulos, fechas, tierras, árboles y piedras; maraña de hilos, sacada del tintero, en que se enredaban las piernas del hombre, vedándole caminos desestimados por la Ley; cordón al cuello, que apretaba su sordina al percibir el sonido temible de las palabras en libertad. Su firma lo había traicionado, yendo a complicarse en nudo y enredos de legajos. Atado por ella, el hombre de carne se hacía hombre de papel.

Era el amanecer. El reloj del comedor acababa de dar las seis de la tarde.

4

Transcurrieron meses de luto, ensombrecidos por un remordimiento cada vez mayor. Al principio, la idea de traer una mujer a aquel aposento se le hacía casi razonable. Pero, poco a poco, las apetencias de un cuerpo nuevo fueron desplazadas por escrúpulos crecientes, que llegaron al flagelo. Cierta noche, Don Marcial se ensangrentó las carnes con una correa, sintiendo luego un deseo mayor, pero de corta duración. Fue entonces cuando la Marquesa volvió, una tarde, de su paseo a las orillas del Almendares. Los caballos de la calesa no traían en las crines más humedad que la del propio sudor. Pero, durante todo el resto del día, dispararon coces a las tablas de la cuadra, irritados, al parecer, por la inmovilidad de nubes bajas.

Al crepúsculo, una tinaja llena de agua se rompió en el baño de la Marquesa. Luego, las lluvias de mayo rebosaron el estanque. Y aquella negra vieja, con tacha de cimarrona y palomas debajo de la cama, que andaba por el patio murmurando: «¡Desconfía de los ríos, niña; desconfía de lo verde que corre!». No había día en que el agua no revelara su presencia. Pero esa presencia acabó por no ser más que una jícara derramada sobre vestido traído de París, al regreso del baile aniversario dado por el Capitán General de la Colonia.

Reaparecieron muchos parientes. Volvieron muchos amigos. Ya brillaban, muy claras, las arañas del gran salón. Las grietas de la fachada se iban cerrando. El piano regresó al clavicordio. Las palmas perdían anillos. Las enredaderas soltaban la primera cornisa. Blanquearon las ojeras de la Ceres y los capiteles parecieron recién tallados. Más fogoso, Marcial solía pasarse tardes enteras abrazando a la Marquesa. Borrábanse patas de gallina, ceños y papadas, y las carnes tornaban a su dureza. Un día, un olor de pintura fresca llenó la casa.

5

Los rubores eran sinceros. Cada noche se abrían un poco más las hojas de los biombos, las faldas caían en rincones menos alumbrados y eran nuevas barreras de encajes. Al fin la Marquesa sopló las lámparas. Sólo él habló en la oscuridad.

Partieron para el ingenio, en gran tren de calesas –relumbrante de grupas alazanas, bocados de plata y charoles al sol–. Pero, a la sombra de las flores de Pascua que enrojecían el soportal interior de la vivienda, advirtieron que se conocían apenas. Marcial autorizó danzas y tambores de Nación, para distraerse un poco en aquellos días olientes a perfumes de Colonia, baños de benjuí, cabelleras esparcidas, y sábanas sacadas de armarios que, al abrirse, dejaban caer sobre las losas un mazo de vetiver. El vaho del guarapo giraba en la brisa con el toque de oración. Volando bajo, las auras anunciaban lluvias reticentes, cuyas primeras gotas, anchas y sonoras, eran sorbidas por tejas tan secas que tenían diapasón de cobre. Después de un amanecer alargado por un abrazo deslucido, aliviados de desconciertos y cerrada la herida, ambos regresaron a la ciudad. La Marquesa trocó su vestido de viaje por un traje de novia, y, como era costumbre, los esposos fueron a la iglesia para recobrar su libertad. Se devolvieron presentes a parientes y amigos, y, con revuelo de bronces y alardes de jueces, cada cual tomó la calle de su morada. Marcial siguió visitando a María de las Mercedes por algún tiempo, hasta el día en que los anillos fueron llevados al taller del orfebre para ser desgrabados. Comenzaba, para Marcial, una vida nueva. En la casa de altas rejas, la Ceres fue sustituida por una Venus italiana, y los mascarones de la fuente adelantaron casi imperceptiblemente el relieve al ver todavía encendidas, pintada ya el alba, las luces de los velones.

6

Una noche, después de mucho beber y marearse con tufos de tabaco frío, dejados por sus amigos, Marcial tuvo la sensación extraña de que los relojes de la casa daban las cinco, luego las cuatro y media, luego las cuatro, luego las tres y media... Era como la percepción remota de otras posibilidades. Como cuando se piensa, en enervamiento de vigilia, que puede andarse sobre el cielo raso con el piso por cielo raso, entre muebles firmemente asentados entre las vigas del techo. Fue una impresión fugaz, que no dejó la menor huella en su espíritu, poco llevado, ahora, a la meditación.

Y hubo un gran sarao, en el salón de música, el día en que alcanzó la minoría de edad. Estaba alegre, al pensar que su firma había dejado de tener un valor legal, y que los registros y escribanías, con sus polillas, se borraban de su mundo. Llegaba al punto en que los tribunales dejan de ser temibles para quienes tienen una carne desestimada por los códigos. Luego de achisparse con vinos generosos, los jóvenes descolgaron de la pared una guitarra incrustada de nácar, un salterio y un serpentón. Alguien dio cuerda al reloj que tocaba la Tirolesa de las Vacas y la Balada de los Lagos de Escocia. Otro embocó un cuerno de caza que dormía, enroscado en su cobre, sobre los fieltros encarnados de la vitrina, al lado de la flauta traversera traída de Aranjuez. Marcial, que estaba requebrando atrevidamente a la de Campoflorido, se sumó al guirigay, buscando en el teclado, sobre bajos falsos, la melodía del Trípili-Trápala. Y subieron todos al desván, de pronto, recordando que allá, bajo vigas que iban recobrando el repello, se guardaban los trajes y libreas de la Casa de Capellanías. En entrepaños escarchados de alcanfor descansaban los vestidos de corte, un espadín de Embajador, varias guerreras emplastronadas, el manto de un Príncipe de la Iglesia, y largas casacas, con botones de damasco y difuminos de humedad en los pliegues. Matizáronse las penumbras con cintas de amaranto, miriñaques amarillos, túnicas marchitas y flores de terciopelo. Un traje de chispero con redecilla de borlas, nacido en una mascarada de carnaval, levantó aplausos. La de Campoflorido redondeó los hombros empolvados bajo un rebozo de color de carne criolla, que sirviera a cierta abuela, en noche de grandes decisiones familiares, para avivar los amansados fuegos de un rico Síndico de Clarisas.

Disfrazados regresaron los jóvenes al salón de música. Tocado con un tricornio de regidor, Marcial pegó tres bastonazos en el piso, y se dio comienzo a la danza de la valse, que las madres hallaban terriblemente impropio de señoritas, con eso de dejarse enlazar por la cintura, recibiendo manos de hombre sobre las ballenas del corset que todas se habían hecho según el reciente patrón de «El Jardín de las Modas». Las puertas se oscurecieron de fámulas, cuadrerizos, sirvientes, que venían de sus lejanas dependencias y de los entresuelos sofocantes, para admirarse ante fiesta de tanto alboroto. Luego, se jugó a la gallina ciega y al escondite. Marcial, oculto con la de Campoflorido detrás de un biombo chino, le estampó un beso en la nuca, recibiendo en respuesta un pañuelo perfumado, cuyos encajes de Bruselas guardaban suaves tibiezas de escote. Y cuando las muchachas se alejaron en las luces del crepúsculo, hacia las atalayas y torreones que se pintaban en grisnegro sobre el mar, los mozos fueron a la Casa de Baile, donde tan sabrosamente se contoneaban las mulatas de grandes ajorcas, sin perder nunca –así fuera de movida una guaracha– sus zapatillas de alto tacón. Y como se estaba en carnavales, los del Cabildo Arará Tres Ojos levantaban un trueno de tambores tras de la pared medianera, en un patio sembrado de granados. Subidos en mesas y taburetes, Marcial y sus amigos alabaron el garbo de una negra de pasas entrecanas, que volvía a ser hermosa, casi deseable, cuando miraba por sobre el hombro, bailando con altivo mohín de reto.

7

Las visitas de Don Abundio, notario y albacea de la familia, eran más frecuentes. Se sentaba gravemente a la cabecera de la cama de Marcial, dejando caer al suelo su bastón de ácana para despertarlo antes de tiempo. Al abrirse, los ojos tropezaban con una levita de alpaca, cubierta de caspa, cuyas mangas lustrosas recogían títulos y rentas. Al fin sólo quedó una pensión razonable, calculada para poner coto a toda locura. Fue entonces cuando Marcial quiso ingresar en el Real Seminario de San Carlos.

Después de mediocres exámenes, frecuentó los claustros, comprendiendo cada vez menos las explicaciones de los dómines. El mundo de las ideas se iba despoblando. Lo que había sido, al principio, una ecuménica asamblea de peplos, jubones, golas y pelucas, controversistas y ergotantes, cobraba la inmovilidad de un museo de figuras de cera. Marcial se contentaba ahora con una exposición escolástica de los sistemas, aceptando por bueno lo que se dijera en cualquier texto. «León», «Avestruz», «Ballena», «Jaguar», leíase sobre los grabados en cobre de la *Historia Natural*. Del mismo modo «Aristóteles», «Santo Tomás», «Bacon», «Descartes», encabezaban páginas negras, en que se catalogaban aburridamente las interpretaciones del universo, al margen de una capitular espesa. Poco a poco, Marcial dejó de estudiarlas, encontrándose librado de un gran peso. Su mente se hizo alegre y ligera, admitiendo tan sólo un concepto instintivo de las cosas. ¿Para qué pensar en el prisma, cuando la luz clara de invierno daba mayores detalles a las fortalezas del puerto? Una manzana que cae del árbol sólo es incitación para los dientes. Un pie en una bañadera no pasa de ser un pie en una bañadera. El día que abandonó el Seminario, olvidó los libros. El gnomon recobró su categoría de duende; el espectro fue sinónimo de fantasma; el octandro era bicho acorazado, con púas en el lomo.

Varias veces, andando pronto, inquieto el corazón, había ido a visitar a las mujeres que cuchicheaban, detrás de puertas

azules, al pie de las murallas. El recuerdo de la que llevaba zapatillas bordadas y hojas de albahaca en la oreja lo perseguía,
en tardes de calor, como un dolor de muelas. Pero un día la
cólera y las amenazas de un confesor le hicieron llorar de es-
panto. Cayó por última vez en las sábanas del infierno, renun-
ciando para siempre a sus rodeos por calles poco concurridas,
a sus cobardías de última hora que le hacían regresar con rabia a su casa, luego de dejar a sus espaldas cierta acera rajada
–señal, cuando andaba con la vista baja, de la media vuelta
que debía darse para hollar el umbral de los perfumes.

Ahora vivía su crisis mística, poblada de detentes, corde-
ros pascuales, palomas de porcelana, Vírgenes de manto
azul celeste, estrellas de papel dorado, Reyes Magos, ángeles con alas de cisne, el Asno, el Buey, y un terrible San Dio-
nisio que se le aparecía en sueños, con un gran vacío entre
los hombros y el andar vacilante de quien busca un objeto
perdido. Tropezaba con la cama y Marcial despertaba sobresaltado, echando mano al rosario de cuentas sordas. Las
mechas, en sus pocillos de aceite, daban luz triste a imágenes que recobraban su color primero.

8

Los muebles crecían. Se hacía más difícil sostener los antebrazos sobre el borde de la mesa del comedor. Los armarios
de cornisas labradas ensanchaban el frontis. Alargando el
torso, los moros de la escalera acercaban sus antorchas a los
balaustres del rellano. Las butacas eran más hondas y los si-
llones de mecedora tenían tendencia a irse para atrás. No
había ya que doblar las piernas al recostarse en el fondo de
la bañadera con anillas de mármol.

Una mañana en que leía un libro licencioso, Marcial tuvo ganas, súbitamente, de jugar con los soldados de plomo que dormían en sus cajas de madera. Volvió a ocultar el tomo bajo la jofaina del lavabo, y abrió una gaveta sellada por las telarañas. La mesa de estudio era demasiado exigua para dar cabida a tanta gente. Por ello, Marcial se sentó en el piso. Dispuso los granaderos por filas de ocho. Luego, los oficiales a caballo, rodeando al abanderado. Detrás, los artilleros, con sus cañones, escobillones y botafuegos. Cerrando la marcha, pífanos y timbales, con escolta de redoblantes. Los morteros estaban dotados de un resorte que permitía lanzar bolas de vidrio a más de un metro de distancia.

—¡Pum!... ¡Pum!... ¡Pum!...

Caían caballos, caían abanderados, caían tambores. Hubo de ser llamado tres veces por el negro Eligio, para decidirse a lavarse las manos y bajar al comedor.

Desde ese día, Marcial conservó el hábito de sentarse en el enlosado. Cuando percibió las ventajas de esa costumbre, se sorprendió por no haberlo pensado antes. Afectas al terciopelo de los cojines, las personas mayores sudan demasiado. Algunas huelen a notario —como Don Abundio— por no conocer, con el cuerpo echado, la frialdad del mármol en todo tiempo. Sólo desde el suelo pueden abarcarse totalmente los ángulos y perspectivas de una habitación. Hay bellezas de la madera, misteriosos caminos de insectos, rincones de sombra, que se ignoran a altura de hombre. Cuando llovía, Marcial se ocultaba debajo del clavicordio. Cada trueno hacía temblar la caja de resonancia, poniendo todas las notas a cantar. Del cielo caían los rayos para construir aquella bóveda de calderones —órgano, pinar al viento, mandolina de grillos.

9

Aquella mañana lo encerraron en su cuarto. Oyó murmullos en toda la casa y el almuerzo que le sirvieron fue demasiado suculento para un día de semana. Había seis pasteles de la confitería de la Alameda –cuando sólo dos podían comerse, los domingos, después de misa–. Se entretuvo mirando estampas de viaje, hasta que el abejeo creciente, entrando por debajo de las puertas, le hizo mirar entre persianas. Llegaban hombres vestidos de negro, portando una caja con agarraderas de bronce. Tuvo ganas de llorar, pero en ese momento apareció el calesero Melchor, luciendo sonrisa de dientes en lo alto de sus botas sonoras. Comenzaron a jugar al ajedrez. Melchor era caballo. Él, era Rey. Tomando las losas del piso por tablero, podía avanzar de una en una, mientras Melchor debía saltar una de frente y dos de lado, o viceversa. El juego se prolongó hasta más allá del crepúsculo, cuando pasaron los Bomberos del Comercio.

Al levantarse, fue a besar la mano de su padre que yacía en su cama de enfermo. El Marqués se sentía mejor, y habló a su hijo con el empaque y los ejemplos usuales. Los «Sí, padre» y los «No, padre» se encajaban entre cuenta y cuenta del rosario de preguntas, como las respuestas del ayudante en una misa. Marcial respetaba al Marqués, pero era por razones que nadie hubiera acertado a suponer. Lo respetaba porque era de elevada estatura y salía, en noches de baile, con el pecho rutilante de condecoraciones; porque le envidiaba el sable y los entorchados de oficial de milicias; porque, en Pascuas, había comido un pavo entero, relleno de almendras y pasas, ganando una apuesta; porque, cierta vez, sin duda con el ánimo de azotarla, agarró a una de las mulatas que barrían la rotonda, llevándola en brazos a su habitación. Marcial, oculto detrás de una cortina, la vio salir poco después, llorosa y desabrochada, alegrándose del castigo, pues era la que siempre vaciaba las fuentes de compota devueltas a la alacena.

El padre era un ser terrible y magnánimo al que debía amarse después de Dios. Para Marcial era más Dios que Dios, porque sus dones eran cotidianos y tangibles. Pero prefería el Dios del cielo, porque fastidiaba menos.

10

Cuando los muebles crecieron un poco más y Marcial supo como nadie lo que había debajo de las camas, armarios y vargueños, ocultó a todos un gran secreto: la vida no tenía encanto fuera de la presencia del calesero Melchor. Ni Dios, ni su padre, ni el obispo dorado de las procesiones del Corpus, eran tan importantes como Melchor.

Melchor venía de muy lejos. Era nieto de príncipes vencidos. En su reino había elefantes, hipopótamos, tigres y jirafas. Ahí los hombres no trabajaban, como Don Abundio, en habitaciones obscuras, llenas de legajos. Vivían de ser más astutos que los animales. Uno de ellos sacó el gran cocodrilo del lago azul, ensartándolo con una pica oculta en los cuerpos apretados de doce ocas asadas. Melchor sabía canciones fáciles de aprender, porque las palabras no tenían significado y se repetían mucho. Robaba dulces en las cocinas; se escapaba, de noche, por la puerta de los cuadrerizos, y, cierta vez, había apedreado a los de la guardia civil, desapareciendo luego en las sombras de la calle de la Amargura.

En días de lluvia, sus botas se ponían a secar junto al fogón de la cocina. Marcial hubiese querido tener pies que llenaran tales botas. La derecha se llamaba *Calambín*. La izquierda, *Calambán*. Aquel hombre que dominaba los caballos cerreros con sólo encajarles dos dedos en los belfos; aquel señor de terciopelos y espuelas, que lucía chisteras tan altas, sabía también lo fresco que era un suelo de mármol en verano, y ocultaba debajo de los muebles una fruta o un pastel arrebatados a las bandejas destinadas al Gran Salón. Marcial y Melchor tenían en común un depósito secreto de grageas y almendras, que llamaban el «Urí, urí, urá», con entendidas carcajadas. Ambos habían explorado la casa de arriba abajo, siendo los únicos en saber que existía un pequeño sótano lleno de frascos holandeses, debajo de las cuadras, y que en desván inútil, encima de los cuartos de criadas, doce mariposas polvorientas acababan de perder las alas en caja de cristales rotos.

11

Cuando Marcial adquirió el hábito de romper cosas, olvidó a Melchor para acercarse a los perros. Había varios en la casa. El atigrado grande; el podenco que arrastraba las tetas; el galgo, demasiado viejo para jugar; el lanudo que los demás perseguían en épocas determinadas, y que las camareras tenían que encerrar.

Marcial prefería a Canelo porque sacaba zapatos de las habitaciones y desenterraba los rosales del patio. Siempre negro de carbón o cubierto de tierra roja, devoraba la comida de los demás, chillaba sin motivo, y ocultaba huesos robados al pie de la fuente. De vez en cuando, también vaciaba un huevo acabado de poner, arrojando la gallina al aire con brusco palancazo del hocico. Todos daban de patadas al Canelo. Pero Marcial se enfermaba cuando se lo llevaban. Y el perro volvía triunfante, moviendo la cola, después de haber sido abandonado más allá de la Casa de Beneficencia, recobrando un puesto que los demás, con sus habilidades en la caza o desvelos en la guardia, nunca ocuparían.

Canelo y Marcial orinaban juntos. A veces escogían la alfombra persa del salón, para dibujar en su lana formas de nubes pardas que se ensanchaban lentamente. Eso costaba castigo de cintarazos. Pero los cintarazos no dolían tanto como creían las personas mayores. Resultaban, en cambio, pretexto admirable para armar concertantes de aullidos, y provocar la compasión de los vecinos. Cuando la bizca del tejadillo calificaba a su padre de «bárbaro», Marcial miraba a Canelo, riendo con los ojos. Lloraban un poco más, para ganarse un bizcocho, y todo quedaba olvidado. Ambos comían tierra, se revolcaban al sol, bebían en la fuente de los peces, buscaban sombra y perfume al pie de las albahacas. En horas de calor, los canteros húmedos se llenaban de gente. Ahí estaba la gansa gris, con bolsa colgante entre las patas zambas; el gallo viejo del culo pelado; la lagartija que decía «urí, urá», sacándose del cuello una corbata rosada; el triste jubo, nacido en ciudad sin hembras; el ratón que tapiaba su agujero con una semilla de carey. Un día, señalaron el perro a Marcial.

—¡Guau, guau! —dijo.

Hablaba su propio idioma. Había logrado la suprema libertad. Y quería alcanzar, con sus manos, objetos que estaban fuera del alcance de sus manos.

12

Hambre, sed, calor, dolor, frío. Apenas Marcial redujo su percepción a la de estas realidades esenciales, renunció a la luz que ya le era accesoria. Ignoraba su nombre. Retirado el bautismo, con su sal desagradable, no quiso ya el olfato, ni el oído, ni siquiera la vista. Sus manos rozaban formas placenteras. Era un ser totalmente sensible y táctil. El universo le entraba por todos los poros. Entonces cerró los ojos que sólo divisaban gigantes nebulosos y penetró en un cuerpo caliente, húmedo, lleno de tinieblas, que moría. El cuerpo, al sentirlo arrebozado con su propia sustancia, resbaló hacia la vida.

Pero ahora el tiempo corrió más pronto, adelgazando sus últimas horas. Los minutos sonaban a glissando de naipes bajo el pulgar de un jugador.

Las aves volvieron al huevo en torbellino de plumas. Los peces cuajaron la hueva, dejando una nevada de escamas en el fondo del estanque. Las palmas doblaron las pencas, desapareciendo en la tierra como abanicos cerrados. Los tallos sorbían sus hojas y el suelo tiraba de todo lo que le perteneciera. El trueno retumbaba en los corredores. Crecían pelos en la gamuza de los guantes. Las mantas de lana se destejían, redondeando el vellón de carneros distantes. Los armarios, los vargueños, las camas, los crucifijos, las mesas, las persianas, salieron volando en la noche, buscando sus antiguas raíces al pie de las selvas. Todo lo que tuviera clavos se desmoronaba. Un bergantín, anclado no se sabía dónde, llevó presurosamente a Italia los mármoles del piso y de la fuente. Las panoplias, los herrajes, las llaves, las cazuelas de cobre, los bocados de las cuadras, se derretían, engrosando un río de metal que galerías sin techo canalizaban hacia la tierra. Todo se metamorfoseaba, regresando a la condición primera. El barro volvió al barro, dejando un yermo en lugar de la casa.

13

Cuando los obreros vinieron con el día para proseguir la demolición, encontraron el trabajo acabado. Alguien se había llevado la estatua de Ceres, vendida la víspera a un anticuario. Después de quejarse al Sindicato, los hombres fueron a sentarse en los bancos de un parque municipal. Uno recordó entonces la historia, muy difuminada, de una Marquesa de Capellanías, ahogada, en tarde de mayo, entre las malangas del Almendares. Pero nadie prestaba atención al relato, porque el sol viajaba de oriente a occidente, y las horas que crecen a la derecha de los relojes deben alargarse por la pereza, ya que son las que más seguramente llevan a la muerte.

José Lezama Lima

(La Habana, 1910-1976) Escríbiese prosa o verso, la actitud fundamental de Lezama Lima es siempre la del poeta, pues el núcleo de su visión es la imagen. Una imagen reverberante, sensual y mística, extremadamente compleja y hermética. El barroco tiene una larga tradición en las letras cubanas, y durante el siglo XX floreció en las obras de Carpentier (*véase*) y Severo Sarduy, entre otros; pero nadie ha llevado esa estética más lejos que Lezama, que no temió traspasar los límites mismos de lo inteligible, impulsado por el placer narcisista de verse a sí mismo jugando con todos los poderes de la lengua y la fantasía. Se le ha comparado con Góngora, pero habría que pensar en un Góngora adaptado al trópico y al bullente espíritu criollo americano: tiniebla y luz solar, gravedad y risa, rigor y fiesta.

Lezama era, a pesar de la importancia de una obra que comenzó en los años treinta, un virtual desconocido fuera de Cuba; irónica y tardíamente, fue descubierto en 1966 gracias a la publicación de *Paradiso,* una novela de ochocientas páginas que parecía sumarse al movimiento de renovación conceptual y formal que caracterizaba al género por esa época. Cortázar, Vargas Llosa *(véanse)* y otros lo saludaron entusiastamente y lo reconocieron como uno de los suyos. Su oscuridad y su desmesurado afán inclusivo recordaban a Proust, Joyce y Pound; su caprichoso encanto visual, al arte del Greco y Arcimboldo, del *Douanier* Rousseau y de Wifredo Lam. Siendo cubanísimo, el horizonte cultural de Lezama era decididamente cosmopolita: las antiguas civilizaciones, el medioevo, las doctrinas ocultistas y mágicas, los ritos y creencias africanos, la Europa de los grandes imperios, la América de Colón, Bolívar y Martí. Un mundo de figuras heroicas y vastas empresas históricas que eran, para él, valiosas no por la realidad inmediata de sus logros, sino por el vigor creador e imaginativo que las impulsaba. Su interpretación personal de esa invención se apoya en una argumentación cuyo hilo no resulta fácil de seguir. La complicación y la desmesura son parte de su sistema de pensamiento: «Sólo lo difícil es estimulante», reza uno de sus más famosos lemas intelectuales.

Sin embargo, este autor hambriento de saberlo y de sentirlo todo fue un hombre que permaneció casi inmóvil en su patria, aislado y concentrado en lo suyo; tras un viaje a Montego Bay (Jamaica), Lezama escribió un poema en el que convertía el breve trayecto en una fabulosa anábasis. Agobiado por el asma y atado por la dulce tiranía de los lazos familiares, hizo una vida sedentaria que giró alrededor del hogar y de sus libros. Sin embargo, fue el hombre que abrió caminos a toda una generación de escritores cubanos y les permitió airearse en la atmósfera de los grandes cambios estéticos que ocurrían por entonces en Europa, Estados Unidos y el resto de América. Lo hizo a través de varias publicaciones, la más importante de las cuales fue *Orígenes* (1944-1956). En realidad, *Orígenes* era más que una revista: era la expresión de una época y una actitud que no cabían en una estrecha definición literaria; albergó muchas ideas y se extendió en muchas direcciones. *Orígenes* es una de las obras más permanentes de Lezama.

No es éste el lugar para hablar de su poesía y ni siquiera de sus novelas, que tienen una vastedad y una densidad que sólo pueden describirse por extenso. Baste decir que éstas –*Paradiso* y *Oppiano Licario*– componen una autobiografía cifrada de su imaginación más que de su vida física, y que describen el proceso órfico que lo lleva del reino de los sentidos al del *logos* a través de la imagen poética. Aparte de esas obras, Lezama escribió unos cinco cuentos que nunca recogió en un volumen, aunque el crítico Ángel Rama trató de convencerlo para que lo hiciera. Tres distintas colecciones han aparecido póstumamente bajo distintos títulos, pero el material es básicamente el mismo. Podría pensarse que, en el conjunto de una obra que se caracteriza por la exuberancia, estas piezas ocupan un lugar muy menor; incluso el propio autor no parece haberles concedido la misma importancia. Pese a ello, «Cangrejos, golondrinas» prueba que en sus cuentos podía lograr la misma intensidad y complejidad de sus obras mayores; y, además, que en ellos hay gérmenes de lo que encontraremos en éstas.

El presente relato fue publicado por primera vez en *Orígenes,* en 1946. Lo que de inmediato impresiona en el texto son sus deliberados anacronismos e incongruencias: se nos presenta al herrero Sofonisco y su familia como si fuesen personajes de una leyenda antigua aunque estamos en La Habana del presente; hay brujos negros, pero también un filólogo, «un meteorólogo de las Bahamas», y se discute sobre «la influencia de la literatura birmana en el siglo II de la Era Cristiana», etc. Es un mundo intemporal y ubicuo, entre Grecia y el trópico, que confunde nuestras coordenadas racionales; caemos en el orbe «prelógico» del que hablaba Lezama como la esencia del lenguaje poético. Pero si el lector vence la resistencia inicial que le ofrecen las referencias crípticas y cultistas, descubrirá que hay un hilo narrativo generado por la misma vibración imaginística: la mujer del herrero sufre síntomas de una enfermedad, real o imaginada, que, por las alusiones al «cangrejo», debemos suponer es un cáncer. Recurre entonces a la ayuda de varios brujos negros que tratan de curarla mediante repetidos conjuros y ceremonias de santería; uno de los resultados del tumor es un feto muerto. El signo zodiacal de Cáncer entabla una lucha con dos símbolos liberadores: la golondrina (asociada con el tumor llamado «golondrino», pero también con el hijo muerto) y la paloma, que combaten también entre sí; ambos son elementos aéreos que se oponen al elemento rastrero representado por el cangrejo. Todo tiene un decidido aire alegórico, por completo desligado de la verosimilitud. Lo mismo pasa con las insistentes alusiones sexuales, que crean un contrapunto con los motivos lezamianos de la enfermedad y la familia. El efecto general del texto es el de un fantaseo onírico, apoyado en imágenes de deslumbrante intensidad: «El sueño... los distanció por dos caminos que terminaban en la misma puerta de hierro con inscripciones ilegibles». El relato en nada se distingue de los episodios que encontramos en sus novelas: es un fragmento de la misma totalidad. Al leerlo nos parece escuchar una voz remota y mágica: la de los relatos antiguos que usaban la palabra como una energía sagrada. Y confirmamos que Lezama no narra a partir de hechos, sino mediante cadenas de símbolos, metaforizaciones, sueños y fórmulas emblemáticas. Nadie ha vuelto a hacerlo así en la narrativa hispanoamericana.

Obra narrativa (principales ediciones)

Paradiso, La Habana: Unión, 1966; México: Era, 1968; ed. Eloísa Lezama Lima, Madrid: Cátedra, 1980; ed. crít. Cintio Vitier, Madrid: Archivos, 1988; Madrid: Alianza Editorial, 1988; *Obras completas,* pról. Cintio Vitier, 2 vols., México: Aguilar, 1975-1977; *Oppiano Licario,* México: Era, 1977; La Habana: Arte y Literatura, 1977; ed. César López, Madrid: Cátedra, 1977; Madrid: Alianza Editorial, 1983; *Cangrejos, golondrinas,* Buenos Aires: Calicanto, 1977; *Juego de las decapitaciones,* pról. José Ángel Valente, Barcelona: Montesinos, 1982; *Relatos,* pról. Reinaldo González, Madrid: Alianza Editorial, 1987.

Crítica[1]

Álvarez Bravo, Armando, ed., *Órbita de L. L.,* La Habana: Colección Órbita, UNEAC, 1966; Chiampi, Irlemar, «J. L. L.», en Carlos A. Solé, ed.*, vol. 3, 1125-30; González Cruz, Iván, *Diccionario: vida y obra de J. L. L.,* Valencia, Generalitat Valenciana, 2000; Pellón, Gustavo, *J. L. L. 's Joyful Vision. A Study of «Paradiso» and Other Prose Works,* Austin: University of Texas Press, 1989; Rama, Ángel, *Primeros cuentos... *, 139-46; *Revista Iberoamericana,* número especial, 41: 92-92 (1975); Rodríguez Feo, José, *Mi correspondencia con L. L.,* México: Era, 1991; Salgado, César A., *From modernism to neobaroque: Joyce and L. L.,* Lewisburg: Bucknell

---

1. Como la mayoría de las obras críticas se refieren a su poesía o a sus novelas, sólo se citan las que contienen información valiosa sobre la vida del autor u ofrecen una visión general sobre su obra narrativa.

University Press, Associated University Press, 2001; Santí, Enrico Mario, *Escritura y tradición,* Barcelona: Laia, 1997 [tres caps. sobre J. L. L.]; Simón, Pedro, ed., *Recopilación de textos sobre L. L.,* La Habana: Casa de las Américas, 1970; Souza, Raymond D., *The Poetic Fiction of J. L. L.,* Columbia: University of Missouri Press, 1983; Suárez-Galbán, Eugenio, «Una obra ignorada: los cuentos de L.», en E. S.-G., ed., *L. L.,* Madrid: Taurus, 1987, 215-24; Ulloa, Justo C., *Sobre J. L. L. y sus lectores: guía y compendio bibliográfico,* Boulder: University of Colorado/Society of Spanish and Spanish American Studies, 1987; Ulloa, Leonor A. de, «Cangrejos, golondrinas: metástasis textual», *Revista Iberoamericana,* 57: 154 (1991), 91-100.

Cangrejos, golondrinas

Eugenio Sofonisco, herrero, dedicaba la mañana del domingo a las cobranzas del hierro trabajado. Salía de la incesancia áurea de su fragua y entraba con distraída oblicuidad en la casa de los mayores del pueblo. No se podía saber si era griego o hijo de griegos. Sólo alcanzaba su plenitud rodeado por la serenidad incandescente del metal. Guardaba un olvido que le llevaba a ser irregular en los cobros, pero irreductible. Volvía siempre silbando, pero volvía y no se olvidaba. Tenía que ir a la casa del filólogo que le había encargado un freno para el caballo joven del hijo de su querida, y aunque el ayuda de cámara le salía al paso, Sofonisco estaba convencido de que el filólogo tenía que hacer por la mano de su ayuda de cámara los pagos que engordaban los días domingos. Para él, cobrar en monedas era mantener la eternidad recíproca que su trabajo necesitaba.

Mientras trabajaba el hierro, las chispas lo mantenían en el oro instantáneo, en el parpadeo estelar. Cuando recibía las monedas, le parecía que le devolvían las mismas chispas congeladas, cortadas como el pan.

Agudo y locuaz, le gustaba aparecer como lastimero y sollozante. El domingo que fue a casa del filólogo se entró al ruedo, oblicuo como de costumbre, y al atravesar el largo patio que tenía que recorrer antes de tocar la primera puerta vio en el centro del patio una montura con la inscripción de ilustres garabatos aljamiados. Ilustró la punta de sus dedos recorriendo la tibiedad de aquella piel y la frialdad de los garabatos en argentium de Lisboa. Apoyado en su distracción avanzaba convencido, cuando la voz del mayordomo del filólogo llenó el patio, la plaza y la villa. Insolencia, decía, venir cuando no se le llama, nos repta en el oído con la punta de sus silbidos y se pone a manosear la montura que no necesita de su voluptuosidad. Orosmes, soplillo malo. No vienes nunca y hoy que se te ocurre, mi señor el filólogo fue a desayunar a casa del tío de un meteorólogo de las Bahamas que nos visita, y no está ni tiene por qué estar. Usted viene a cobrar y no a acariciar la plata de las monturas que no son suyas. Empieza por hacer las cosas mal, y después acaricia su maldad. Un herrero con delectación amorosa. Te disfrazas de distraído amante del argentium, pero en el puño se te ve el rollo de los cobros, las papeletas de la anotación cuidadosa. Te finges distraído y acaricias, pero tu punto final es cerrar el pañuelo con arena aún más sucia y con las monedas en que te recuestas y engordas. No te quiero ver más por aquí, te presentas en el instante que sólo a ti corresponde, alargas la mano y después te vas. No tienes por qué acariciar la plata de ninguna montura. La voz se calló, desaparecieron los carros de ese Ezequiel, y

Sofonisco saltó de su distracción a una retirada lenta, disimulada.

El domingo siguiente se levantó con una vehemencia indetenible para volver a repetir la cobranza en casa del filólogo. Se sentía avergonzado de los gritos del mayordomo, vaciló, y le dijo a su mujer la urgencia de aquel cobro y el malestar que lo aguantaba en casa. La mujer de Sofonisco se cambió los zapatos, se alisó, mientras adoptaba la dirección de la casa del filólogo. Se le olvidó acariciar la montura antes de que su mano cayese tres veces en el aldabón.

No le salió al paso el mayordomo, sino la esposa del filólogo. Insignificante y relegada cuando su esposo estaba en casa, si éste viajaba adquiría una posición rectificadora y durante la ausencia del esposo presumía de modificar y humillar al mayordomo. Le había mandado que ayudase a fregar la loza, que abandonase el plumerillo y sus insistentes acudidas a la más lejana insinuación a su presencia, llenada con mimosas vacilaciones. Había visto la humillación de la noble distracción de Sofonisco, anonadado por la crueldad y los chillidos del mayordomo. Y ahora quería limpiarle el camino, reconciliarse.

A la presentación del deseo de cobranza, contestó con muchas zalemas que su esposo continuaba las visitas dominicales al meteorólogo de las Bahamas, ya que tenían mucho que hablar acerca de la influencia de la literatura birmana en el siglo II de la Era Cristiana. Ella no tenía dinero en casa, pero se afanaría por hacer el pago en cualquier forma. Sorprendió una indicación lejana. Ah, sígame, le dijo. La traspasó por pasadizos hasta que llegaron como a un oasis de frío, estaban en la nevera de la casa. Le enseñó colgada una buena pierna de res. Es suya, le dijo, se la cambio por el recibo. No tengo por ahora otra manera de pagarle.

Quizás el domingo siguiente el mayordomo le entregue unas cuantas monedas que le envía mi esposo el filólogo. Pero no, dijo como iluminada, prefiero pagarle yo ahora mismo. Es suya, llévesela como quiera, pero no la arrastre, requiere un buen hombre. Vaya a buscar a su esposo. Las puertas quedarán abiertas para que no se moleste. Dispense, adiós.

Al llegar a su casa el herrero descansó la pierna de la res cerca del baúl, indeciso ante la situación definitiva del nuevo monumento que se elevaba en su cámara. Tenía unos fluses[1] que nunca usaba, esperando una solemnidad que nunca lo saludaba, los empapeló y los llevó hasta una esquina donde fueron desenvueltos en un cromástico xántico. Izó la pierna y la situó en el respeto de una elevación que no evitase la tajada diaria al alcance de la mano, y salió a airearse, el olor penetrante de la res le había comunicado una respiración mayor que necesitaba de la frecuencia de los árboles en el aire que él iba a incorporar.

La esposa se desabrochó, esperando el regreso del herrero para hacer la cama. Desnuda se acercó a la pierna de la res, la contempló, acariciándola con los ojos desde lejos. La pierna trasudó como una gota de sangre que vino a reventar contra su seno. No reventó; al golpe duro de la gota de sangre en el seno sintió deseos de oscurecer el cuarto antes de que regresase el herrero. Sintió miedo de verse el seno y miedo de ver el esposo. El sueño, uno al lado del otro, los distanció por dos caminos que terminaban en la misma puerta de hierro con inscripciones ilegibles. Cierto que ella era analfabeta; él, había comenzado a leer en griego en su niñez, a contar los dracmas limpiando calzado en Esmirna

---

1. *Fluses: flux,* traje masculino.

y había hecho chispas en los trabajos de la forja colada en la villa de Jagüey Grande. Cuando dormía, después que había penetrado con su cuerpo en su esposa, diversificaba su sueño, ocurriéndosele que recibía un mensaje de Lagasch, alcalde de Mesopotamia, comprando todas sus cabras. Al terminar el sueño, soñaba que estaba en el principio de la noche, en el sitio donde se iniciaba la inscripción de los soplos benévolos.

Al despertar la esposa tuvo valor para contemplarse el seno. Había brotado una protuberancia carmesí que trató de ocultar, pero el tamaño posterior la llevó a hablar con Sofonisco de la nueva vergüenza aparecida en su cuerpo. Él no le dijo lo que tenía que hacer. Se sintió tan indeciso, después consideró la aparición de algo sagrado, luego respetaba más que nunca a su mujer, pero no la tocaba ya. Todos los vecinos le hablaron del negro Tomás, cuyo padre había alcanzado una edad que los abuelos del pueblo en su niñez ya lo recordaban como viejo. Había curado viruelas, andaba con largo cayado de rama de naranjo, cuando se tornaban negras, abrazándose con blancas. Allí fue y el negro le habló con sílaba lenta, de imprescindible recuerdo: me alegra el herrero y me voy a entretener en devolverle a su esposa como un metal. Hay que hacer primero el túnel y después salida. Yo tengo el aceite del túnel, no preveo la salida que Dios tiene que ayudar. Hay un aceite de nueces de Ipuare, en el Brasil, que es caliente y abre brecha e inicia el recorrido. Con esa dinamita aceitada su pelota desaparecerá, no desaparece, va hacia dentro buscando una salida. Se lo pone una semana, dejando caer la gota de aceite hirviendo a la misma altura donde cayó la gota de sangre. Después vuelva. Algo tiene que ocurrir. Ya no se espera que algo ocurra. Antes, cuando tocaban la puerta, se sentía que podía ser Dios. Ahora se piensa que sea un cobrador y no se abre. Mientras se aplica el aceite hirviendo, tiene que tocarla su esposo todos los días. Ya tiene túnel, ahora espere salida.

Se sentía penetrada, la penetración estaba en tan mínima dosis en su recorrido que no sentía dolor. El topo seguido de la comadreja, el oso hormiguero seguido de una larga cadena la recorrían. Buscaban una salida, mientras sentía que la protuberancia carmesí se iba replegando en el pozo de su cuerpo. Un día encontró la salida: por una caries se precipitó la protuberancia. Desde entonces empezó a temblar, tomar agua –orinar–, tomar agua, se convirtió en el terrible ejercicio de sus noches. Estaba convencida que había sanado. ¿Acaso no había visto ella misma a la protuberancia caer en el suelo y desaparecer como una nube que nunca se pudo ver? Tuvo que ir de nuevo a ver al negro Tomás. Hubo túnel y salida, le dijo, ésta la ganó usted. Yo no podía prever que una caries sería la puerta. Ahora le hace falta no el aceite que quema, sino el que rodea la mirada. Yo no podía ver a una caries como una puerta, pero conozco ese aceite de calentura natural que se va apoderando de usted como un gato convertido en nube. Vaya a ver al negro Alberto, y él, que ya no baila como diablito, le ofrecerá los colores de sus recuerdos, las combinaciones que le son necesarias para su sueño. Usted fue recorrida por animales lentos, de cebeceo milenario. Ahora salga, siga con sus pasos la lección que le va a dictar su mirada. Tiene que convertir en cuerda floja todo cuanto pise.

Fue a ver al negro Alberto. Vivía en una casa señorial de Marinao, la casa solariega de los Marqueses de Bombato había declinado lentamente hacia el solar. En 1850, los Marqueses daban fiestas nocturnas, maldiciendo la llegada de la aurora. En 1870 se había convertido en una casona gris de cobrar contribuciones. En 1876, era el estado ciudad de un solar de Marinao. Ahora se guardaba una colilla para ser fumada tres horas después, en el blasón de una puerta de caoba. La pila bautismal recibía diariamente la materia que hace abominables a las pajareras. El negro Alberto estaba sentado en una pieza que tenía la destreza de trabajo de un sillón de Voltaire con la destreza simbólica de un sillón Flaubert. Al verla se levantó para otorgarle las primeras palmatorias.

Ya hubo túnel, le preguntó con una solemnidad jacarandosa. Con una elasticidad madura que guardaba la enseñanza de sus gestos.

Lo hubo y la caries sirvió de puerta. Pero a pesar de que yo vi, estaba muy despierta, rebotar la bolita contra el suelo que todos los días abrillanto, no me siento bien y sufro.

Alberto había sido diablito en su juventud. Cuando era adolescente bailaba desnudo, a medida que recorría los años iba aumentando su colección de túnicas. Cuando se retiró mostraba sus colecciones a los enviados por el negro Tomás con fines curativos. Transcurría diseñando los vestidos que ya no podía ponerse para ninguna fiesta, y su mujer costurera copiaba como si en eso consistiese su fidelidad. Algunos se complicaban en laberintos de hilos, sedas y cordones, que rememoraba a Nijinsky entrevisto por Jacques Émile Blanche. Otros se aventuraban en el riesgo sigiloso de dos colores contrastados con una lentitud de trirreme. Los fue entreabriendo en presencia de la esposa de Sofonisco. Las correas con campanillas que ceñían sus brazos y piernas estaban invariablemente resueltas siguiendo las vetas de oro en el fondo verde oscuro del cobre. Las más retorcidas combinaciones dejaban impávida a la mujer del griego. Parecía que ya Alberto tocaría el final de su colección de túnicas y ni él se intranquilizaba ni la visitante mostraba la serenidad que había ido a rescatar. Por fin mostró entre las últimas túnicas la lila que mostraba grabada en sus espaldas una paloma. Los collares que ceñían sus brazos y sus piernas ya no eran circulares. En la boca de la paloma no se observaban ramas de trigo o aceitunas, sino muy roja, mostraba su boca en doble rojez. Alberto anotó fríamente en su memoria: blanco, lila y rojo. Como quien vuelve del sueño aparta los pañuelos que se le tienden, la esposa del herrero dijo: ya estoy en la orilla.

Fue a pagarle los servicios suntuosos del negro Alberto. Recordó lo horrible que era para ella cobrar, llevar a su casa aquella enorme pierna de res. Pensó que pagar era como lanzar una maldición a un rostro que no la había provocado.

No busque, le dijo Alberto, coja el hueso de la pierna y entiérrelo. Recuérdelo, pero no lo mire. La ironía del túnel es la paloma, siempre encuentra salida. Yo creí que había que despertarla, pero su propia sangre la llevaba a poner la mano en un cuerpo blanco. La paloma blanca y la lengua roja colocan su mirada en lo cotidiano de la mañana.

Sin embargo, le contestó, el negro Tomás me aconsejaba que Sofonisco me tocara y yo comprendía que él me tenía miedo. Me pasaban cosas extrañas y él huía. Me abrazaba, pero mostraba en el fondo de sus averiguaciones carnales una indiferencia, como si me hubiese convertido en una imagen desatada de la carne. Ahora me recordará con más precisión y podré caber de nuevo dentro de él sin atemorizarlo. Entonces se sacó del seno un hilo que el negro Alberto, siempre avisado, fue tirando, cuando todo el hilo estaba desconcertado por el suelo, lo cogió y lo lanzó en la saya de su mujer, que seguía cosiendo, recorriendo mansamente sus diseños.

Habían pasado los años que ya mostraba el hijo de Sofonisco y el pitagórico siete se mostraba con el ritmo que golpeaba la pelota contra el suelo. Su frenesí lo llevaba a golpear tan rápidamente que parecía que en ocasiones la pelota buscaba su mano como si fuera un muro, con la confianza de ser siempre interrumpida. Otras veces, después de tropezar con el suelo la pelota se levantaba como si fuese a trazar la altura de un fantasma imposible. La madre contemplaba con una lánguida extrañeza aquel frenesí de su hijo. Crecía, se volvía rojo como cuando el padre martillaba las chispas. Parecía estar ciego en el momento en que le pegaba a la pelota contra el suelo y luego, casi con indiferencia, no recobraba el orgullo de la mirada al ver la altura alcanzada. Al alcanzar una altura increíble para el golpe de su pequeña mano, alcanzó una altura misteriosa que nunca más podría rebasar. La pelota vaciló, recorrió un canal invisible y al fin se quedó dormida en la pantalla de grueso cartón verde que cubría el bombillo. La madre del nuevo Sofonisco se movilizó jubilosa para entregarle a su hijo la alegría del reencuentro. Como si hubiese resuelto la invención de poblar el aire de peces, fue al patio y cogió la cara que alzaba a la tendedora de lo más alto posible de las manchas de la tierra. Le dio un golpe muy ligero a la pelota para que rodase por la pantalla. No pudo prever la velocidad devoradora que adquiriría la pelota, muy superior a la huida de sus piernas. Le cayó en la nuca. El niño escondió la pelota para que llenase el mismo tiempo que le estaba dedicado al día siguiente. El herrero se fue a dormir, sus músculos estaban muy espesos por su ración diaria de martillazos y necesitaba del aceite flexible del sueño. El niño necesitaba esconder algo para dormirse. Ella ocupó su lugar: dormir sin despertar al que estaba a su lado. Soñó que por carecer de piernas circulaba, se movía pero sin poder definir ningún camino. Con una lentitud secular soñó que le iban brotando retoños, después prolongaciones, por último, piernas. Cuando iba a precisar que caminaba, se encontró la entrada de un túnel. Ya ella sabía, el sueño era de fácil interpretación llevado por sus recuerdos y se sintió fatigada al sentirse la más aburrida de las aburridas.

Dejó el sueño en el momento en que entraba en el túnel, pero al despertar se llevó la mano a la nuca y allí estaba de nuevo la protuberancia carmesí. Ya está ahí, dijo, como quien recibe lo esperado.

Viene como siempre, contestó Sofonisco despertándose, a hacer su mal y lo peor es que tenemos que salir con él. Cualquiera que se quede sin el otro hasta el último momento, hasta entrar, es el que no podrá recordar.

Hay que averiguarlo, seguirlo, dijo ella, ya es la segunda vez y ahora viene a destruir como quien trabaja sobre un cuerpo relaxo que no tiene prolongaciones para atraer o rechazar. *Puerta, túnel, caries, la paloma encuentra salida,* todo eso está ya desinflado. Y no sé si el negro Tomás, al surgir el nuevo hecho en la misma persona, no se distraerá, fingirá que se pone al acoso para descansar. Yo misma he borrado la posibilidad de la sorpresa que mi cuerpo recién lavado puede ofrecer. Me veo obligada a recorrer un camino donde los deseos están cumplidos.

Sí, dijo Sofonisco, que ya no se rodeaba de un halo de chispas, pero eso sucede delante de mí y no puedo contemplar un espectáculo tan terrible cuando estoy dormido y siento que te acuestas a mi lado.

Entonces, dijo ella, tengo que buscar tu salud y aunque estoy ya convertida en cristal, tengo que girar para que tus ojos no se oscurezcan.

De pronto, cuando llega el cangrejo, dijo el herrero tiritando, me veo obligado a retroceder y ya no puedo tocarte. Cuando tú luchas con esas contradicciones que te han sido impuestas, me asomo y veo que lo que me transparentaba se borra, que es necesario reencontrarlo después de un paréntesis peligroso. Aunque tú ya no tengas curiosidad, me es necesario comprender una destreza, la forma que tú adquieres para caer en tu separación de mi cuerpo. Esa monotonía que tú esbozas, esa impertinencia para comprobar tus deseos, revela un endurecimiento que yo disculpo, pues en los caminos que te van a imponer, requieres una gran opacidad, ya que la luz te iría reduciendo, descubriéndote en un momento en que ya tú no puedes ser reconocida por nadie.

Ah, tú, silabeó la esposa, ahora es cuando surges y ya no necesitas tocarme. Cuando surge ese escorpión sobre mi cuerpo te entretienes con los esfuerzos que yo hago para quitármelo de encima. Cuando veas que ya no puedo quitármelo entonces empezará tu madurez. Al día siguiente, con la flor del aretillo sobre el seno, fue a ver al negro Tomás.

Atravesó la bahía. El negro la situó entre una esquina y un farol que se alejaba cinco metros. Precipitadamente le dejó el frasco con aceite y el negro se hizo invisible. La esposa del herrero distinguió círculos y casas. El semicírculo de la línea de la playa, el círculo de los carruseles que lanzaban chispas de fósforo y latigazos, y más arriba las casas en rosa con puertas anaranjadas y las verjas en crema de mantecado. Negros vestidos de diablito avanzaban de la playa a los carruseles y allí se disolvían. Empezaban desenrollándose acostados en el suelo, como si hubiesen sido abandonados por el oleaje. Se iban desperezando, ya están de pie y ahora lanzan gritos agudos como pájaros degollados. Después solemnizan y cuando están al lado de los carruseles las voces se han hecho duras, unidas como una coral que tiene que ser oída. Los carruseles, como si mascasen el légamo de ultratumba, cortan sus rostros con cuchilladas que dejan un sesgo de luna embutanada con hollín y calabaza. La calabaza fue una fruta y ahora es una máscara y ha cambiado su ropa ante nuestro rostro como si la carne se convirtiese en hueso y por un rayo del sol nocturno el esqueleto se rellenase con almohadas nupciales. Aquellas casas girando parecen escaparse, y golpean nuestro costado. Es lo insaciable; los diablitos avanzan hasta los carruseles y éstos lo rechazan otra vez y otra hasta la playa. Los soldados momificados soportan aquella lava. Uno saca su espada y surge una nalga por encantamiento y pega como un tambor. Un negrito de siete años, hijo de Alberto el de las túnicas, vestido de marinero veneciano, empina un papelote para conmemorar la coincidencia de la espada y la nalga. La esposa, portadora del cangrejo, acostumbrada a las chispas del herrero griego, retrocede de la esquina hasta el farol. Cuando los diablos son botados hasta la playa, ella avanza cautelosamente hasta la esquina. Cuando los diablitos llegan hasta los bordes del carrusel, ella retrocede hasta el farol. Sintió pánico y la voz le subía hasta querer romper sus tapas, pero el cangrejo que llevaba en la nuca le servía de tapón. Las grandes presiones concentradas en los coros de los negros se sintieron un poco tristes al ver que nada más podían trasladarla de la esquina hasta el farol. Y a la limitación, a la encerrona de su pánico oponían la altura de sus voces en un crescendo de mareas sin fin. Después supo que un poeta checo que asistía para hacer color local, acostumbrado a los crepúsculos danzados en el Albaicín, había comenzado a tiritar y a llorar, teniendo la policía que protegerlo con su capota y llevarlo al calabozo para que durmiese sin diablos. Al día siguiente, las páginas de su cuaderno lucían como pétalos idiotas entre el petróleo y la gelatina de las tambochas, devueltas por los pescadores eruditos a las aguas muertas de la bahía.

Y más allá de los carruseles, las casas pobladas hasta reventar, con las claraboyas cerradas para evitar que la luz subdivida a los cuerpos. Bailándole a las esquinas, a los santos, al fango tirado contra cualquier pared, en cada casa apretada se repite la caminata de la playa hasta el carrusel. De pronto, un cuerpo envuelto en un trapo anaranjado es lanzado más allá de las puertas. Los soldados enloquecidos lanzan tiros como cohetes. Pero las casas cerradas, llenas hasta reventar, desdeñan el fuego artificial. «Aquí te encontré y aquí te maté.» Y la cuchillada... Ah... La esposa del herrero siente que le clavan la cabeza y retrocede en un asalto, todo el botín de la fiesta. Recibe una claridad, la mañana comienza a acariciarla. Empieza a sentir, a recuperar y sorprender que el frasco de aceite del Brasil hierve queriendo reventar. Cree que aún separa a los grupos, pide permiso y nadie la rodea. La lancha que la devuelve como única tripulante, le permite un sueño duro que galopa en el petróleo. Sale de la lancha con pasos raudos, como si la fuese a tripular de nuevo. Cuando llega a su casa percibe a su esposo y a su hijo respetuosos de las costumbres de siempre. Y lleva el aceite hirviendo hasta su nuca. Ya encontró camino, le dice de nuevo el negro Tomás cuando la visita, y saldrá más allá del túnel. Por la mañana lanza de nuevo la protuberancia carmesí. Ahora ha saltado por el túnel de la cuenca del ojo izquierdo. Pero la zozobra que la continúa es insoportable. El esposo alejado de ella, en una soledad duplicada se lleva de continuo el índice a los labios. Y aunque está solo y muy lejos de ella, repite ese gesto, que la vecinería a su vez comenta y repite. Y el hijo, más huraño, antes de entrar en el sueño, se obstaculiza a sí mismo en tal forma que la pelota rueda como si fuese agua muerta o una cucaracha despreciada cuyo vuelo es seguido con indiferencia.

¿Qué les pasa a ustedes?, dice después de la sobremesa, lanzándole la pelota a su hijo, que la deja correr importándole nada su desenvolvimiento.

Estás en vacaciones, ahora se dirige al esposo, para ver si tiene mejor suerte, no quieres hacer nada y las monturas de hierro van formando por toda la casa una negrura que será imposible limpiar cuando nos mudemos.

Nos mudaremos, le contesta casi por añadidura, y los hierros se quedarán, ya con ellos no se puede hacer ni una sola chispa. Me gusta más ver una luciérnaga de noche que arrancarles una chispa a esos hierros de día.

Ahora, le decía días más tarde el negro Tomás, no puedo predecir el combate de la golondrina y la paloma. Ni en qué forma le hablarán. Sé que la golondrina no puede penetrar en la casa y conozco la sombra de la paloma. Sin embargo, una golondrina se obstinará en penetrarla y la paloma le hará daño. Siempre que pelean la golondrina y la paloma se hace sombra mala.

Buscaba la huida de su casa. Con un paquete a su lado, por si tenía que permanecer en los parques a la noche, mostraba aún sobre su seno la flor del aretillo. En varias ocasiones la flor rodaba, queriendo escapársele, pero su indiferencia aún podía extender la mano y recuperarla. Su atención fue indicando los carros de golondrinas que borraban las nubes. No era su intención, hasta donde su mirada podía extenderse, poner la mano en el cuello de ninguna de ellas. El verso de Pitágoras, *domesticas hirundines ne habeto,* que aconseja no llevar las golondrinas a la casa, existía para ella. Observaba sus perfectas escuadras, sus inclinaciones incesantes y geométricas. Apenas pudo hacer un vertiginoso movimiento con la mano derecha para ahuyentar a una golondrina que se apartaba de la bandada y había partido como una flecha marcada a hundirse en su rostro. Rechazada, volvió un instante a la estación de partida como para no perder la elasticidad que la lanzaba de nuevo, como el rayo se hace visible mientras la nube retrocede. Aterrorizada asió a la golondrina por el cuello y comenzó a apretarla. Cuando sintió la frialdad de las plumas, asqueada abrió las manos para que se escapase. Entontada, el ave ya no tenía fuerza para alejarse y la rondaba a una distancia bobalicona. Le hacía señas y gritos a la golondrina para que huyese, pero ella insistía, idiotizada como en las caricias de un borracho. Tuvo que huir volviendo el rostro para asegurar que el ave ya no tenía fuerza para perseguirla. A la otra mañana, como sucede siempre en la vergüenza de la conciencia, repasó aquel sitio donde se había manifestado el conjuro. Al lado del paquete, la golondrina lucía con sofocada torpeza la última frialdad. Pudo oír los comentarios de las esquinas que le indicaban que la golondrina había hecho esfuerzos contrahechos para acercarse al paquete. Esa misma noche soñó, mientras el herrero y su hijo guardaban de ella una distancia regida por la prudencia: la golondrina era de cartón mojado; el rocío había traspasado los papeles del paquete y algodonado los cordeles que lo custodiaban. Dentro, un niño gelatinoso, deshuesado en una herrería que manipulaba con martillos de agua, ofrecía su ombligo con una protuberancia carmesí para que abrevase el pico de caoba de la golondrina.

Después de tanto guerrear había ido volviendo a sus paseos del crepúsculo. Tuvo deleite de atar dos recuerdos, entremezclándolos y separándole después sus pinzas irónicas. Creían que la habían dejado serena, no la huían, pero ya a su lado nada se ponía en marcha para su destino. Creía recordar las cosas que pasaban a su lado con una dureza de arañazo. Alejaba tanto el rostro que se le acercaba o la mano que se le tendía que los gozaba como una estampa borrosa. Podía reducir el cielo al tamaño de una túnica y la paloma que le echaba la sombra a la otra inmovilizada con su lengua de rojez contrastada en la túnica lila. Gozaba de una sombra que le enviaba la paloma que no se acerca nunca tanto como la golondrina cuando está marcada. La luz la iba precisando cuando ya el herrero y su hijo no sentían el paseo del cangrejo por su nuca o por el seno que había impulsado con levedad acompasada la flor del aretillo. El cangrejo sentía que le habían quitado aquel cuerpo que él mordía duro y creía suyo. Le habían quitado aquel cuerpo que él necesitaba para lo propio suyo, semejante al enconado refinamiento de las alfombras cuando reclaman nuestros pies.

Juan Carlos Onetti

(Montevideo, 1909-Madrid, 1994) Buena parte de la obra de este gran narrador se produjo en condiciones de relativa oscuridad, aunque en Uruguay era ya considerado un maestro; la revaluación crítica y la difusión editorial que alcanzó en los años del «boom» ayudaron a restaurarlo al lugar que merecía. Pero en las décadas siguientes su obra regresó parcialmente (pese al Premio Cervantes en 1980) a las discretas sombras de las que había emergido, confirmando que Onetti no sería jamás un autor muy popular y que su visión seguía siendo tercamente la misma de antes: una visión infernal, cínica, implacable y exasperada. Desde su exilio en Madrid, adonde llegó en 1975 tras haber sido encarcelado por el gobierno militar de su país, permaneció cada vez más recluido y huraño al contacto exterior. Si alguien puede representar en Hispanoamérica lo que Bataille llamó «la literatura del mal», ese hombre es indudablemente Onetti.

Como varios escritores uruguayos –Quiroga, Amorim *(véase)* y otros–, Onetti pertenece (casi) tanto a su país como a la Argentina. No sólo porque pasó en Buenos Aires dos períodos de su vida (1930-1934; 1941-1955) y publicó allí tres de sus primeros cinco libros, sino porque una de sus grandes invenciones, ese territorio penitencial y sombrío que llamó Santa María, es una síntesis de las dos capitales en que vivió. Su educación fue irregular y su experiencia de escritor le debe mucho a los humildes y variados trabajos que tuvo que desempeñar, además del periodismo, que fue su verdadera escuela. Los artículos y crónicas que escribió cuando comenzaba (especialmente las del notable semanario *Marcha,* del que fue su primer director literario) muestran dos cosas muy importantes: su descontento con la literatura uruguaya de esa época, dominada por el regionalismo criollista, y el impacto que sus buenas lecturas de la literatura norteamericana y europea (algunas no muy frecuentes entonces) habían tenido sobre él. Quizá sin saberlo él mismo, estaba iniciando el gran cambio que la literatura hispanoamericana iba a sufrir ya entrada la década de los cuarenta: en vez de reconocibles tipos humanos, paisajes pintorescos y tesis simplistas, Onetti propugnaba un arte novelístico cuyo carácter era fundamentalmente introspectivo, concentrado en los niveles más oscuros y complejos de la existencia, para intentar un encarnizado examen de temas como la soledad, el erotismo y la infinita capacidad del alma humana para engañarse a sí misma. Lo hizo experimentando además con planos narrativos múltiples, fragmentaciones temporales, fusiones de lo real y lo deseado y el discordante encuentro de lo lírico con lo repulsivo. Dicho esto quizá sea innecesario agregar que el influjo dominante sobre Onetti es el de Faulkner: la mítica Santa María tiene –igual que Yoknapatawpha– su propia historia, sus familias, sus héroes y sus canallas, que circulan entre una y otra novela.

Pero la huella de la novela europea de corte existencialista (Céline, Sartre, Graham Greene) y el magisterio de Roberto Arlt *(véase),* con quien tiene más de un rasgo en común, son significativos. Las semejanzas de su mundo con el de Genet y Nabokov, la novela policial y el *cinéma noir* son también visibles.

Los héroes (o antihéroes) onettianos son seres marginales y fracasados, *outsiders* que beben y escuchan *jazz,* cuyas vidas han llegado a un punto muerto. Cerradas las puertas de la existencia, se abre para ellos una vida alternativa: la de la imaginación, un sucedáneo al que trabajosamente dedican sus días tratando de convertirla en (o confundirla con) la verdadera. La intención es fugar del mundo concreto, ser otros y realizar, por otra vía, lo que hasta entonces ha resultado imposible. Esa improbable creación muestra quiénes realmente son: unos empeñosos buscadores del amor, de la amistad, de la seguridad. Un elemento esencial en sus relatos es el de la vida como *representación,* como un angustioso psicodrama donde se asumen papeles y máscaras que ocultan tanto como revelan. Pero ese sueño siempre se esfuma y termina en una nueva frustración, en una más honda alienación del individuo respecto de la realidad. Las novelas de Onetti plantean la más honda cuestión de todas: la del sentido último de vivir.

Algunas de sus novelas maestras son *La vida breve, El astillero* y *Juntacadáveres.* Pero entre sus novelas cortas, relatos y cuentos hay también piezas memorables, que son grandes contribuciones al género en el siglo XX. Se incluyen aquí dos cuentos que corresponden a épocas distintas: «Bienvenido, Bob», publicado en *La Nación* de Buenos Aires en 1944 y recogido en la colección *Un sueño realizado y otros cuentos;* y «El infierno tan temido», que apareció en

Ficción de Buenos Aires en 1957 y da título al volumen de 1962. En el primero, los dos párrafos iniciales resumen impecablemente el proceso de decadencia que convierte a Bob, un hombre joven y de gestos rumbosos, en Roberto, un borracho solitario y envejecido, que sin embargo mantiene vivo el sueño de construir una «infinita ciudad» en la costa. Ese proceso se entremezcla con su relación con el narrador, llena de desprecio y burla, y la de éste con Inés, hermana de Bob. El odio apenas contenido entre los dos envilece sobre todo la relación amorosa de Inés y el narrador. Como ésta parece ser la vía de salvación del narrador, de su afán por recuperar «un viejo pasado de limpieza», Bob se complace perversamente en negársela. El diálogo es de una precisión feroz: no sirve para comunicar, sino para agredir al otro. Pero nunca más despiadado que cuando Bob le explica al narrador por qué no va a permitir que se case con su hermana: «Usted es un hombre hecho, es decir, deshecho, como todos los hombres a su edad cuando no son extraordinarios». El odio produce una oscura transformación: la devoción de Bob por Inés termina siendo una forma de posesión que destruye lo mejor de ella y deja para el narrador una «repentina mujer apática» –una forma mental de doble asesinato–. La mezquina recompensa del narrador es contemplar la decadencia física de Bob, buscar su amistad y seguir, codiciosamente, acariciando los sueños que el otro ya no puede realizar.

«El infierno tan temido» es un cuento magistral, un modelo perfecto del mundo narrativo onettiano. Risso, que trabaja como cronista hípico en un periódico, empieza a recibir, desde diferentes lugares, misteriosos sobres con fotos. Uno de sus compañeros narra, en un primer *racconto* (hay tres a lo largo de la historia), los antecedentes que ayudan a explicar los envíos; su viudez, sus noches de prostíbulo, su matrimonio con Gracia, una actriz que llega a Santa María. El oficio teatral de ella es un oportuno símbolo porque cada uno busca en el otro la realización de algo irreal, imposible de alcanzar: la simple felicidad. Las fotos son obscenas y exhiben a Gracia en brazos de distintos hombres; suponer que ella misma se las envía como un sórdido gesto de amor, un torpe medio de comunicación, es el frágil acto de defensa que Risso intenta para protegerse de la verdad, del «organizado frenesí con que se cumplía la venganza». Antes, para elaborar la ficción de vivir juntos, Risso había inventado a Gracia mientras ella inventaba la fantasía o comedia de su amor: ha sido la hechura de ese hombre, «segregada de él para completarlo». La dolorosa minucia con que están descritas las escenas eróticas que ella registra con la cámara nos confirma que se trata de una calculada ceremonia, de un *montaje* degradado que ella dirige como una escena teatral destinada a un solo espectador, con la finalidad de humillarlo y destruirlo. Y la forma como él interpreta ese montaje no puede ser más patética y desesperada. El torturado pero estoico lenguaje de Onetti, con sus largas frases envolventes que descienden como espirales por abismos siempre más opresivos, que sueldan y luego enfrentan el pasado y el presente, acrecienta la agobiante sensación de que hemos entrado a un mundo desalmado y atroz.

Obra narrativa (primeras y principales ediciones)

El pozo, Montevideo: Ediciones Signo, 1933; 2.ª ed., est. Ángel Rama, Montevideo: Arca, 1965; *Tierra de nadie,* Buenos Aires: Losada, 1941; *Para esta noche,* Buenos Aires: Poseidón, 1943; *La vida breve,* Buenos Aires: Sudamericana, 1950; *Un sueño realizado y otros cuentos,* Montevideo: Número, 1951; *Los adioses,* Buenos Aires: Sur, 1954; *Una tumba sin nombre,* Montevideo: Ediciones Marcha, 1959 [bajo el título *Para una tumba sin nombre* desde 1968]; est. Josefina Ludmer, Buenos Aires: Librería del Colegio, 1975; *La cara de la desgracia,* Montevideo: Alfa, 1960; *El astillero,* Buenos Aires: Cía. Fabril Editora, 1961; pról. Mario Benedetti, La Habana: Casa de las Américas, 1968; pról. José Donoso, Madrid: Salvat, 1972; *El infierno tan temido,* Montevideo: Asir, 1962; *Tan triste como ella* [y *La cara de la desgracia*], Montevideo: Alfa, 1963; *Juntacadáveres,* Montevideo: Alfa, 1964; *Jacob y el otro. Un sueño realizado y otros cuentos,* Montevideo: Ediciones de la Banda Oriental, 1965; *Tres novelas,* Montevideo: Alfa, 1967; *Cuentos completos,* Buenos Aires: Centro Editor de América Latina, 1967; Caracas: Monte Ávila, 1968; *Novelas cortas completas,* Caracas: Monte Ávila, 1968; *Obras completas,* pról. Emir Rodríguez Monegal, México: Aguilar, 1970; *La muerte y la niña,* Buenos Aires: Corregidor, 1973; *Tiempo de abrazar y los cuentos de 1933 a 1950,* pról. Jorge Ruffinelli, Montevideo: Arca, 1974; *Dejemos hablar al viento,* Barcelona: Bruguera/Alfaguara, 1979; *Presencia y otros cuentos,* Madrid: Almarabú, 1987; *Cuando entonces,* Madrid: Mondadori, 1987; *Obra selecta,* ed. Hugo Verani, Caracas: Biblioteca Ayacucho, 1989; *Cuando ya no importe,* Madrid: Alfaguara, 1993; *Cuentos completos,* pról. Antonio Muñoz Molina, Madrid: Alfaguara, 1994; *Los cuentos de 1933 a 1950,* pról. Jorge Ruffinelli, Montevideo: Arca, 1995; *Confesiones de un lector,* Madrid: Santillana, 1995; *Novelas breves,* pról., Juan José Saer, Buenos Aires: Eterna Cadencia, 2012.

Crítica (selección mínima)

Aínsa, Fernando, *Las trampas de O.,* Montevideo: Alfa, 1970; *Anthropos,* número especial, 2 (1981); *Anthropos,* núm. especial sobre J.C.O. (septiembre 1990); Bayce, Beatriz, *Mito y sueño en la narrativa de O.*, Montevideo: Arca, 1987; Cosse, Rómulo, ed., *J. C. O., papeles críticos. Medio siglo de escritura,* Montevideo: Linardi y Risso, 1989; *Cuadernos Hispanoamericanos,* número especial, 292-294 (1974); Cuesto, Alonso, *J. C. O.: el soñador en la penumbra,* Lima, México D. F.: Fondo de Cultura Económica, 2009; Deredita, John, «El doble en dos cuentos de O.», en Enrique Pupo-Walker, ed.*, 150-64; Díaz, José Pedro, *El espectáculo imaginario. J. C. O. y Felisberto Hernández. ¿Una propuesta generacional?* Montevideo: Arca, 1986, 167-94; Frankenthaler, Marilyn R., *J. C. O.: La salvación por la forma,* Nueva York-Madrid: Abra, 1977; García Ramos, Reinaldo, ed., *Recopilación de textos sobre J. C. O.,* La Habana: Casa de las Américas, 1969; Kadir, Djelal, *J. C. O.,* Boston: Twayne, 1977; Ludmer, Josefina, *O. Los procesos de construcción del relato,* Buenos Aires: Sudamericana, 1977; Mattalia, Sonia, *La figura en el tapiz: teoría y práctica narrativa en J. C. O.,* Londres: Tamesis Books Limited, 1990; Millington, Mark, *Reading O.: Language, Narrative and the Subject,* Liverpool: Cairns, 1985; Rama, Ángel, *Primeros cuentos...*, 121-27; Ruffinelli, Jorge, ed., *O.,* Montevideo: Biblioteca de Marcha, 1973; San Román, Gustavo, ed., *O. and Others: Comparative Essays on a Major Figure in Latin American Literature,* Albany: State University of New York, 1999; Verani, Hugo, *J. C. O.,* Madrid: Taurus, 1987.

Bienvenido, Bob

A H. A. T.

Es seguro que cada día estará más viejo, más lejos del tiempo en que se llamaba Bob, del pelo rubio colgando en la sien, la sonrisa y los lustrosos ojos de cuando entraba silencioso en la sala, murmurando un saludo o moviendo un poco la mano cerca de la oreja, e iba a sentarse bajo la lámpara, cerca del piano, con un libro o simplemente quieto y aparte, abstraído, mirándonos durante una hora sin un gesto en la cara, moviendo de vez en cuando los dedos para manejar el cigarrillo y limpiar de ceniza la solapa de sus trajes claros.

Igualmente lejos –ahora que se llama Roberto y se emborracha con cualquier cosa, protegiéndose la boca con la mano sucia cuando tose– del Bob que tomaba cerveza, dos vasos solamente en la más larga de las noches, con una pila de monedas de diez sobre su mesa de la cantina del club, para gastar en la máquina de discos. Casi siempre solo, escuchando *jazz,* la cara soñolienta, dichosa y pálida, moviendo apenas la cabeza para saludarme cuando yo pasaba, siguiéndome con los ojos tanto tiempo como yo me quedara, tanto tiempo como me fuera posible soportar su mirada azul detenida incansablemente en mí, manteniendo sin esfuerzo el intenso desprecio y la burla, más suave. También con algún otro muchacho, los sábados, alguno tan rabiosamente joven como él, con quien conversaba de solos, trompas y coros y de la infinita ciudad que Bob construiría sobre la costa cuando fuera arquitecto. Se interrumpía al verme pasar para hacerme el breve saludo y no sacar ya los ojos de mi cara, resbalando palabras apagadas y sonrisas por una punta de la boca hacia el compañero que terminaba siempre por mirarme y duplicar en silencio el desprecio y la burla.

A veces me sentía fuerte y trataba de mirarlo: apoyaba la cara en una mano y fumaba encima de mi copa mirándolo sin pestañear, sin apartar la atención de mi rostro que debía sostenerse frío, un poco melancólico. En aquel tiempo Bob era muy parecido a Inés; podía ver algo de ella en su cara a través del salón del club, y acaso alguna noche lo haya mirado como la miraba a ella. Pero casi siempre prefería olvidar los ojos de Bob y me sentaba de espaldas a él y miraba las bocas de los que hablaban en mi mesa, a veces callado y triste para que él supiera que había en mí algo más que aquello por lo que me había juzgado, algo próximo a él; a veces me ayudaba con unas copas y pensaba «querido Bob, andá a contárselo a tu hermanita», mientras acariciaba las manos de las muchachas que estaban sentadas a mi mesa o estiraba una teoría cínica sobre cualquier cosa, para que ellas rieran y Bob lo oyera.

Pero ni la actitud ni la mirada de Bob mostraban ninguna alteración en aquel tiempo, hiciera yo lo que hiciera. Sólo recuerdo esto como prueba de que él anotaba mis comedias en la cantina. Una noche, en su casa, estaba esperando a Inés en la sala, junto al piano, cuando entró él. Tenía un impermeable cerrado hasta el cuello, las manos en los bolsillos. Me saludó moviendo la cabeza, miró alrededor enseguida y avanzó en la habitación como si me hubiera suprimido con la rápida cabezada; lo vi moverse dando vueltas junto a la mesa sobre la alfombra, andando sobre ella con sus amarillos zapatos de goma. Tocó una flor con un dedo, se sentó en el borde de la mesa y se puso a fumar mirando el florero, el sereno perfil puesto hacia mí, un poco inclinado, flojo y pensativo. Imprudentemente –yo estaba de pie recostado en el piano– empujé con mi mano izquierda una tecla grave y quedé ya obligado a repetir el sonido cada tres segundos, mirándolo.

Yo no tenía por él más que odio y un vergonzante respeto, y seguí hundiendo la tecla, clavándola con una cobarde ferocidad en el silencio de la casa, hasta que repentinamente quedé situado afuera, observando la escena como si estuviera en lo alto de la escalera o en la puerta, viéndolo y sintiéndolo a él, Bob, silencioso y ausente junto al hilo de humo de su cigarrillo que subía temblando; sintiéndome a mí, alto y rígido, un poco patético, un poco ridículo en la penumbra, golpeando cada tres exactos segundos la tecla grave con mi índice. Pensé entonces que no estaba haciendo sonar el piano por una incomprensible bravata, sino que lo estaba llamando; que la profunda nota que tenazmente hacía renacer mi dedo en el borde de cada última vibración era, al fin encontrada, la única palabra pordiosera con que podía pedir tolerancia y comprensión a su juventud implacable. Él continuó inmóvil hasta que Inés golpeó arriba la puerta del dormitorio antes de bajar a juntarse conmigo. Entonces Bob se enderezó y vino caminando con pereza hasta el otro extremo del piano, apoyó un codo, me miró un momento y después dijo con una hermosa sonrisa: «¿Esta noche es una noche de leche o de *whisky*? ¿Ímpetu de salvación o salto en el abismo?».

No podía contestarle nada, no podía deshacerle la cara de un golpe; dejé de tocar la tecla y fui retirando lentamente la mano del piano. Inés estaba en mitad de la escalera cuando él me dijo, mientras se apartaba: «Bueno, puede ser que usted improvise».

El duelo duró tres o cuatro meses, y yo no podía dejar de ir por las noches al club –recuerdo, de paso, que había campeonato de tenis por aquel tiempo– porque cuando me estaba algún tiempo sin aparecer por allí, Bob saludaba mi regreso aumentando el desdén y la ironía en sus ojos y se acomodaba en el asiento con una mueca feliz.

Cuando llegó el momento de que yo no pudiera desear otra solución que casarme con Inés cuanto antes, Bob y su táctica cambiaron. No sé cómo supo de mi necesidad de casarme con su hermana y de cómo yo había abrazado aquella necesidad con todas las fuerzas que me quedaban. Mi amor de aquella necesidad había suprimido el pasado y toda atadura con el presente. No reparaba entonces en Bob; pero poco tiempo después hube de recordar cómo había cambiado en aquella época y alguna vez quedé inmóvil, de pie en una esquina, insultándolo entre dientes, comprendiendo que entonces su cara había dejado de ser burlona y me enfrentaba con seriedad y un intenso cálculo, como se mira un peligro o una tarea compleja, como se trata de valorar el obstáculo y medirlo con las fuerzas de uno. Pero yo no le daba ya importancia y hasta llegué a pensar que en su cara inmóvil y fija estaba naciendo la comprensión por lo fundamental mío, por un viejo pasado de limpieza que la adorada necesidad de casarme con Inés extraía de abajo de años y sucesos para acercarme a él.

Después vi que estaba esperando la noche; pero lo vi recién cuando aquella noche llegó Bob y vino a sentarse a la mesa donde yo estaba solo y despidió al mozo con una seña. Esperé un rato, mirándolo, era tan parecido a ella cuando movía las cejas; y la punta de la nariz, como a Inés, se le aplastaba un poco cuando conversaba. «Usted no se va a casar con Inés», dijo después. Lo miré, sonreí, dejé de mirarlo. «No, no se va a casar con ella porque una cosa así se puede evitar si hay alguien de veras resuelto a que no se haga.» Volví a reírme. «Hace años –le dije– eso me hubiera dado muchas ganas de casarme con Inés. Ahora no agrega ni saca. Pero puedo oírlo; si quiere explicarme...» Enderezó la cabeza y continuó mirándome en silencio; acaso tuviera prontas las frases y esperaba a que yo completara la mía para decirlas. «Si quiere explicarme por qué no quiere que yo me case con ella», pregunté lentamente y me recosté en la pared. Vi enseguida que yo no había sospechado nunca cuánto y con cuánta resolución me odiaba; tenía la cara pálida, con una sonrisa sujeta y apretada con labios y dientes. «Habría que dividirlo por capítulos –dijo–, no terminaría en la noche.

»Pero se puede decir en dos o tres palabras. Usted no se va a casar con ella porque usted es viejo y ella es joven. No sé si usted tiene treinta o cuarenta años, no importa. Pero usted es un hombre hecho, es decir, deshecho, como todos los hombres a su edad cuando no son extraordinarios.» Chupó el cigarrillo apagado, miró hacia la calle y volvió a

mirarme; mi cabeza estaba apoyada contra la pared y seguía
esperando: «Claro que usted tiene motivos para creer en lo
extraordinario suyo. Creer que ha salvado muchas cosas del
naufragio. Pero no es cierto». Me puse a fumar de perfil a
él; me molestaba, pero no le creía; me provocaba un tibio
odio, pero yo estaba seguro de que nada me haría dudar de
mí mismo después de haber conocido la necesidad de casarme con Inés. No: estábamos en la misma mesa y yo era
tan limpio y tan joven como él. «Usted puede equivocarse
–le dije–. Si usted quiere nombrar algo de lo que hay deshecho en mí...» «No, no –dijo rápidamente–, no soy tan niño.
No entro en ese juego. Usted es egoísta; es sensual de una
sucia manera. Está atado a cosas miserables y son las cosas
las que lo arrastran. No va a ninguna parte, no lo desea realmente. Es eso, nada más; usted es viejo y ella es joven. Ni
siquiera debo pensar en ella frente a usted. Y usted preten-
de...» Tampoco entonces podía yo romperle la cara, así que
resolví prescindir de él, fui al aparato de música, marqué
cualquier cosa y puse una moneda. Volví despacio al asiento y escuché. La música era poco fuerte; alguien cantaba dulcemente en el interior de grandes pausas. A mi lado,
Bob estaba diciendo que ni siquiera él, alguien como él, era
digno de mirar a Inés en los ojos. «Pobre chico», pensé con
admiración. Estuvo diciendo que en aquello que él llamaba
vejez, lo más repugnante, lo que determinaba la descomposición, o acaso lo que era símbolo de descomposición era
pensar por conceptos, englobar a las mujeres en la palabra
mujer, empujarlas sin cuidado para que pudieran amoldar-
se al concepto hecho por una pobre experiencia. Pero –decía también– tampoco la palabra experiencia era exacta.
No había ya experiencias, nada más que costumbres y repe-
ticiones, nombres marchitos para ir poniendo a las cosas y

un poco crearlas. Más o menos eso estuvo diciendo. Y yo pensaba suavemente si él caería muerto o encontraría la manera de matarme, allí mismo y enseguida, si yo le contara las imágenes que removía en mí al decir que ni siquiera él merecía tocar a Inés con la punta de un dedo, el pobre chico, o besar el extremo de sus vestidos, la huella de sus pasos o cosas así. Después de una pausa –la música había terminado y el aparato apagó las luces aumentando el silencio– Bob dijo «nada más», y se fue con el andar de siempre, seguro, ni rápido ni lento.

Si aquella noche el rostro de Inés se me mostró en las facciones de Bob, si en algún momento el fraternal parecido pudo aprovechar la trampa de un gesto para darme a Inés por Bob, fue aquélla entonces la última vez que vi a la muchacha. Es cierto que volví a estar con ella dos noches después en la entrevista habitual, y un mediodía en un encuentro impuesto por mi desesperación, inútil, sabiendo de antemano que todo recurso de palabra y presencia sería inútil, que todos mis machacantes ruegos morirían de manera asombrosa, como si ni hubieran sido nunca, disueltos en el enorme aire azul de la plaza, bajo el follaje de verde apacible en mitad de la buena estación.

Las pequeñas y rápidas partes del rostro de Inés que me había mostrado aquella noche Bob, aunque dirigidas contra mí, unidas en la agresión, participaban del entusiasmo y el candor de la muchacha. Pero cómo hablar a Inés, cómo tocarla, convencerla a través de la repentina mujer apática de las dos últimas entrevistas. Cómo reconocerla o siquiera evocarla mirando a la mujer de largo cuerpo rígido en el sillón de su casa y el banco de la plaza, de una igual rigidez resuelta y mantenida en las dos distintas horas y los dos parajes; la mujer de cuello tenso, los ojos hacia adelante, la

85

boca muerta, las manos plantadas en el regazo. Yo la miraba y era «no», sabía que era «no» todo el aire que la estuvo rodeando.

Nunca supe cuál fue la anécdota elegida por Bob para aquello; en todo caso, estoy seguro de que no mintió, de que entonces nada –ni Inés– podía hacerlo mentir. No vi más a Inés ni tampoco a su forma vacía y endurecida; supe que se casó y que no vive ya en Buenos Aires. Por entonces, en medio del odio y el sufrimiento me gustaba imaginar a Bob imaginando mis hechos y eligiendo la cosa justa o el conjunto de cosas que fue capaz de matarme en Inés y matarla a ella para mí.

Ahora hace cerca de un año que veo a Bob casi diariamente, en el mismo café, rodeado de la misma gente. Cuando nos presentaron –hoy se llama Roberto– comprendí que el pasado no tiene tiempo y el ayer se junta allí con la fecha de diez años atrás. Algún gastado rastro de Inés había aún en su cara, y un movimiento de la boca de Bob alcanzó para que yo volviera a ver el alargado cuerpo de la muchacha, sus calmosos y desenvueltos pasos, y para que los mismos inalterados ojos azules volvieran a mirarme bajo un flojo peinado que cruzaba y sujetaba una cinta roja. Ausente y perdida para siempre, podía conservarse viviente e intacta, definitivamente inconfundible, idéntica a lo esencial suyo. Pero era trabajoso escarbar en la cara, las palabras y los gestos de Roberto para encontrar a Bob y poder odiarlo. La tarde del primer encuentro esperé durante horas a que se quedara solo o saliera para hablarle y golpearlo. Quieto y silencioso, espiando a veces su cara o evocando a Inés en las ventanas brillantes del café, compuse mañosamente las frases de insulto y encontré el paciente tono con que iba a decírselas, elegí el sitio de su cuerpo donde dar el primer golpe. Pero se fue al anochecer acompañado por los tres amigos, y resolví esperar, como había esperado él años atrás, la noche propicia en que estuviera solo.

Cuando volví a verlo, cuando iniciamos esta segunda amistad que espero no terminará ya nunca, dejé de pensar en toda forma de ataque. Quedó resuelto que no le hablaría jamás de Inés ni del pasado y que, en silencio, yo mantendría todo aquello viviente dentro de mí. Nada más que esto hago, casi todas las tardes, frente a Roberto y las caras familiares del café. Mi odio se conservará cálido y nuevo mientras pueda seguir viendo y escuchando a Roberto; nadie sabe de mi venganza, pero la vivo, gozosa y enfurecida, un día y otro. Hablo con él, sonrío, fumo, tomo café. Todo el tiempo pensando en Bob, en su pureza, su fe, en la audacia de sus pasados sueños. Pensando en el Bob que amaba la música, en el Bob que planeaba ennoblecer la vida de los hombres construyendo una ciudad de enceguecedora belleza, para cinco millones de habitantes, a lo largo de la costa del río; el Bob que no podía mentir nunca; el Bob que proclamaba la lucha de jóvenes contra viejos, el Bob dueño del futuro y del mundo. Pensando minucioso y plácido en todo eso frente al hombre de dedos sucios de tabaco llamado Roberto, que lleva una vida grotesca, trabajando en cualquier hedionda oficina, casado con una gorda mujer a quien nombra «mi señora»; el hombre que se pasa estos largos domingos hundido en el asiento del café, examinando diarios y jugando a las carreras por teléfono.

Nadie amó a mujer alguna con la fuerza con que yo amo su ruindad, su definitiva manera de estar hundido en la sucia vida de los hombres. Nadie se arrobó de amor como yo lo hago ante sus fugaces sobresaltos, los proyectos sin convicción que un destruido y lejano Bob le dicta algunas veces y que sólo sirven para que mida con exactitud hasta dónde está emporcado para siempre.

No sé si nunca en el pasado he dado la bienvenida a Inés con tanta alegría y amor como diariamente doy la bienvenida a Bob al tenebroso y maloliente mundo de los adultos. Es todavía un recién llegado y de vez en cuando sufre sus crisis de nostalgia. Lo he visto lloroso y borracho, insultándose y jurando el inminente regreso a los días de Bob. Puedo asegurar que entonces mi corazón desborda de amor y se hace sensible y cariñoso como el de una madre. En el fondo sé que no se irá nunca porque no tiene sitio adonde ir; pero me hago delicado y paciente y trato de conformarlo. Como ese puñado de tierra natal, o esas fotografías de calles y monumentos, o las canciones que gustan traer consigo los inmigrantes, voy construyendo para él planes, creencias y mañanas distintos que tienen la luz y el sabor del país de juventud de donde él llegó hace un tiempo. Y él acepta; protesta siempre para que yo redoble mis promesas, pero termina por decir que sí, acaba por muequear una sonrisa creyendo que algún día habrá de regresar al mundo y las horas de Bob y queda en paz en medio de sus treinta años, moviéndose sin disgusto ni tropiezo entre los cadáveres pavorosos de las antiguas ambiciones, las formas repulsivas de los sueños que se fueron gastando bajo la presión distraída y constante de tantos miles de pies inevitables.

El infierno tan temido

La primera carta, la primera fotografía, le llegó al diario entre la medianoche y el cierre. Estaba golpeando la máquina, un poco hambriento, un poco enfermo por el café y el tabaco, entregado con familiar felicidad a la marcha de la frase y a la aparición dócil de las palabras. Estaba escribiendo: «Cabe destacar que los señores comisarios nada vieron de sospechoso y ni siquiera de poco común en el triunfo consagratorio de Play Boy, que supo sacar partido de la cancha de invierno, dominar como saeta en la instancia decisiva», cuando vio la mano roja y manchada de tinta de Partidarias entre su cara y la máquina, ofreciéndole el sobre.

—Ésta es para vos. Siempre entreveran la correspondencia. Ni una maldita citación de los clubs, después vienen a llorar, cuando se acercan las elecciones ningún espacio les parece bastante. Y ya es medianoche y decime con qué querés que llene la columna.

El sobre decía su nombre, Sección Carreras, *El Liberal.* Lo único extraño era el par de estampillas verdes y el sello de Bahía. Terminó el artículo cuando subían del taller para reclamárselo. Estaba débil y contento, casi solo en el excesivo espacio de la redacción, pensando en la última frase: «Volvemos a afirmarlo, con la objetividad que desde hace años ponemos en todas nuestras aseveraciones. Nos debemos al público aficionado». El negro, en el fondo, revolvía sobres del archivo y la madura mujer de Sociales se quitaba lentamente los guantes en su cabina de vidrio, cuando Risso abrió descuidado el sobre.

Traía una foto, tamaño postal; era una foto parda, escasa de luz, en la que el odio y la sordidez se acrecentaban en los márgenes sombríos, formando gruesas franjas indecisas, como en relieve, como gotas de sudor rodeando una cara angustiada. Vio por sorpresa, no terminó de comprender, supo que iba a ofrecer cualquier cosa por olvidar lo que había visto.

Guardó la fotografía en un bolsillo y se fue poniendo el sobretodo mientras Sociales salía fumando de su garita de vidrio con un abanico de papeles en la mano.

–Hola –dijo ella–, ya me ve, a estas horas, recién termina el sarao.

Risso la miraba desde arriba. El pelo claro, teñido, las arrugas del cuello, la papada que caía redonda y puntiaguda como un pequeño vientre, las diminutas, excesivas alegrías que le adornaban las ropas. «Es una mujer, también ella. Ahora le miro el pañuelo rojo en la garganta, las uñas violentas en los dedos viejos y sucios de tabaco, los anillos y pulseras, el vestido que le dio en pago un modisto y no un amante, los tacos interminables tal vez torcidos, la curva triste de la boca, el entusiasmo casi frenético que le impone a las sonrisas. Todo va a ser más fácil si me convenzo de que también ella es una mujer.»

–Parece una cosa hecha por gusto, planeada. Cuando yo llego usted se va, como si siempre me estuviera disparando. Hace un frío de polo afuera. Me dejan el material como me habían prometido, pero ni siquiera un nombre, un epígrafe. Adivine, equivóquese, publique un disparate fantástico. No conozco más nombres que el de los contrayentes y gracias a Dios. Abundancia y mal gusto, eso es lo que había. Agasajaron a sus amistades con una brillante recepción en casa de los padres de la novia. Ya nadie bien se casa en sábado. Prepárese, viene un frío de polo desde la rambla.

Cuando Risso se casó con Gracia César, nos unimos todos en el silencio, suprimimos los vaticinios pesimistas. Por aquel tiempo, ella estaba mirando a los habitantes de Santa María desde las carteleras de El Sótano, Cooperativa Teatral, desde las paredes hechas vetustas por el final del otoño. Intacta a veces, con bigotes de lápiz o desgarrada por uñas rencorosas, por las primeras lluvias otras, volvía a medias la cabeza para mirar la calle, alerta, un poco desafiante, un poco ilusionada por la esperanza de convencer y ser comprendida. Delatada por el brillo sobre los lacrimales que había impuesto la ampliación fotográfica de Estudios Orloff, había también en su cara la farsa de amor por la totalidad de la vida, cubriendo la busca resuelta y exclusiva de la dicha.

Lo cual estaba bien, debe haber pensado él, era deseable y necesario, coincidía con el resultado de la multiplicación de los meses de viudez de Risso por la suma de innumerables madrugadas idénticas de sábado en que había estado repitiendo con acierto actitudes corteses de espera y familiaridad en el prostíbulo de la costa. Un brillo, el de los ojos del afiche, se vinculaba con la frustrada destreza con que él volvía a hacerle el nudo a la siempre flamante y triste corbata de luto frente al espejo ovalado y móvil del dormitorio del prostíbulo.

Se casaron, y Risso creyó que bastaba con seguir viviendo como siempre, pero dedicándose a ella, sin pensarlo, sin pensar casi en ella, la furia de su cuerpo, la enloquecida necesidad de absolutos que lo poseía durante las noches alargadas.

Ella imaginó en Risso un puente, una salida, un principio. Había atravesado virgen dos noviazgos –un director, un actor–, tal vez porque para ella el teatro era un oficio además de un juego y pensaba que el amor debía nacer y conservarse aparte, no contaminado por lo que se hace para ganar dinero y olvido. Con uno y otro estuvo condenada a sentir en las citas en las plazas, la rambla o el café, la fatiga de los ensayos, el esfuerzo de adecuación, la vigilancia de la voz y de las manos. Presentía su propia cara siempre un segundo antes de cualquier expresión, como si pudiera mirarla o palpársela. Actuaba animosa e incrédula, medía sin remedio su farsa y la del otro, el sudor y el polvo del teatro que los cubrían, inseparables, signos de la edad. Cuando llegó la segunda fotografía, desde Asunción y con un hombre visiblemente distinto, Risso temió, sobre todo, no ser capaz de soportar un sentimiento desconocido que no era ni odio ni dolor, que moriría con él sin nombre, que se emparentaba con la injusticia y la fatalidad, con el primer miedo del primer hombre sobre la tierra, con el nihilismo y el principio de la fe.

La segunda fotografía le fue entregada por Policiales, un miércoles de noche. Los jueves eran los días en que podía disponer de su hija desde las diez de la mañana hasta las diez de la noche. Decidió romper el sobre sin abrirlo, lo guardó y recién en la mañana del jueves, mientras su hija lo esperaba en la sala de la pensión, se permitió una rápida mirada a la cartulina, antes de romperla sobre el waterclós: también aquí el hombre estaba de espaldas.

Pero había mirado muchas veces la foto de Brasil. La conservó durante un día entero y en la madrugada estuvo imaginando una broma, un error, un absurdo transitorio. Le había sucedido ya, había despertado muchas veces de una pesadilla, sonriendo servil y agradecido a las flores de las paredes del dormitorio.

Estaba tirado en la cama cuando extrajo el sobre del saco y la foto del sobre.

–Bueno –dijo en voz baja–, está bien, es cierto y es así. No tiene ninguna importancia, aunque no lo viera sabría qué sucede.

(Al sacar la fotografía con el disparador automático, al revelarla en el cuarto oscurecido, bajo el brillo rojo y alentador de la lámpara, es probable que ella haya previsto esta reacción de Risso, este desafío, esta negativa a liberarse en el furor. Había previsto también, o apenas deseado, con pocas, mal conocidas esperanzas, que él desenterrara de la evidente ofensa, de la indignidad asombrosa, un mensaje de amor.) Volvió a protegerse antes de mirar: «Estoy solo y me estoy muriendo de frío en una pensión de la calle Piedras, en Santa María, en cualquier madrugada, solo y arrepentido de mi soledad como si la hubiera buscado, orgulloso como si la hubiera merecido».

En la fotografía la mujer sin cabeza clavaba ostentosamente los talones en un borde de diván, aguardaba la impaciencia del hombre oscuro, agigantado por el inevitable primer plano, estaría segura de que no era necesario mostrar la cara para ser reconocida. En el dorso, su letra calmosa decía: «Recuerdos de Bahía».

En la noche correspondiente a la segunda fotografía, pensó que podía comprender la totalidad de la infamia y aun aceptarla. Pero supo que estaban más allá de su alcance la deliberación, la persistencia, el organizado frenesí con que se cumplía la venganza. Midió su desproporción, se sintió indigno de tanto odio, de tanto amor, de tanta voluntad de hacer sufrir.

Cuando Gracia conoció a Risso pudo suponer muchas cosas actuales y futuras. Adivinó su soledad mirándole la barbilla y un botón del chaleco; adivinó que estaba amargado y no vencido, y que necesitaba un desquite y no quería enterarse. Durante muchos domingos le estuvo mirando en la plaza, antes de la función, con cuidadoso cálculo, la cara hosca y apasionada, el sombrero pringoso abandonado en la cabeza, el gran cuerpo indolente que él empezaba a dejar engordar. Pensó en el amor la primera vez que estuvieron solos, o en el deseo, o en el deseo de atenuar con su mano la tristeza del pómulo y la mejilla del hombre. También pensó en la ciudad, en que la única sabiduría posible era la de resignarse a tiempo. Tenía veinte años y Risso cuarenta. Se puso a creer en él, descubrió intensidades de la curiosidad, se dijo que sólo se vive de veras cuando cada día rinde su sorpresa.

Durante las primeras semanas se encerraba para reírse a solas, se impuso adoraciones fetichistas, aprendió a distinguir los estados de ánimo por los olores. Se fue orientando para descubrir qué había detrás de la voz, de los silencios, de los gustos y de las actitudes del cuerpo del hombre. Amó a la hija de Risso y le modificó la cara, exaltando los parecidos con el padre. No dejó el teatro porque el Municipio acababa de subvencionarlo y ahora tenía ella en El Sótano un sueldo seguro, un mundo separado de su casa, de su dormitorio, del hombre frenético e indestructible. No buscaba alejarse de la lujuria; quería descansar y olvidarla, permitir que la lujuria descansara y olvidara. Hacía planes y los cumplía, estaba segura de la infinitud del universo del amor, segura de que cada noche les ofrecía un asombro distinto y recién creado.

–Todo –insistía Risso–, absolutamente todo puede sucedernos y vamos a estar siempre contentos y queriéndonos. Todo; ya sea que invente Dios o inventemos nosotros.

En realidad, nunca había tenido antes una mujer y creía fabricar lo que ahora le estaban imponiendo. Pero no era ella quien lo imponía, Gracia César, hechura de Risso, segregada de él para completarlo, como el aire al pulmón, como el invierno al trigo.

La tercera foto demoró tres semanas. Venía también de Paraguay y no le llegó al diario, sino a la pensión y se la trajo la mucama al final de una tarde en que él despertaba de un sueño en que le había sido aconsejado defenderse del pavor y la demencia conservando toda futura fotografía en la cartera y hacerla anecdótica, impersonal, inofensiva, mediante un centenar de distraídas miradas diarias.

La mucama golpeó la puerta y él vio colgar el sobre de las tablillas de la persiana, comenzó a percibir cómo destilaba en la penumbra, en el aire sucio, su condición nociva, su vibrátil amenaza. Lo estuvo mirando desde la cama como a un insecto, como a un animal venenoso que se aplastara a la espera del descuido, del error propicio.

En la tercera fotografía ella estaba sola, empujando con su blancura las sombras de una habitación mal iluminada, con la cabeza dolorosamente echada hacia atrás, hacia la cámara, cubiertos a medias los hombros por el negro pelo suelto, robusta y cuadrúpeda. Tan inconfundible ahora como si se hubiera hecho fotografiar en cualquier estudio y hubiera posado con la más tierna, significativa y oblicua de sus sonrisas.

Sólo tenía ahora, Risso, una lástima irremediable por ella, por él, por todos los amantes que habían amado en el mundo, por la verdad y error de sus creencias, por el simple absurdo del amor y por el complejo absurdo del amor creado por los hombres.

Pero también rompió esta fotografía y supo que le sería imposible mirar otra y seguir viviendo. Pero en el plano mágico en que habían empezado a entenderse y a dialogar, Gracia estaba obligada a enterarse de que él iba a romper las fotos apenas llegaran, cada vez con menos curiosidad, con menor remordimiento.

En el plano mágico, todos los groseros o tímidos hombres urgentes no eran más que obstáculos, ineludibles postergaciones del acto ritual de elegir en la calle, en el restaurante o en el café al más crédulo e inexperto, al que podía prestarse sin sospecha y con un cómico orgullo a la exposición frente a la cámara y al disparador, al menos desagradable entre los que pudieran creerse aquella memorizada argumentación de viajante de comercio.

–Es que nunca tuve un hombre así, tan único, tan distinto. Y nunca sé, metida en esta vida de teatro, dónde estaré mañana y si volveré a verte. Quiero por lo menos mirarte en una fotografía cuando estemos lejos y te extrañe.

Y después de la casi siempre fácil convicción, pensando en Risso o dejando de pensar para mañana, cumpliendo el deber que se había impuesto, disponía las luces, preparaba la cámara y encendía al hombre. Si pensaba en Risso, evocaba un suceso antiguo, volvía a reprocharle no haberle pegado, haberla apartado para siempre con un insulto desvaído, una sonrisa inteligente, un comentario que la mezclaba a ella con todas las demás mujeres. Y sin comprender; demostrando a pesar de noches y frases que no había comprendido nunca.

Sin exceso de esperanzas, trajinaba sudorosa por la siempre sórdida y calurosa habitación de hotel, midiendo distancias y luces, corriendo la posición del cuerpo envarado del hombre. Obligando, con cualquier recurso, señuelo, mentira crapulosa a que se dirigiera hacia ella la cara cínica y desconfiada del hombre de turno. Trataba de sonreír y de tentar, remedaba los chasquidos cariñosos que se hacen a los recién nacidos, calculando el paso de los segundos, calculando al mismo tiempo la intensidad con que la foto aludiría a su amor con Risso.

Pero como nunca pudo saber esto, como incluso ignoraba si las fotografías llegaban o no a manos de Risso, comenzó a intensificar las evidencias de las fotos y las convirtió en documentos que muy poco tenían que ver con ellos, Risso y Gracia.

Llegó a permitir y ordenar que las caras adelgazadas por el deseo, estupidizadas por el viejo sueño masculino de la posesión, enfrentaran el agujero de la cámara con una dura sonrisa, con una avergonzada insolencia. Consideró necesario dejarse resbalar de espaldas e introducirse en la fotografía, hacer que su cabeza, su corta nariz, sus grandes ojos impávidos descendieran desde la nada del más allá de la foto para integrar la suciedad del mundo, la torpe, errónea visión fotográfica, las sátiras del amor que se había jurado mandar regularmente a Santa María. Pero su verdadero error fue cambiar las direcciones de los sobres.

La primera separación, a los seis meses del casamiento, fue bienvenida y exageradamente angustiosa. El Sótano –ahora Teatro Municipal de Santa María– subió hasta El Rosario. Ella reiteró allí el mismo viejo juego alucinante de ser una actriz entre actores, de creer en lo que sucedía en el escenario. El público se emocionaba, aplaudía o no se dejaba arrastrar. Puntualmente se imprimían programas y críticas; y la gente aceptaba el juego y lo prolongaba hasta el fin de la noche, hablando de lo que había visto y oído, y pagado para ver y oír, conversando con cierta desesperación, con cierto acicateado entusiasmo, de actuaciones, decorados, parlamentos y traumas.

De modo que el juego, el remedo, alternativamente melancólico y embriagador, que ella iniciaba acercándose con lentitud a la ventana que caía sobre el fiord, estremeciéndose y murmurando para toda la sala: «Tal vez..., pero yo también llevo una vida de recuerdos que permanecen extraños a los demás», también era aceptado en El Rosario. Siempre caían naipes en respuesta al que ella arrojaba, el juego se formalizaba y ya era imposible distraerse y mirarlo de afuera.

La primera separación duró exactamente cincuenta y dos días y Risso trató de copiar en ellos la vida que había llevado con Gracia César durante los seis meses de matrimonio. Ir a la misma hora al mismo café, al mismo restaurante, ver a los mismos amigos, repetir en la rambla silencios y soledades, caminar de regreso a la pensión sufriendo obcecado las anticipaciones del encuentro, removiendo en la frente y en la boca imágenes excesivas que nacían de recuerdos perfeccionados o de ambiciones irrealizables.

Eran diez o doce cuadras, ahora solo y más lento, a través de noches molestadas por vientos tibios y helados, sobre el filo inquieto que separaba la primavera del invierno. Le sirvieron para medir su necesidad y su desamparo, para saber que la locura que compartían tenía por lo menos la grandeza de carecer de futuro, de no ser medio para nada.

En cuanto a ella había creído que Risso daba un lema al amor común cuando susurraba, tendido, con fresco asombro, abrumado:

–Todo puede suceder y vamos a estar siempre felices y queriéndonos.

Ya la frase no era un juicio, una opinión, no expresaba un deseo. Les era dictada e impuesta, era una comprobación, una verdad vieja. Nada de lo que ellos hicieran o pensaran podría debilitar la locura, el amor sin salida ni alteraciones. Todas las posibilidades humanas podían ser utilizadas y todo estaba condenado a servir de alimento.

Creyó que fuera de ellos, fuera de la habitación, se extendía un mundo desprovisto de sentido, habitado por seres que no importaban, poblado por hechos sin valor.

Así que sólo pensó en Risso, en ellos, cuando el hombre empezó a esperarla en la puerta del teatro, cuando la invitó y la condujo, cuando ella misma se fue quitando la ropa.

Era la última semana en El Rosario y ella consideró inútil hablar de aquello en las cartas a Risso; porque el suceso no estaba separado de ellos y a la vez nada tenía que ver con ellos; porque ella había actuado como un animal curioso y lúcido, con cierta lástima por el hombre, con cierto desdén por la pobreza de lo que estaba agregando a su amor por Risso. Y cuando volvió a Santa María, prefirió esperar hasta una víspera de jueves –porque los jueves Risso no iba al diario–, hasta una noche sin tiempo, hasta una madrugada idéntica a las veinticinco que llevaban vividas.

Lo empezó a contar antes de desvestirse, con el orgullo y la ternura de haber inventado, simplemente, una nueva caricia. Apoyado en la mesa, en mangas de camisa, él cerró los ojos y sonrió. Después la hizo desnudar y le pidió que repitiera la historia, ahora de pie, moviéndose descalza sobre la alfombra y casi sin desplazarse de frente y de perfil, dándole la espalda y balanceando el cuerpo mientras lo apoyaba en una pierna y otra. A veces ella veía la cara larga y sudorosa de Risso, el cuerpo pesado apoyándose en la mesa, protegiendo con los hombros el vaso de vino, y a veces sólo los imaginaba, distraída, por el afán de fidelidad en el relato, por la alegría de revivir aquella peculiar intensidad de amor que había sentido por Risso en El Rosario, junto a un hombre de rostro olvidado, junto a nadie, junto a Risso.

–Bueno; ahora te vestís otra vez –dijo él, con la misma voz asombrada y ronca que había repetido que todo era posible, que todo sería para ellos.

Ella le examinó la sonrisa y volvió a ponerse las ropas. Durante un rato estuvieron los dos mirando los dibujos del mantel, las manchas, el cenicero con el pájaro de pico quebrado. Después él terminó de vestirse y se fue, dedicó su jueves, su día libre, a conversar con el doctor Guiñazú, a convencerlo de la urgencia del divorcio, a burlarse por anticipado de las entrevistas de reconciliación.

Hubo después un tiempo largo y malsano en el que Risso quería volver a tenerla y odiaba simultáneamente la pena y el asco de todo imaginable reencuentro. Decidió después que necesitaba a Gracia y ahora un poco más que antes. Que era necesaria la reconciliación y que estaba dispuesto a pagar cualquier precio siempre que no interviniera su voluntad, siempre que fuera posible volver a tenerla por las noches sin decir que sí ni siquiera con su silencio.

Volvió a dedicar los jueves a pasear con su hija y a escuchar la lista de predicciones cumplidas que repetía la abuela en las sobremesas. Tuvo de Gracia noticias cautelosas y vagas, comenzó a imaginarla como a una mujer desconocida, cuyos gestos y reacciones debían ser adivinados o deducidos; como a una mujer preservada y solitaria entre personas y lugares, que le estaba predestinada y a la que tendría que querer, tal vez desde el primer encuentro.

Casi un mes después del principio de la separación, Gracia repartió direcciones contradictorias y se fue de Santa María.

–No se preocupe –dijo Guiñazú–. Conozco bien a las mujeres y algo así estaba esperando. Esto confirma el abandono del hogar y simplifica la acción que no podrá ser dañada por una evidente maniobra dilatoria que está evidenciando la sinrazón de la parte demandada.

Era aquél un comienzo húmedo de primavera, y muchas noches Risso volvía caminando del diario, del café, dándole nombres a la lluvia, avivando su sufrimiento como si soplara una brasa, apartándolo de sí para verlo mejor e increíble, imaginando actos de amor nunca vividos para ponerse enseguida a recordarlos con desesperada codicia.

Risso había destruido, sin mirar, los últimos tres mensajes. Se sentía ahora, y para siempre, en el diario y en la pensión, como una alimaña en su madriguera, como una bestia que oyera rebotar los tiros de los cazadores en la puerta de su cueva. Sólo podía salvarse de la muerte y de la idea de la muerte forzándose a la quietud y a la ignorancia. Acurrucado, agitaba los bigotes y el morro, las patas; sólo podía esperar el agotamiento de la furia ajena. Sin permitirse palabras ni pensamientos, se vio forzado a empezar a entender; a confundir a la Gracia que buscaba y elegía hombres y actitudes para las fotos, con la muchacha que había planeado, muchos meses atrás, vestidos, conversaciones, maquillajes, caricias a su hija para conquistar a un viudo aplicado al desconsuelo, a este hombre que ganaba un sueldo escaso y que sólo podía ofrecer a las mujeres una asombrada, leal, incomprensión.

Había empezado a creer que la muchacha que le había escrito largas y exageradas cartas en las breves separaciones veraniegas del noviazgo era la misma que procuraba su desesperación y su aniquilamiento enviándole las fotografías. Y llegó a pensar que, siempre, el amante que ha logrado respirar en la obstinación sin consuelo de la cama el olor sombrío de la muerte, está condenado a perseguir –para él y para ella– la destrucción, la paz definitiva de la nada.

Pensaba en la muchacha que se paseaba del brazo de dos amigas en las tardes de la rambla, vestida con los amplios y taraceados vestidos de tela endurecida que inventaba e imponía el recuerdo, y que atravesaba la obertura del *Barbero* que coronaba el concierto dominical de la banda para mirarlo un segundo. Pensaba en aquel relámpago en que ella hacía girar su expresión enfurecida de oferta y desafío, en que le mostraba de frente la belleza casi varonil de una cara pensativa y capaz, en que lo elegía a él, entontecido por la viudez. Y, poco a poco, iba admitiendo que aquélla era la misma mujer desnuda, un poco más gruesa, con cierto aire de aplomo y de haber sentado cabeza, que le hacía llegar fotografías desde Lima, Santiago y Buenos Aires.

Por qué no, llegó a pensar, por qué no aceptar que las fotografías, su trabajosa preparación, su puntual envío, se originaban en el mismo amor, en la misma capacidad de nostalgia, en la misma congénita lealtad.

La próxima fotografía le llegó desde Montevideo, ni al diario ni a la pensión. Y no llegó a verla. Salía una noche de *El Liberal* cuando escuchó la renguera del viejo Lanza persiguiéndolo en los escalones, la tos estremecida a su espalda, la inocente y tramposa frase del prólogo. Fueron a comer al Baviera; y Risso pudo haber jurado después haber estado sabiendo que el hombre descuidado, barbudo, enfermo, que metía y sacaba en la sobremesa un cigarrillo humedecido de la boca hundida, que no quería mirarle los ojos, que recitaba comentarios obvios sobre las noticias que UP había hecho llegar al diario durante la jornada, estaba impregnado de Gracia, o del frenético aroma absurdo que destila el amor.

–De hombre a hombre –dijo Lanza con resignación–. O de viejo que no tiene más felicidad en la vida que la discutible de seguir viviendo. De un viejo a usted; y yo no sé, porque nunca se sabe, quién es usted. Sé de algunos hechos y he oído comentarios. Pero ya no tengo interés en perder el tiempo creyendo o dudando. Da lo mismo. Cada mañana compruebo que sigo vivo, sin amargura y sin dar las gracias. Arrastro por Santa María y por la redacción una pierna enferma y la arterioesclerosis; me acuerdo de España, corrijo las pruebas, escribo y a veces hablo demasiado. Como esta noche. Recibí una sucia fotografía y no es posible dudar sobre quién la mandó. Tampoco puedo adivinar por qué me eligieron a mí. Al dorso dice: «Para ser donada a la colección Risso», o cosa parecida. Me llegó el sábado y estuve dos días pensando si dársela o no. Llegué a creer que lo mejor era decírselo porque mandarme eso a mí es locura sin atenuantes y tal vez a usted le haga bien saber que está loca. Ahora está usted enterado; sólo le pido permiso para romper la fotografía sin mostrársela.

Risso dijo que sí y aquella noche, mirando hasta la mañana la luz del farol de la calle en el techo del cuarto, comprendió que la segunda desgracia, la venganza era esencialmente menos grave que la primera, la traición, pero también mucho menos soportable. Sentía su largo cuerpo expuesto como un nervio al dolor del aire, sin amparo, sin poderse inventar un alivio.

La cuarta fotografía no dirigida a él la tiró sobre la mesa la abuela de su hija, el jueves siguiente. La niña se había ido a dormir y la foto estaba nuevamente dentro del sobre. Cayó entre el sifón y la dulcera, largo, atravesado y teñido por el reflejo de una botella, mostrando entusiastas letras en tinta azul.

–Comprenderás que después de esto... –tartamudeó la abuela. Revolvía el café y miraba la cara de Risso, buscándole en el perfil el secreto de la universal inmundicia, la causa de la muerte de su hija, la explicación de tantas cosas que ella había sospechado sin coraje para creerlas–. Comprenderás –repitió con furia, con la voz cómica y envejecida.

Pero no sabía qué era necesario comprender y Risso tampoco comprendía aunque se esforzara, mirando el sobre que había quedado enfrentándolo, con un ángulo apoyado en el borde del plato.

Afuera la noche estaba pesada y las ventanas abiertas de la ciudad mezclaban al misterio lechoso del cielo los misterios de las vidas de los hombres, sus afanes y sus costumbres. Volteado en su cama, Risso creyó que empezaba a comprender, que como una enfermedad, como un bienestar, la comprensión ocurría en él, liberada de la voluntad y de la inteligencia. Sucedía, simplemente, desde el contacto de los pies con los zapatos hasta las lágrimas que le llegaban a las mejillas y al cuello. La comprensión sucedía en él, y él no estaba interesado en saber qué era lo que comprendía, mientras recordaba o estaba viendo su llanto y su quietud, la alargada pasividad del cuerpo en la cama, la comba de las nubes en la ventana, escenas antiguas y futuras. Veía la muerte y la amistad con la muerte, el ensoberbecido desprecio por las reglas que todos los hombres habían consentido acatar, el auténtico asombro de la libertad. Hizo pedazos la fotografía sobre el pecho, sin apartar los ojos del blancor de la ventana, lento y diestro, temeroso de hacer ruido o interrumpir. Sintió después el movimiento de un aire nuevo, acaso respirado en la niñez, que iba llenando la habitación y se extendía con pereza inexperta por las calles y los desprevenidos edificios, para esperarlo y darle protección mañana y en los días siguientes.

Estuvo conociendo hasta la madrugada, como a ciudades que le habían parecido inalcanzables, el desinterés, la dicha sin causa, la aceptación de la soledad. Y cuando despertó a mediodía, cuando se aflojó la corbata y el cinturón y el reloj pulsera, mientras caminaba sudando hasta el pútrido olor a tormenta de la ventana, lo invadió por primera vez un paternal cariño hacia los hombres y hacia lo que los hombres habían hecho y construido. Había resuelto averiguar la dirección de Gracia, llamarla o irse a vivir con ella.

Aquella noche en el diario fue un hombre lento y feliz, actuó con torpezas de recién nacido, cumplió su cuota de cuartillas con las distracciones y errores que es común perdonar a un forastero. La gran noticia era la imposibilidad de que Ribereña corriera en San Isidro, porque estamos en condiciones de informar que el crédito del stud El Gorrión amaneció hoy manifestando dolencias en uno de los remos delanteros, evidenciando inflamación a la cuerda lo que dice a las claras de la entidad del mal que lo aqueja.

—Recordando que él hacía Hípicas —contó Lanza—, uno intenta explicar aquel desconcierto comparándolo al del hombre que se jugó el sueldo a un dato que le dieron y confirmaron el cuidador, el jockey, el dueño y el propio caballo. Porque aunque tenía, según se sabrá, los más excelentes motivos para estar sufriendo y tragarse sin más todos los sellos de somníferos de todas las boticas de Santa María, lo que me estuvo mostrando media hora antes de hacerlo no fue otra cosa que el razonamiento y la actitud de un hombre estafado. Un hombre que había estado seguro y a salvo y ya no lo está, y no logra explicarse cómo pudo ser qué error de cálculo produjo el desmoronamiento. Porque en ningún momento llamó yegua a la yegua que estuvo repartiendo las soeces fotografías por toda la ciudad, y ni siquiera aceptó caminar por el puente que yo le tendía, insinuando, sin creerla, la posibilidad de que la yegua –en cueros y alzada como prefirió divulgarse, o mimando en el escenario los problemas ováricos de otras yeguas hechas famosas por el teatro universal–, la posibilidad de que estuviera loca de atar. Nada. Él se había equivocado, y no al casarse con ella sino en otro momento que no quiso nombrar. La culpa era de él y nuestra entrevista fue increíble y espantosa. Porque ya me había dicho que iba a matarse y ya me había convencido de que era inútil y también grotesco y otra vez inútil argumentar para salvarlo. Y hablaba fríamente conmigo, sin aceptar mis ruegos de que se emborrachara. Se había equivocado, insistía; él y no la maldita arrastrada que le mandó la fotografía a la pequeña, al Colegio de Hermanas. Tal vez pensando que abriría el sobre la hermana superiora, acaso deseando que el sobre llegara intacto hasta las manos de la hija de Risso, segura esta vez de acertar en lo que Risso tenía de veras vulnerable.

Julio Cortázar

(Bruselas, 1914-París, 1984) Cuando en 1963 Cortázar publicó *Rayuela,* la novelística hispanoamericana de la época encontró el libro que contenía, como un catálogo, todo lo que parecía indispensable para su renovación: espíritu vanguardista, orientalismo, juego, asimilación y crítica de la cultura moderna, erotismo, insatisfacción existencial, ironía y ternura, utopía neohumanista, búsqueda de un absoluto, técnicas de improvisación inspiradas en el *jazz* y el carácter gestual del arte contemporáneo, distorsiones temporales y cinéticas, lenguaje polimórfico y panglósico, etc. En una palabra, era el modelo perfecto de lo que Umberto Eco llamó entonces la «obra abierta», una composición aleatoria y multívoca que se prestaba a lecturas y significados múltiples. Ese libro fue la encarnación misma de la madurez estética de nuestra novela y de las nuevas direcciones que el género tomaría en la década.

Pero Cortázar no era, ni de lejos, un autor «nuevo»: venía publicando discretamente desde más de dos décadas atrás. Tampoco *Rayuela* era su primera novela –*Los premios* había aparecido tres años antes y ahora conocemos, póstumamente, dos novelas anteriores a ambas: *Divertimento* y *El examen* (publicadas las dos en 1986)–, pero sí fue el libro que reordenó su trabajo literario, lo llevó a explorar otros territorios y lo impulsó a continuar cultivando el género. Siendo sus novelas obras de considerable importancia, para Cortázar sólo eran excursiones del género al que dedicó el más constante y prolongado esfuerzo: el cuento, del que se convirtió en un indiscutido maestro. *Bestiario,* su primer libro del género cuentos, ya lo anuncia (aunque pocos lo advirtieron en su momento), y los que siguieron mostraron el creciente y pasmoso dominio del lenguaje narrativo que llegó a alcanzar. Esa maestría es el resultado de un doble designio: la búsqueda en lo más hondo de sí mismo y la atrevida experimentación con formas y propuestas siempre nuevas. Hasta en sus últimos años, Cortázar seguía indagando, probando, explorando, como si fuese un joven escritor con enteros mundos por descubrir; el «juvenilismo» de su actitud siempre se transparentó en sus textos y los hizo más seductores. Cortázar quiso poner en cuestión todo, convencido de que cuando aceptábamos sin pensar, negábamos nuestra capacidad para ver lo extraño y deslumbrante que es el mundo real. Hay que agregar que, aparte de su obra cuentística, fue ocasionalmente un teórico del género y uno de los que más insistió en demostrar las enormes posibilidades de esa forma y su estrecha asociación con el lenguaje poético. No es de extrañar, por eso, que uno de sus autores emblemáticos fuese Keats.

Su obra y su vida pueden dividirse en tres etapas marcadas por cambios y reafirmaciones. La etapa formativa es breve, algo tentativa, y termina cuando publica *Bestiario* y abandona definitivamente Buenos Aires. Por entonces era un escritor cuya experiencia literaria parecía más intensa que su misma vida. La ficción literaria le ofrecía una forma de evasión donde podía jugar con presencias imaginarias, fantasmas, animales míticos, desdoblamientos y convergencias que abrían las puertas a lo desconocido; un mundo que tenía ciertas conexiones con el de Borges *(véase)*. La segunda etapa –a la que pertenecen dos colecciones notables: la segunda edición de *Final del juego* y *Las armas secretas*– comienza con su inserción cultural en París, donde trabajó largos años como traductor de la Unesco. Es un período que le permite reexaminar su posición ante varias cuestiones esenciales: el carácter liberador y revelador del erotismo; el arte como vehículo para religarnos con los niveles más profundos de la vida; la reinterpretación del espíritu vanguardista como una forma de negación o disidencia frente a las coartadas del *establishment,* etc. Este último aspecto es esencial en su poética y ha sido muy debatido por la crítica. Diremos solamente que más que al lenguaje surrealista, Cortázar le debe a la *mística* o espíritu irredento del movimiento, a su impulso de contradicción y provocación, que él combina con otros elementos aún más radicales: el aporte Dada; la Patafísica generada a partir de Jarry y definida como «la ciencia de las soluciones imaginarias»; y la vertiente plástica más alucinada, la de los belgas Michaux, Ensor, Magritte, Delvaux, Ubac y Pol Bury. La última etapa, que comienza hacia mediados de la década de los sesenta, toma un giro inesperado: después de sus primeras visitas a Cuba, Cortázar descubre la pasión de la política activa, expresa su total adhesión a la revolución castrista (y luego a la nicaragüense), reafirma su condición latinoamericana y llega a expresar simpatía por las acciones subversivas de los palestinos. Cuando se produjo el infausto «affaire Padilla»

(1971) en Cuba, esa adhesión lo enfrentó a buena parte de los escritores latinoamericanos y lo colocó en una situación intelectual bastante incómoda. El primer cuento que documenta este vuelco es el admirable «Reunión» de *Todos los fuegos el fuego,* pero hay que advertir que no hizo una abjuración de sus convicciones como artista y más bien las confirmó, integrándolas con la utopía de la liberación, como puede verse en su novela *Libro de Manuel.* Así las etapas producen una curiosa figura triangular: juego, erotismo y revolución, elementos que en realidad se comunican y se integran mutuamente en un movimiento caleidoscópico.

Su obra cuentística es muy extensa y de bordes imprecisos, porque se entremezcla con formas paralelas, como los textos incluidos en sus misceláneas o las prosas en las que aparecen sus «cronopios» y «famas». Quizá no haya texto más característico de su visión literaria que el celebrado relato «El perseguidor», que, por su extensión, no puede ser seleccionado en este volumen. Pero «Casa tomada» y «La autopista del sur» no son menos admirables y fascinantes. El primero es un relato temprano que pertenece a *Bestiario;* el segundo forma parte de *Todos los fuegos el fuego.*

La precisa sencillez del lenguaje de «Casa tomada», la engañosa morosidad de las descripciones, el juego de ominosas sugerencias y oscuras claves crean un clima que nos hace sospechar de todo, menos del sorpresivo final. El ambiente es perfectamente normal: una pareja de hermanos que llevan una aburrida vida de hábitos vacíos e indiferentes; pero lo que les ocurre es completamente insólito: alguien –o algo– invade progresivamente la casa, los arrincona en unas cuantas piezas y finalmente los expulsa. Lo más alarmante es la resignación con la que ambos aceptan el hecho y abandonan la casa como si en el fondo supiesen que eso tenía que ocurrir.

Esa actitud, esa incapacidad para indagar y resistir complica la interpretación porque confina lo ocurrido al silencio, al mundo de las cosas de las que es mejor no hablar. ¿Son fantasmas y la explicación es entonces sobrenatural? ¿Son personas reales que sólo ellos conocen? ¿Son tal vez objetivaciones imaginarias de su propio sentimiento de culpa? La ambigüedad del texto es radical: deja abierto el camino para esas y otras interpretaciones que no podemos desechar del todo. Pero lo más acertado quizá sea entender lo *sobrenatural* como la contracara de lo *histórico-concreto*. El texto nos informa de que esta pareja es una especie de «matrimonio de hermanos»; de que ocupan estérilmente una casa donde «podían vivir ocho personas sin estorbarse»; de que gozan de la confortable renta que llega de sus propiedades rurales; y de que se distraen de su entorno real, él con la lectura de libros franceses y ella con el tejido. No es atrevido pensar que a través de ellos Cortázar ha hecho el retrato de la clase burguesa argentina justamente en los años en que el peronismo empezaba a crearle inquietudes y zozobras; es decir, presenta un orden amenazado por el caos. Tales temores parecen estar aludidos en esta alegórica expulsión del paraíso de la falsa seguridad. Hay que agregar que la minuciosa descripción de la casa tiene coincidencias con otra gran figura del repertorio cortazariano: la de la rayuela, ese juego que nos desplaza de *este lado* (tierra) al *otro lado* (cielo), zona que en este caso coincide con la fatal pérdida del hogar.

En «La autopista del sur» la situación absurda está planteada desde las primeras líneas: el inmenso atolladero de autos que vuelven a París después del fin de semana ha convertido la pista en un espacio inmóvil, en el que autos y personas conviven, incómoda y obligadamente, como refugiados tras una situación de emergencia. De manera gradual e inevitable, la idea de que la situación es pasajera y de que las cosas se resolverán pronto se va desvaneciendo y lo impensable aparece como una realidad: van a tener que vivir varios días en plena autopista, compartiendo comida, ayudándose unos a otros, improvisando, aprendiendo cosas que nunca aprendieron. En realidad, se convierten en una pequeña sociedad donde hay relaciones amorosas, gente que se aprovecha de otros, solidaridad, miedo, etc. El proceso por el cual los personajes son identificados por sus autos («la muchacha del Dauphine») y después identificados *con* ellos («las caricias de Dauphine») apunta a la cosificación a la que, como buenos burgueses en una sociedad de consumo, se han sometido. (En *Weekend* [1968], el filme de Jean-Luc Godard, las escenas que están inspiradas en este relato acentúan sobre todo las connotaciones ideológicas de la situación.) Así, lo excepcional se convierte en la regla, el tiempo real deja de funcionar y las bases en las que se apoyan las costumbres homogéneas de la vida moderna quedan reveladas como carentes de sentido. El autor teje alrededor de ellos una cadena de circunstancias de la que no pueden escapar; esa distorsión de la lógica hasta límites absurdos recuerda un poco el final de «El guardagujas» de Arreola *(véase)*. El desenlace tiene una fina ironía: los autos empiezan por fin a moverse y los veraneantes enfrentan melancólicamente la perspectiva de volver a la ya no tan deseable realidad de todos los días.

Obra narrativa

Bestiario, Buenos Aires: Sudamericana, 1951; *Final del juego,* México: Los Presentes, 1956; 2.ª ed. aum., Buenos Aires: Sudamericana, 1964; *Las armas secretas,* Buenos Aires, 1958; ed. Susana Ják-

falvi, Madrid: Cátedra, 1978; *Los premios,* Buenos Aires: Sudamericana, 1960; ed. de Javier García Méndez, Madrid: Cátedra,
2005; *Historias de cronopios y de famas,* Buenos Aires: Minotauro,
1962; *Rayuela,* Buenos Aires: Sudamericana, 1963; ed. crít. Julio
Ortega y Saúl Yurkievich, Madrid: Alianza Editorial, 1987; Madrid:
Archivos, 1991; ed. de Andrés Amorós, Madrid: Cátedra, 2008;
Todos los fuegos el fuego, Buenos Aires: Sudamericana, 1966; *La
vuelta al día en ochenta mundos* [miscelánea], México: Siglo XXI,
1967; Madrid: Debate, 1992; *62: modelo para armar,* Buenos Aires: Sudamericana, 1968; *Último round* [miscelánea], México: Siglo XXI, 1969; *Libro de Manuel,* Buenos Aires: Sudamericana,
1973; *Octaedro,* Buenos Aires: Sudamericana, 1974; Madrid: Alianza Editorial, 1987; *Los relatos,* 3 vols., *1. Ritos; 2. Juegos; 3. Pasajes,*
Madrid: Alianza Editorial, 1976; *Alguien que anda por ahí,* Madrid:
Alfaguara, 1977; *Antología,* pról. Nicolás Bratosevich, Barcelona:
Edhasa, 1978; *Un tal Lucas,* Madrid: Alfaguara, 1979; *Queremos
tanto a Glenda,* Madrid: Alfaguara, 1981; *Deshoras,* Madrid: Alfa-
guara, 1982; *El examen,* Buenos Aires: Sudamericana/Planeta, 1986;
Divertimento, Madrid: Alfaguara, 1990; *Cuentos completos,* vol. 1:
1945-1966, pról. Mario Vargas Llosa; vol. 2: 1969-1982, Madrid:
Alfaguara, 1994; *Adiós, Robinson y otras piezas breves,* Madrid:
Santillana, 1995; *La autopista del sur y otros cuentos,* ed. Aurora
Bernárdez, Nueva York: Penguin Books, 1996; *Fantomas contra
los vampiros multinacionales,* Barcelona: Ediciones Destino, 2002;
Obras completas, ed. e intro. de Saúl Yurkievich, colab. de Gladis
Anchieri, pról. de Jaime Alazraki, Barcelona: Galaxia Gutenberg,
2003; *J. C.: papeles inesperados,* ed. de Aurora Bernárdez y Carles
Álvarez Garriga, Ciudad de Buenos Aires: Alfaguara, 2009.

Crítica

Alazraki, Jaime, *En busca del unicornio. Los cuentos de J. C.,* Madrid: Gredos, 1983; *Hacia C.: aproximaciones a su obra,* Barcelona,

Anthropos, 1994; A., J., Ivar Ivask y Joaquín Marco, eds., *La isla final. J. C.,* Madrid: Ultramar, 1981; Alonso, Carlos J., *J. C.: New Readings,* Cambridge-Nueva York: Cambridge University Press, 1998; Amícola, José, *Sobre C.,* Buenos Aires: Escuela, 1969; *Books Abroad,* número especial, 50: 3 (1976); *Casa de las Américas,* número de homenaje, 145-46 (1984); *Cuadernos Hispanoamericanos,* número especial, 364-66 (1980); Curutchet, Juan Carlos, *J. C. o la crítica de la razón pragmática,* Madrid: Editora Nacional, 1972; Ferré, Rosario, *C.: el romántico en su observatorio,* Hato Rey, Puerto Rico: Cultural, 1990; García Canclini, Néstor, *C. Una antropología poética,* Buenos Aires: Nova, 1968; Garfield, Evelyn Picon, *¿Es J. C. un surrealista?,* Madrid: Gredos, 1975; Giacoman, Helmy F., ed., *Homenaje a J. C.,* Long Island City, Nueva York: Las Américas, 1972; Gnutzmann, Rita, *Rayuela J. C.,* Madrid: Alhambra, 1988; Goloboff, Mario, *J. C. La biografía,* Buenos Aires: Seix Barral, 1998; *J. C.,* Nueva York: Ungar, 1975; Hernández del Castillo, Ana María, *Keats, Poe and C.'s Mythopoesis,* Ámsterdam: John Benjamin, 1981; *J. C. en Barnard,* número especial de *Inti,* Providence, Rhode Island, 10-11 (1979-1980); Lagmanovich, David, ed., *Estudios sobre los cuentos de J. C.,* Barcelona: Hispanoamérica, 1975; *L'Arc,* París, número especial, 80, s. a.; Lastra, Pedro, ed., *J. C.,* Madrid: Taurus, 1981; López Petzoltd, Bruno, *Los relatos de Julio Cortázar en el cine de ficción (1962-2009),* Madrid: Iberoamericana, Frankfurt am Main: Vervuoert, 2014; Luna Chávez, Marisol, *«La vuelta al día en ochenta mundos» y «Último round»: composición literaria y visual,* Guadalajara: Universidad de Guadalajara, 2014; Mac Adam, Alfred J., *El individuo y el otro. Crítica a los cuentos de J. C.,* Buenos Aires-Nueva York: La Librería, 1971; Mora Valcárcel, Carmen de, *Teoría y práctica del cuento en los relatos de C.,* Sevilla: Escuela de Estudios Hispano-Americanos, 1982, Morello-Frosch, Martha, «La tiranía del orden en los cuentos de J. C.», en Enrique Pupo-Walker, ed.*, 165-78; Orloff, Carolina, *The Representation of the Political in Selected Writings of J. C.,* Woodbridge: Tamesis, 2013; Rama, Ángel, *Primeros cuen-*

tos...*, 173-88; Rein, Mercedes, *J. C.: el escritor y sus máscaras*, Montevideo: Diaco, 1969; *Revista Iberoamericana*, número especial, 39: 84-85 (1973); Sola, Graciela de, *J. C. y el hombre nuevo*, Buenos Aires: Sudamericana, 1968; Sosnowski, Saúl, *J. C.: una búsqueda mítica*, Buenos Aires: Noé, 1973; VV. AA., *C.: Doce ensayos sobre el cuento «La noche boca arriba»*, Buenos Aires: El Arca-Fundación Banco Mercantil Argentino, 1995.

Casa tomada

Nos gustaba la casa porque aparte de espaciosa y antigua (hoy que las casas antiguas sucumben a la más ventajosa liquidación de sus materiales) guardaba los recuerdos de nuestros bisabuelos, el abuelo paterno, nuestros padres y toda la infancia.

Nos habituamos Irene y yo a persistir solos en ella, lo que era una locura pues en esa casa podían vivir ocho personas sin estorbarse. Hacíamos la limpieza por la mañana, levantándonos a las siete, y a eso de las once yo le dejaba a Irene las últimas habitaciones por repasar y me iba a la cocina. Almorzábamos a mediodía, siempre puntuales; ya no quedaba nada por hacer fuera de unos pocos platos sucios. Nos resultaba grato almorzar pensando en la casa profunda y silenciosa y cómo nos bastábamos para mantenerla limpia. A veces llegamos a creer que era ella la que no nos dejó casarnos. Irene rechazó dos pretendientes sin mayor motivo, a mí se me murió María Esther antes que llegáramos a comprometernos. Entramos en los cuarenta años con la inexpresada idea de que el nuestro, simple y silencioso matrimonio de hermanos, era necesaria clausura de la genealogía asentada por los bisabuelos en nuestra casa.

Nos moriríamos allí algún día, vagos y esquivos primos se quedarían con la casa y la echarían al suelo para enriquecerse con el terreno y los ladrillos; o mejor, nosotros mismos la voltearíamos justicieramente antes de que fuese demasiado tarde.

Irene era una chica nacida para no molestar a nadie. Aparte de su actividad matinal se pasaba el resto del día tejiendo en el sofá de su dormitorio. No sé por qué tejía tanto, yo creo que las mujeres tejen cuando han encontrado en esa labor el gran pretexto para no hacer nada. Irene no era así, tejía cosas siempre necesarias, tricotas para el invierno, medias para mí, mañanitas y chalecos para ella. A veces tejía un chaleco y después lo destejía en un momento porque algo no le agradaba; era gracioso ver en la canastilla el montón de lana encrespada resistiéndose a perder su forma de algunas horas. Los sábados iba yo al centro a comprarle lana; Irene tenía fe en mi gusto, se complacía con los colores y nunca tuve que devolver madejas. Yo aprovechaba esas salidas para dar una vuelta por las librerías y preguntar vanamente si había novedades en literatura francesa. Desde 1939 no llegaba nada valioso a la Argentina.

Pero es de la casa que me interesa hablar, de la casa y de Irene, porque yo no tengo importancia. Me pregunto qué hubiera hecho Irene sin el tejido. Uno puede releer un libro, pero cuando un pulóver está terminado no se puede repetirlo sin escándalo. Un día encontré el cajón de abajo de la cómoda de alcanfor lleno de pañoletas blancas, verdes, lila. Estaban con naftalina, apiladas como en una mercería; no tuve valor de preguntarle a Irene qué pensaba hacer con ellas. No necesitábamos ganarnos la vida, todos los meses llegaba la plata de los campos y el dinero aumentaba. Pero a Irene solamente la entretenía el tejido, mostraba una destreza maravillosa y a mí se me iban las horas viéndole las manos como erizos plateados, agujas yendo y viniendo y una o dos canastillas en el suelo donde se agitaban constantemente los ovillos. Era hermoso.

Cómo no acordarme de la distribución de la casa. El comedor, una sala con gobelinos, la biblioteca y tres dormitorios grandes quedaban en la parte más retirada, la que mira hacia Rodríguez Peña. Solamente un pasillo con su maciza puerta de roble aislaba esa parte del ala delantera donde había un baño, la cocina, nuestros dormitorios y el living central, al cual comunicaban los dormitorios y el pasillo. Se entraba a la casa por un zaguán con mayólica, y la puerta cancel daba al living. De manera que uno entraba por el zaguán, abría la cancel y pasaba al living; tenía a los lados las puertas de nuestros dormitorios, y al frente el pasillo que conducía a la parte más retirada; avanzando por el pasillo se franqueaba la puerta de roble y más allá empezaba el otro lado de la casa, o bien se podía girar a la izquierda justamente antes de la puerta y seguir por un pasillo más estrecho que llevaba a la cocina y al baño. Cuando la puerta estaba abierta advertía uno que la casa era muy grande; si no, daba la impresión de un departamento de los que se edifican ahora, apenas para moverse; Irene y yo vivíamos siempre en esta parte de la casa, casi nunca íbamos más allá de la puerta de roble, salvo para hacer la limpieza, pues es increíble cómo se junta tierra en los muebles. Buenos Aires será una ciudad limpia, pero eso lo debe a sus habitantes y no a otra cosa. Hay demasiada tierra en el aire, apenas sopla una ráfaga se palpa el polvo en los mármoles de las consolas y entre los rombos de las carpetas de macramé; da trabajo sacarlo bien con plumero, vuela y se suspende en el aire, un momento después se deposita de nuevo en los muebles y los pianos.

Lo recordaré siempre con claridad porque fue simple y sin circunstancias inútiles. Irene estaba tejiendo en su dormitorio, eran las ocho de la noche y de repente se me ocurrió poner al fuego la pavita del mate. Fui por el pasillo hasta enfrentar la entornada puerta de roble, y daba la vuelta al codo que llevaba a la cocina cuando escuché algo en el comedor o la biblioteca. El sonido venía impreciso y sordo, como un volcarse de silla sobre la alfombra o un ahogado susurro de conversación. También lo oí, al mismo tiempo o un segundo después, en el fondo del pasillo que traía desde aquellas piezas hasta la puerta. Me tiré contra la puerta antes de que fuera demasiado tarde, la cerré de golpe apoyando el cuerpo; felizmente la llave estaba puesta de nuestro lado y además corrí el gran cerrojo para más seguridad.

Fui a la cocina, calenté la pavita, y cuando estuve de vuelta con la bandeja del mate le dije a Irene:

—Tuve que cerrar la puerta del pasillo. Han tomado la parte del fondo.

Dejó caer el tejido y me miró con sus graves ojos cansados.

—¿Estás seguro?

Asentí.

—Entonces —dijo recogiendo las agujas— tendremos que vivir en este lado.

Yo cebaba el mate con mucho cuidado, pero ella tardó un rato en reanudar su labor. Me acuerdo que tejía un chaleco gris; a mí me gustaba ese chaleco.

Los primeros días nos pareció penoso porque ambos habíamos dejado en la parte tomada muchas cosas que queríamos. Mis libros de literatura francesa, por ejemplo, estaban todos en la biblioteca. Irene extrañaba unas carpetas, un par de pantuflas que tanto la abrigaban en invierno. Yo sentía mi pipa de enebro y creo que Irene pensó en una botella de Hesperidina de muchos años. Con frecuencia (pero esto solamente sucedió los primeros días) cerrábamos algún cajón de las cómodas y nos mirábamos con tristeza.

–No está aquí.

Y era una cosa más de todo lo que habíamos perdido al otro lado de la casa.

Pero también tuvimos ventajas. La limpieza se simplificó tanto que aun levantándose tardísimo, a las nueve y media por ejemplo, no daban las once y ya estábamos de brazos cruzados. Irene se acostumbró a ir conmigo a la cocina y ayudarme a preparar el almuerzo. Lo pensamos bien y se decidió esto: mientras yo preparaba el almuerzo, Irene cocinaría platos para comer fríos de noche. Nos alegramos porque siempre resulta molesto tener que abandonar los dormitorios al atardecer y ponerse a cocinar. Ahora nos bastaba con la mesa en el dormitorio de Irene y las fuentes de comida fiambre.

Irene estaba contenta porque le quedaba más tiempo para tejer. Yo andaba un poco perdido a causa de los libros, pero por no afligir a mi hermana me puse a revisar la colección de estampillas de papá, y eso me sirvió para matar el tiempo. Nos divertíamos mucho, cada uno en sus cosas, casi siempre reunidos en el dormitorio de Irene que era más cómodo. A veces Irene decía:

—Fíjate este punto que se me ha ocurrido. ¿No da un dibujo de trébol?

Un rato después era yo el que le ponía ante los ojos un cuadradito de papel para que viese el mérito de algún sello de Eupen y Malmédy. Estábamos bien, y poco a poco empezábamos a no pensar. Se puede vivir sin pensar.

(Cuando Irene soñaba en alta voz yo me desvelaba enseguida. Nunca pude habituarme a esa voz de estatua o papagayo, voz que viene de los sueños y no de la garganta. Irene decía que mis sueños consistían en grandes sacudones que a veces hacían caer el cobertor. Nuestros dormitorios tenían el living de por medio, pero de noche se escuchaba cualquier cosa en la casa. Nos oíamos respirar, toser, presentíamos el ademán que conduce a la llave del velador, los mutuos y frecuentes insomnios.

Aparte de eso todo estaba callado en la casa. De día eran los rumores domésticos, el roce metálico de las agujas de tejer, un crujido al pasar las hojas del álbum filatélico. La puerta de roble, creo haberlo dicho, era maciza. En la cocina y el baño, que quedaban tocando la parte tomada, nos poníamos a hablar en voz más alta o Irene cantaba canciones de cuna. En una cocina hay demasiado ruido de loza y vidrios para que otros sonidos irrumpan en ella. Muy pocas veces permitíamos allí el silencio, pero cuando tornábamos a los dormitorios y al living, entonces la casa se ponía callada y a media luz, hasta pisábamos más despacio para no molestarnos. Yo creo que era por eso que de noche, cuando Irene empezaba a soñar en alta voz, me desvelaba enseguida.)

Es casi repetir lo mismo salvo las consecuencias. De noche siento sed, y antes de acostarnos le dije a Irene que iba hasta la cocina a servirme un vaso de agua. Desde la puerta del dormitorio (ella tejía) oí ruido en la cocina; tal vez en la cocina o tal vez en el baño porque el codo del pasillo apagaba el sonido. A Irene le llamó la atención mi brusca manera de detenerme, y vino a mi lado sin decir palabra. Nos quedamos escuchando los ruidos, notando claramente que eran de este lado de la puerta de roble, en la cocina y el baño, o en el pasillo mismo donde empezaba el codo casi al lado nuestro.

No nos miramos siquiera. Apreté el brazo de Irene y la hice correr conmigo hasta la puerta cancel, sin volvernos hacia atrás. Los ruidos se oían más fuerte pero siempre sordos, a espaldas nuestras. Cerré de un golpe la cancel y nos quedamos en el zaguán. Ahora no se oía nada.

–Han tomado esta parte –dijo Irene. El tejido le colgaba de las manos y las hebras iban hasta la cancel y se perdían debajo. Cuando vio que los ovillos habían quedado del otro lado, soltó el tejido sin mirarlo.

–¿Tuviste tiempo de traer alguna cosa? –le pregunté inútilmente.

–No, nada.

Estábamos con lo puesto. Me acordé de los quince mil pesos en el armario de mi dormitorio. Ya era tarde ahora.

Como me quedaba el reloj pulsera, vi que eran las once de la noche. Rodeé con mi brazo la cintura de Irene (yo creo que ella estaba llorando) y salimos así a la calle. Antes de alejarnos tuve lástima, cerré bien la puerta de entrada y tiré la llave a la alcantarilla. No fuese que a algún pobre diablo se le ocurriera robar y se metiera en la casa, a esa hora y con la casa tomada.

La autopista del sur

> *Gli automobilisti accaldati sembrano non avere storia... Come realtà, un ingorgo automobilistico impressiona ma non ci dice gran che.*
>
> Arrigo Benedetti,
> *L'Espresso,* Roma, 21-6-1964.

Al principio la muchacha del Dauphine había insistido en llevar la cuenta del tiempo, aunque al ingeniero del Peugeot 404 le daba ya lo mismo. Cualquiera podía mirar su reloj pero era como si ese tiempo atado a la muñeca derecha o el *bip bip* de la radio midieran otra cosa, fueran el tiempo de los que no han hecho la estupidez de querer regresar a París por la autopista del sur un domingo de tarde y, apenas salidos de Fontainebleau, han tenido que ponerse al paso, detenerse, seis filas a cada lado (ya se sabe que los domingos la autopista está íntegramente reservada a los que regresan a la capital), poner en marcha el motor, avanzar tres metros, detenerse, charlar con las dos monjas del 2HP a la derecha, con la muchacha del Dauphine a la izquierda, mirar por el retrovisor al hombre pálido que conduce un Caravelle, envidiar irónicamente la felicidad avícola del matrimonio del Peugeot 203 (detrás del Dauphine de la muchacha) que juega con su niñita y hace bromas y come queso, o sufrir de a ratos los desbordes exasperados de los dos jovencitos del Simca que precede al Peugeot 404, y hasta bajarse en los altos, explorar sin alejarse mucho (porque nunca se sabe en qué momento los autos de más adelante reanudarán la marcha y habrá que correr para que los de atrás no inicien la guerra de las bocinas y los insultos), y así llegar a la altura de un Taunus delante del Dauphine de la muchacha que mira a cada momento la hora, y cambiar unas frases descorazonadas o burlonas con los dos hombres que viajan con el niño rubio cuya inmensa diversión en esas precisas circunstancias consiste en hacer correr libremente su autito de juguete sobre los asientos y el reborde posterior del Taunus, o atreverse y avanzar todavía un poco más, puesto que no parece que los autos de adelante vayan a reanudar la marcha, y contemplar con alguna lástima al matrimonio de ancianos en el ID Citroën que parece una gigantesca bañera violeta donde sobrenadan los dos viejitos, él descansando los antebrazos en el volante con un aire de paciente fatiga, ella mordisqueando una manzana con más aplicación que ganas.

A la cuarta vez de encontrarse con todo eso, de hacer todo eso, el ingeniero había decidido no salir más de su coche, a la espera de que la policía disolviese de alguna manera el embotellamiento. El calor de agosto se sumaba a ese tiempo a ras de neumáticos para que la inmovilidad fuese cada vez más enervante. Todo era olor a gasolina, gritos destemplados de los jovencitos del Simca, brillo del sol rebotando en los cristales y en los bordes cromados, y para colmo la sensación contradictoria del encierro en plena selva de máquinas pensadas para correr. El 404 del ingeniero ocupaba el segundo lugar de la pista de la derecha contando desde la franja divisoria de las dos pistas, con lo cual tenía otros cuatro autos a su derecha y siete a su izquierda, aunque de hecho sólo pudiera ver distintamente los ocho coches que lo rodeaban y sus ocupantes que ya había detallado hasta cansarse. Había charlado con todos salvo con los muchachos del Simca que le caían antipáticos; entre trecho y trecho se había discutido la situación en sus menores detalles, y la impresión general era que hasta Corbeil-Essonnes se avanzaría al paso o poco menos, pero que entre Corbeil y Juvisy el ritmo iría acelerándose una vez que los helicópteros y los motociclistas lograran quebrar lo peor del embotellamiento. A nadie le cabía duda de que algún accidente muy grave debía haberse producido en la zona, única explicación de una lentitud tan increíble. Y con eso el gobierno, el calor, los impuestos, la vialidad, un tópico tras otro, tres metros, otro lugar común, cinco metros, una frase sentenciosa o una maldición contenida.

A las dos monjitas del 2HP les hubiera convenido llegar a Milly-la-Fôret antes de las ocho, pues llevaban una cesta de hortalizas para la cocinera. Al matrimonio del Peugeot 203 le importaba sobre todo no perder los juegos televisados de las nueve y media; la muchacha del Dauphine le había dicho al ingeniero que le daba lo mismo llegar más tarde a París pero que se quejaba por principio, porque le parecía un atropello someter a millares de personas a un régimen de caravana de camellos. En esas últimas horas (debían de ser casi las cinco pero el calor los hostigaba insoportablemente) habían avanzado unos cincuenta metros a juicio del ingeniero, aunque uno de los hombres del Taunus que se había acercado a charlar llevando de la mano al niño con su autito, mostró irónicamente la copa de un plátano solitario y la muchacha del Dauphine recordó que ese plátano (si no era un castaño) había estado en la misma línea que su auto durante tanto tiempo que ya no valía la pena mirar el reloj pulsera para perderse en cálculos inútiles.

No atardecía nunca, la vibración del sol sobre la pista y las carrocerías dilataba el vértigo hasta la náusea. Los anteojos negros, los pañuelos con agua de colonia en la cabeza, los recursos improvisados para protegerse, para evitar un reflejo chirriante o las bocanadas de los caños de escape a cada avance, se organizaban y perfeccionaban, eran objeto de comunicación y comentario. El ingeniero bajó otra vez para estirar las piernas, cambió unas palabras con la pareja de aire campesino del Ariane que precedía al 2HP de las monjas. Detrás del 2HP había un Volkswagen con un soldado y una muchacha que parecían recién casados. La tercera fila hacia el exterior dejaba de interesarle porque hubiera tenido que alejarse peligrosamente del 404; veía colores, formas, Mercedes Benz, ID, 4R, Lancia, Skoda, Morris Minor, el catálogo completo. A la izquierda, sobre la pista opuesta, se tendía otra maleza inalcanzable de Renault, Anglia, Peugeot, Porsche, Volvo; era tan monótono que al final, después de charlar con los dos hombres del Taunus y de intentar sin éxito un cambio de impresiones con el solitario conductor del Caravelle, no quedaba nada mejor que volver al 404 y reanudar la misma conversación sobre la hora, las distancias y el cine con la muchacha del Dauphine.

A veces llegaba un extranjero, alguien que se deslizaba entre los autos viniendo desde el otro lado de la pista o desde las filas exteriores de la derecha, y que traía alguna noticia probablemente falsa repetida de auto en auto a lo largo de calientes kilómetros. El extranjero saboreaba el éxito de sus novedades, los golpes de las portezuelas cuando los pasajeros se precipitaban para comentar lo sucedido, pero al cabo de un rato se oía alguna bocina o el arranque de un motor, y el extranjero salía corriendo, se lo veía zigzaguear entre los autos para reintegrarse al suyo y no quedar expuesto a la justa cólera de los demás. A lo largo de la tarde se había sabido así del choque de un Floride contra un 2HP cerca de Corbeil, tres muertos y un niño herido, el doble choque de un Fiat 1500 contra un furgón Renault que había aplastado a un Austin lleno de turistas ingleses, el vuelco de un autocar de Orly colmado de pasajeros procedentes del avión de Copenhague. El ingeniero estaba seguro de que todo o casi todo era falso, aunque algo grave debía haber ocurrido cerca de Corbeil e incluso en las proximidades de París para que la circulación se hubiera paralizado hasta ese punto. Los campesinos del Ariane, que tenían una granja del lado de Montereau y conocían bien la región, contaban de otro domingo en que el tránsito había estado detenido durante cinco horas, pero ese tiempo empezaba a parecer casi nimio ahora que el sol, acostándose hacia la izquierda de la ruta, volcaba en cada auto una última avalancha de jalea anaranjada que hacía hervir los metales y ofuscaba la vista, sin que jamás una copa de árbol desapareciera del todo a la espalda, sin que otra sombra apenas entrevista a la distancia se acercara como para poder sentir de verdad que la columna se estaba moviendo aunque fuera apenas, aunque hubiera que detenerse y arrancar y bruscamente clavar el freno y no salir nunca de la primera velocidad, del desencanto insultante de pasar una vez más de la primera al punto muerto, freno de pie, freno de mano, stop, y así otra vez y otra vez y otra.

En algún momento, harto de inacción, el ingeniero se había decidido a aprovechar un alto especialmente interminable para recorrer las filas de la izquierda, y dejando a su espalda el Dauphine había encontrado un DKW, otro 2HP, un Fiat 600, y se había detenido junto a un De Soto para cambiar impresiones con el azorado turista de Washington que no entendía casi el francés pero que tenía que estar a las ocho en la Place de l'Opéra sin falta you understand, my wife will be awfully anxious, damn it, y se hablaba un poco de todo cuando un hombre con aire de viajante de comercio salió del DKW para contarles que alguien había llegado un rato antes con la noticia de que un Piper Cub se había estrellado en plena autopista, varios muertos. Al americano el Piper Cub lo tenía profundamente sin cuidado, y también al ingeniero que oyó un coro de bocinas y se apresuró a regresar al 404, trasmitiendo de paso las novedades a los dos hombres del Taunus y al matrimonio del 203. Reservó una explicación más detallada para la muchacha del Dauphine mientras los coches avanzaban lentamente unos pocos metros (ahora el Dauphine estaba ligeramente retrasado con relación al 404, y más tarde sería al revés, pero de hecho las doce filas se movían prácticamente en bloque, como si un gendarme invisible en el fondo de la autopista ordenara el avance simultáneo sin que nadie pudiese obtener ventajas). Piper Cub, señorita, es un pequeño avión de paseo. Ah. Y la mala idea de estrellarse en plena autopista un domingo de tarde. Esas cosas. Si por lo menos hiciera menos calor en los condenados autos, si esos árboles de la derecha quedaran por fin a la espalda, si la última cifra del cuenta kilómetros acabara de caer en su agujerito negro en vez de seguir suspendida por la cola, interminablemente.

En algún momento (suavemente empezaba a anochecer, el horizonte de techos de automóviles se teñía de lila) una gran mariposa blanca se posó en el parabrisas del Dauphine, y la muchacha y el ingeniero admiraron sus alas en la breve y perfecta suspensión de su reposo; la vieron alejarse con una exasperada nostalgia, sobrevolar el Taunus, el ID violeta de los ancianos, ir hacia el Fiat 600 ya invisible desde el 404, regresar hacia el Simca donde una mano cazadora trató inútilmente de atraparla, aletear amablemente sobre el Ariane de los campesinos que parecían estar comiendo alguna cosa, y perderse después hacia la derecha. Al anochecer la columna hizo un primer avance importante, de casi cuarenta metros; cuando el ingeniero miró distraídamente el cuenta kilómetros, la mitad del 6 había desaparecido y un asomo de 7 empezaba a descolgarse de lo alto. Casi todo el mundo escuchaba sus radios, los del Simca la habían puesto a todo trapo y coreaban un twist con sacudidas que hacían vibrar la carrocería; las monjas pasaban cuentas de sus rosarios, el niño del Taunus se había dormido con la cara pegada a un cristal, sin soltar el auto de juguete. En algún momento (ya era noche cerrada) llegaron extranjeros con más noticias, tan contradictorias como las otras ya olvidadas. No había sido un Piper Cub sino un planeador pilotado por la hija de un general. Era exacto que un furgón Renault había aplastado a un Austin, pero no en Juvisy sino casi en las puertas de París; uno de los extranjeros explicó al matrimonio del 203 que el macadam de la autopista había cedido a la altura de Igny y que cinco autos habían volcado al meter las ruedas delanteras en la grieta. La idea de una catástrofe natural se propagó hasta el ingeniero, que se encogió de hombros sin hacer comentarios. Más tarde, pensando en esas primeras horas de oscuridad en que habían respirado un poco más libremente, recordó que en algún momento había sacado el brazo por la ventanilla para tamborilear en la carrocería del Dauphine y despertar a la muchacha que se había dormido reclinada sobre el volante, sin preocuparse de un nuevo avance. Quizá ya era medianoche cuando una de las monjas le ofreció tímidamente un sándwich de jamón, suponiendo que tendría hambre. El ingeniero lo aceptó por cortesía (en realidad sentía náuseas) y pidió permiso para dividirlo con la muchacha del Dauphine, que aceptó y comió golosamente el sándwich y la tableta de chocolate que le había pasado el viajante del DKW, su vecino de la izquierda. Mucha gente había salido de los autos recalentados, porque otra vez llevaban horas sin avanzar; se empezaba a sentir sed, ya agotadas las botellas de limonada, la coca-cola y hasta los vinos de a bordo. La primera en quejarse fue la niña del 203, y el soldado y el ingeniero abandonaron los autos junto con el padre de la niña para buscar agua. Delante del Simca, donde la radio parecía suficiente alimento, el ingeniero encontró un Beaulieu ocupado por una mujer madura de ojos inquietos. No, no tenía agua pero podía darle unos caramelos para la niña. El matrimonio del ID se consultó un momento antes de que la anciana metiera la mano en un bolso y sacara una pequeña lata de jugo de frutas. El ingeniero agradeció y quiso saber si tenían hambre y si podía serles útil; el viejo movió negativamente la cabeza, pero la mujer pareció asentir sin palabras. Más tarde la muchacha del Dauphine y el ingeniero exploraron juntos las filas de la izquierda, sin alejarse demasiado; volvieron con algunos bizcochos y los llevaron a la anciana del ID, con el tiempo justo para regresar corriendo a sus autos bajo una lluvia de bocinas.

Aparte de esas mínimas salidas, era tan poco lo que podía hacerse que las horas acababan por superponerse, por ser siempre la misma en el recuerdo; en algún momento el ingeniero pensó en tachar ese día en su agenda y contuvo una risotada, pero más adelante, cuando empezaron los cálculos contradictorios de las monjas, los hombres del Taunus y la muchacha del Dauphine, se vio que hubiera convenido llevar mejor la cuenta. Las radios locales habían suspendido las emisiones, y sólo el viajante del DKW tenía un aparato de ondas cortas que se empeñaba en transmitir noticias bursátiles. Hacia las tres de la madrugada pareció llegarse a un acuerdo tácito para descansar, y hasta el amanecer la columna no se movió. Los muchachos del Simca sacaron unas camas neumáticas y se tendieron al lado del auto; el ingeniero bajó el respaldo de los asientos delanteros del 404 y ofreció las cuchetas a las monjas, que rehusaron; antes de acostarse un rato el ingeniero pensó en la muchacha del Dauphine, muy quieta contra el volante, y como sin darle importancia le propuso que cambiaran de autos hasta el amanecer; ella se negó, alegando que podía dormir muy bien de cualquier manera. Durante un rato se oyó llorar al niño del Taunus, acostado en el asiento trasero donde debía tener demasiado calor. Las monjas rezaban todavía cuando el ingeniero se dejó caer en la cucheta y se fue quedando dormido, pero su sueño seguía demasiado cerca de la vigilia y acabó por despertarse sudoroso e inquieto, sin comprender en un primer momento dónde estaba; enderezándose, empezó a percibir los confusos movimientos del exterior, un deslizarse de sombras entre los autos, y vio un bulto que se alejaba hacia el borde de la autopista; adivinó las razones, y más tarde también él salió del auto sin hacer ruido y fue a aliviarse al borde de la ruta; no había setos ni árboles, solamente el campo negro y sin estrellas, algo que parecía un muro abstracto limitando la cinta blanca del macadam con su río inmóvil de vehículos. Casi tropezó con el campesino del Ariane, que balbuceó una frase ininteligible; al olor de la gasolina, persistente en la autopista recalentada, se sumaba ahora la presencia más ácida del hombre, y el ingeniero volvió lo antes posible a su auto. La chica del Dauphine dormía apoyada sobre el volante, un mechón de pelo contra los ojos; antes de subir al 404, el ingeniero se divirtió explorando en la sombra su perfil, adivinando la curva de los labios que soplaban suavemente. Del otro lado, el hombre del DKW miraba también dormir a la muchacha, fumando en silencio.

Por la mañana se avanzó muy poco pero lo bastante como para darles la esperanza de que esa tarde se abriría la ruta hacia París. A las nueve llegó un extrajero con buenas noticias: habían rellenado las grietas y pronto se podría circular normalmente. Los muchachos del Simca encendieron la radio y uno de ellos trepó al techo del auto y gritó y cantó. El ingeniero se dijo que la noticia era tan dudosa como las de la víspera, y que el extranjero había aprovechado la alegría del grupo para pedir y obtener una naranja que le dio el matrimonio del Ariane. Más tarde llegó otro extranjero con la misma treta, pero nadie quiso darle nada. El calor empezaba a subir y la gente prefería quedarse en los autos a la espera de que se concretaran las buenas noticias. A mediodía la niña del 203 empezó a llorar otra vez, y la muchacha del Dauphine fue a jugar con ella y se hizo amiga del matrimonio. Los del 203 no tenían suerte: a su derecha estaba el hombre silencioso del Caravelle, ajeno a todo lo que ocurría en torno, y a su izquierda tenían que aguantar la verbosa indignación del conductor de un Floride, para quien el embotellamiento era una afrenta exclusivamente personal. Cuando la niña volvió a quejarse de sed, al ingeniero se le ocurrió ir a hablar con los campesinos del Ariane, seguro de que en ese auto había cantidad de provisiones. Para su sorpresa los campesinos se mostraron muy amables; comprendían que en una situación semejante era necesario ayudarse, y pensaban que si alguien se encargaba de dirigir el grupo (la mujer hacía un gesto circular con la mano abarcando la docena de autos que los rodeaba) no se pasarían apreturas hasta llegar a París. Al ingeniero le molestaba la idea de erigirse en organizador, y prefirió llamar a los hombres del Taunus para conferenciar con ellos y con el matrimonio del Ariane. Un rato después consultaron sucesivamente a todos los del grupo. El joven soldado del Volkswagen estuvo inmediatamente de acuerdo, y el matrimonio del 203 ofreció las pocas provisiones que les quedaban (la muchacha del Dauphine había conseguido un vaso de granadina con agua para la niña, que reía y jugaba). Uno de los hombres del Taunus, que había ido a consultar a los muchachos del Simca, obtuvo un asentimiento burlón; el hombre pálido del Caravelle se encogió de hombros y dijo que le daba lo mismo, que hicieran lo que les pareciese mejor. Los ancianos del ID y la señora del Beaulieu se mostraron visiblemente contentos, como si se sintieran más protegidos. Los pilotos del Floride y del DKW no hicieron observaciones, y el americano del De Soto los miró asombrado y dijo algo sobre la voluntad de Dios. Al ingeniero le resultó fácil proponer que uno de los ocupantes del Taunus, en el que tenía una confianza instintiva, se encargara de coordinar las actividades. A nadie le faltaría de comer por el momento, pero era necesario conseguir agua; el jefe, al que los muchachos del Simca llamaban Taunus a secas para divertirse, pidió al ingeniero, al soldado y a uno de los muchachos que exploraran la zona circundante de la autopista y ofrecieran alimentos a cambio de bebidas. Taunus, que evidentemente sabía mandar, había calculado que deberían cubrirse las necesidades de un día y medio como máximo, poniéndose en la posición menos optimista. En el 2HP de las monjas y en el Ariane de los campesinos había provisiones suficientes para ese tiempo, y si los exploradores volvían con agua el problema quedaría resuelto. Pero solamente el soldado regresó con una cantimplora llena, cuyo dueño exigía en cambio comida para dos personas. El ingeniero no encontró a nadie que pudiera ofrecer agua, pero el viaje le sirvió para advertir que más allá de su grupo se estaban constituyendo otras células con problemas semejantes; en un momento dado el ocupante de un Alfa Romeo se negó a hablar con él del asunto, y le dijo que se dirigiera al representante de su grupo, cinco autos atrás en la misma fila. Más tarde vieron volver al muchacho del Simca que no había podido conseguir agua, pero Taunus calculó que ya tenían bastante los dos niños, la anciana del ID y el resto de las mujeres. El ingeniero le estaba contando a la muchacha del Dauphine su circuito de la periferia (era la una de la tarde, y el sol los acorralaba en los autos) cuando ella lo interrumpió con un gesto y le señaló el Simca. En dos saltos el ingeniero llegó hasta el auto y sujetó por el codo a uno de los muchachos, que se repantigaba en su asiento para beber a grandes tragos de la cantimplora que había traído escondida en la chaqueta. A su gesto iracundo, el ingeniero respondió aumentando la presión en el brazo; el otro muchacho bajó del auto y se tiró sobre el ingeniero, que dio dos pasos atrás y lo esperó casi con lástima. El soldado ya venía corriendo, y los gritos de las monjas alertaron a Taunus y a su compañero; Taunus escuchó lo sucedido, se acercó al muchacho de la botella, y le dio un par de bofetadas. El muchacho gritó y protestó lloriqueando, mientras el otro rezongaba sin atreverse a intervenir. El ingeniero le quitó la botella y se la alcanzó a Taunus. Empezaban a sonar bocinas y cada cual regresó a su auto, por lo demás inútilmente puesto que la columna avanzó apenas cinco metros.

A la hora de la siesta, bajo un sol todavía más duro que la víspera, una de las monjas se quitó la toca y su compañera le mojó las sienes con agua de colonia. Las mujeres improvisaban de a poco sus actividades samaritanas, yendo de un auto a otro, ocupándose de los niños para que los hombres estuvieran más libres; nadie se quejaba pero el buen humor era forzado, se basaba siempre en los mismos juegos de palabras, en un escepticismo de buen tono. Para el ingeniero y la muchacha del Dauphine sentirse sudorosos y sucios era la vejación más grande; los enternecía casi la rotunda indiferencia del matrimonio de campesinos al olor que les brotaba de las axilas cada vez que venían a charlar con ellos o a repetir alguna noticia de último momento. Hacia el atardecer el ingeniero miró casualmente por el retrovisor y encontró como siempre la cara pálida y de rasgos tensos del hombre del Caravelle, que al igual que el gordo piloto del Floride se había mantenido ajeno a todas las actividades. Le pareció que sus facciones se habían afilado todavía más, y se preguntó si no estaría enfermo. Pero después, cuando al ir a charlar con el soldado y su mujer tuvo ocasión de mirarlo desde más cerca, se dijo que ese hombre no estaba enfermo; era otra cosa, una separación, por darle algún nombre. El soldado del Volkswagen le contó más tarde que a su mujer le daba miedo ese hombre silencioso que no se apartaba jamás del volante y que parecía dormir despierto. Nacían hipótesis, se creaba un folklore para luchar contra la inacción. Los niños del Taunus y el 203 se habían hecho amigos y se habían peleado y luego se habían reconciliado; sus padres se visitaban, y la muchacha del Dauphine iba cada tanto a ver cómo se sentían la anciana del ID y la señora del Beaulieu. Cuando al atardecer soplaron bruscamente unas ráfagas tormentosas y el sol se perdió entre las nubes que se alzaban al oeste, la gente se alegró pensando que iba a refrescar. Cayeron algunas gotas, coincidiendo con un avance extraordinario de casi cien metros; a lo lejos brilló un relámpago y el calor subió todavía más. Había tanta electricidad en la atmósfera que Taunus, con un instinto que el ingeniero admiró sin comentarios, dejó al grupo en paz hasta la noche, como si temiera los efectos del cansancio y el calor. A las ocho las mujeres se encargaron de distribuir las provisiones; se había decidido que el Ariane de los campesinos sería el almacén general, y que el 2HP de las monjas serviría de depósito suplementario. Taunus había ido en persona a hablar con los jefes de los cuatro o cinco grupos vecinos; después, con ayuda del soldado y el hombre del 203, llevó una cantidad de alimentos a los otros grupos, regresando con más agua y un poco de vino. Se decidió que los muchachos del Simca cederían sus colchones neumáticos a la anciana del ID y a la señora del Beaulieu; la muchacha del Dauphine les llevó dos mantas escocesas y el ingeniero ofreció su coche, que llamaba burlonamente el wagon-lit, a quienes los necesitaran. Para su sorpresa, la muchacha del Dauphine aceptó el ofrecimiento y esa noche compartió las cuchetas del 404 con una de las monjas; la otra fue a dormir al 203 junto a la niña y su madre, mientras el marido pasaba la noche sobre el macadam, envuelto en una frazada. El ingeniero no tenía sueño y jugó a los dados con Taunus y su amigo; en algún momento se les agregó el campesino del Ariane y hablaron de política bebiendo unos tragos del aguardiente que el campesino había entregado a Taunus esa mañana. La noche no fue mala, había refrescado y brillaban algunas estrellas entre las nubes.

Hacia el amanecer, los ganó el sueño, esa necesidad de estar a cubierto que nacía con la grisalla del alba. Mientras Taunus dormía junto al niño en el asiento trasero, su amigo y el ingeniero descansaron un rato en la delantera. Entre dos imágenes de sueño, el ingeniero creyó oír gritos a la distancia y vio un resplandor indistinto; el jefe de otro grupo vino a decirle que treinta autos más adelante había habido un principio de incendio en Estafette, provocado por alguien que había querido hervir clandestinamente unas legumbres. Taunus bromeó sobre lo sucedido mientras iba de auto en auto para ver cómo habían pasado todos la noche, pero a nadie se le escapó lo que quería decir. Esa mañana la columna empezó a moverse muy temprano y hubo que correr y agitarse para recuperar los colchones y las mantas, pero como en todas partes debía estar sucediendo lo mismo casi nadie se impacientaba ni hacía sonar las bocinas. A mediodía habían avanzado más de cincuenta metros, y empezaba a divisarse la sombra de un bosque a la derecha de la ruta. Se envidiaba la suerte de los que en ese momento podían ir hasta la banquina y aprovechar la frescura de la sombra; quizá había un arroyo, o un grifo de agua potable. La muchacha del Dauphine cerró los ojos y pensó en una ducha cayéndole por el cuello y la espalda, corriéndole por las piernas; el ingeniero, que la miraba de reojo, vio dos lágrimas que le resbalaban por las mejillas.

Taunus, que acababa de adelantarse hasta el ID, vino a buscar a las mujeres más jóvenes para que atendieran a la anciana que no se sentía bien. El jefe del tercer grupo a retaguardia contaba con un médico entre sus hombres, y el soldado corrió a buscarlo. El ingeniero, que había seguido con irónica benevolencia los esfuerzos de los muchachitos del Simca para hacerse perdonar su travesura, entendió que era el momento de darles su oportunidad. Con los elementos de una tienda de campaña los muchachos cubrieron las ventanillas del 404, y el wagon-lit se trasformó en ambulancia para que la anciana descansara en una oscuridad relativa. Su marido se tendió a su lado, teniéndole la mano, y los dejaron solos con el médico. Después las monjas se ocuparon de la anciana, que se sentía mejor, y el ingeniero pasó la tarde como pudo, visitando otros autos y descansando en el de Taunus cuando el sol castigaba demasiado; sólo tres veces le tocó correr su auto, donde los viejitos parecían dormir, para hacerlo avanzar junto con la columna hasta el alto siguiente. Los ganó la noche sin que hubiesen llegado a la altura del bosque.

Hacia las dos de la madrugada bajó la temperatura, y los que tenían mantas se alegraron de poder envolverse en ellas. Como la columna no se movería hasta el alba (era algo que se sentía en el aire, que venía desde el horizonte de autos inmóviles en la noche) el ingeniero y Taunus se sentaron a fumar y a charlar con el campesino del Ariane y el soldado. Los cálculos de Taunus no correspondían ya a la realidad, y lo dijo francamente; por la mañana habría que hacer algo para conseguir más provisiones y bebidas. El soldado fue a buscar a los jefes de los grupos vecinos, que tampoco dormían, y se discutió el problema en voz baja para no despertar a las mujeres. Los jefes habían hablado con los responsables de los grupos más alejados, en un radio de ochenta o cien automóviles, y tenían la seguridad de que la situación era análoga en todas partes. El campesino conocía bien la región y propuso que dos o tres hombres de cada grupo salieran al alba para comprar provisiones en las granjas cercanas, mientras Taunus se ocupaba de designar pilotos para los autos que quedaran sin dueño durante la expedición. La idea era buena y no resultó difícil reunir dinero entre los asistentes; se decidió que el campesino, el soldado y el amigo de Taunus irían juntos y llevarían todas las bolsas, redes y cantimploras disponibles. Los jefes de los otros grupos volvieron a sus unidades para organizar expediciones similares, y al amanecer se explicó la situación a las mujeres y se hizo lo necesario para que la columna pudiera seguir avanzando. La muchacha del Dauphine le dijo al ingeniero que la anciana ya estaba mejor y que insistía en volver a su ID; a las ocho llegó el médico, que no vio inconveniente en que el matrimonio regresara a su auto. De todos modos, Taunus decidió que el 404 quedaría habilitado permanentemente como ambulancia; los muchachos, para divertirse, fabricaron un banderín con una cruz roja y la fijaron en la antena del auto. Hacía ya rato que la gente prefería salir lo menos posible de sus coches, la temperatura seguía bajando y a mediodía empezaron los chaparrones y se vieron relámpagos a la distancia. La mujer del campesino se apresuró a recoger agua con un embudo y una jarra de plástico, para especial regocijo de los muchachos del Simca. Mirando todo eso, inclinado sobre el volante donde había un libro abierto que no le interesaba demasiado, el ingeniero se preguntó por qué los expedicionarios tardaban tanto en regresar; más tarde Taunus lo llamó discretamente a su auto y cuando estuvieron dentro le dijo que habían fracasado. El amigo de Taunus dio detalles: las granjas estaban abandonadas o la gente se negaba a venderles nada, aduciendo las reglamentaciones sobre ventas a particulares y sospechando que podían ser inspectores que se valían de las circunstancias para ponerlos a prueba. A pesar de todo habían podido traer una pequeña cantidad de agua y algunas provisiones, quizá robadas por el soldado que sonreía sin entrar en detalles. Desde luego ya no podía pasar mucho tiempo sin que cesara el embotellamiento, pero los alimentos de que se disponía no eran los más adecuados para los dos niños y la anciana. El médico, que vino hacia las cuatro y media para ver a la enferma, hizo un gesto de exasperación y cansancio y dijo a Taunus que en su grupo y en todos los grupos vecinos pasaba lo mismo. Por la radio se había hablado de una operación de emergencia para despejar la autopista, pero aparte de un helicóptero que apareció brevemente al anochecer no se vieron otros aprestos. De todas maneras hacía cada vez menos calor, y la gente parecía esperar la llegada de la noche para taparse con las mantas y abolir en el sueño algunas horas más de espera. Desde su auto el ingeniero escuchaba la charla de la muchacha del Dauphine con el viajante del DKW, que le contaba cuentos y la hacía reír sin ganas. Lo sorprendió ver a la señora del Beaulieu que casi nunca abandonaba su auto, y bajó para saber si necesitaba alguna cosa, pero la señora buscaba solamente las últimas noticias y se puso a hablar con las monjas. Un hastío sin nombre pesaba sobre ellos al anochecer; se esperaba más del sueño que de las noticias siempre contradictorias o desmentidas. El amigo de Taunus llegó discretamente a buscar al ingeniero, al soldado y al hombre del 203. Taunus les anunció que el tripulante del Floride acababa de desertar; uno de los muchachos del Simca había visto el coche vacío, y después de un rato se había puesto a buscar a su dueño para matar el tedio. Nadie conocía mucho al hombre gordo del Floride, que tanto había protestado el primer día aunque después acabara por quedarse tan callado como el piloto del Caravelle. Cuando a las cinco de la mañana no quedó la menor duda de que Floride, como se divertían en llamarlo los chicos del Simca, había desertado llevándose una valija de mano y abandonando otra llena de camisas y ropa interior, Taunus decidió que uno de los muchachos se haría cargo del auto abandonado para no inmovilizar la columna. A todos los había fastidiado vagamente esa deserción en la oscuridad, y se preguntaban hasta dónde habría podido llegar Floride en su fuga a través de los campos. Por lo demás parecía ser la noche de las grandes decisiones: tendido en su cucheta del 404, al ingeniero le pareció oír un quejido, pero pensó que el soldado y su mujer serían responsables de algo que, después de todo, resultaba comprensible en plena noche y en esas circunstancias. Después lo pensó mejor y levantó la lona que cubría la ventanilla trasera; a la luz de unas pocas estrellas vio a un metro y medio el eterno parabrisas del Caravelle y detrás, como pegada al vidrio y un poco ladeada, la cara convulsa del hombre. Sin hacer ruido salió por el lado izquierdo para no despertar a las monjas, y se acercó al Caravelle. Después buscó a Taunus, y el soldado corrió a prevenir al médico. Desde luego el hombre se había suicidado tomando algún veneno; las líneas a lápiz en la agenda bastaban, y la carta dirigida a una tal Yvette, alguien que lo había abandonado en Vierzon. Por suerte la costumbre de dormir en los autos estaba bien establecida (las noches eran ya tan frías que a nadie se le hubiera ocurrido quedarse fuera) y a pocos les preocupaba que otros anduvieran entre los coches y se deslizaran hacia los bordes de la autopista para aliviarse. Taunus llamó a un consejo de guerra, y el médico estuvo de acuerdo con su propuesta. Dejar el cadáver al borde de la autopista significaba someter a los que venían más atrás a una sorpresa por lo menos penosa; llevarlo más lejos, en pleno campo, podía provocar la violenta repulsa de los lugareños, que la noche anterior habían amenazado y golpeado a un muchacho de otro grupo que buscaba de comer. El campesino del Ariane y el viajante del DKW tenían lo necesario para cerrar herméticamente el portaequipajes del Caravelle. Cuando empezaban su trabajo se les agregó la muchacha del Dauphine, que se colgó temblando del brazo del ingeniero. Él le explicó en voz baja lo que acababa de ocurrir y la devolvió a su auto, ya más tranquila. Taunus y sus hombres habían metido el cuerpo en el portaequipajes, y el viajante trabajó con scotch tape y tubos de cola líquida y la luz de la linterna del soldado. Como la mujer del 203 sabía conducir, Taunus resolvió que su marido se haría cargo del Caravelle que quedaba a la derecha del 203; así, por la mañana, la niña del 203 descubrió que su papá tenía otro auto, y jugó horas a pasar de uno a otro y a instalar parte de sus juguetes en el Caravelle.

Por primera vez el frío se hacía sentir en pleno día, y nadie pensaba en quitarse las chaquetas. La muchacha del Dauphine y las monjas hicieron el inventario de los abrigos disponibles en el grupo. Había unos pocos pulóveres que aparecían por casualidad en los autos o en alguna valija, mantas, alguna gabardina o abrigo ligero. Se estableció una lista de prioridades, se distribuyeron los abrigos. Otra vez volvía a faltar el agua, y Taunus envió a tres de sus hombres, entre ellos el ingeniero, para que trataran de establecer contacto con los lugareños. Sin que pudiera saberse por qué, la resistencia exterior era total; bastaba salir del límite de la autopista para que desde cualquier sitio llovieran piedras. En plena noche alguien tiró una guadaña que golpeó sobre el techo del DKW y cayó al lado del Dauphine. El viajante se puso muy pálido y no se movió de su auto, pero el americano del De Soto (que no formaba parte del grupo de Taunus pero que todos apreciaban por su buen humor y sus risotadas) vino a la carrera y después de revolear la guadaña la devolvió campo afuera con todas sus fuerzas, maldiciendo a gritos. Sin embargo, Taunus no creía que conviniera ahondar la hostilidad; quizá fuese todavía posible hacer una salida en busca de agua.

Ya nadie llevaba la cuenta de lo que había avanzado ese día o esos días; la muchacha del Dauphine creía que entre ochenta y doscientos metros; el ingeniero era menos optimista pero se divertía en prolongar y complicar los cálculos con su vecina, interesado a ratos en quitarle la compañía del viajante del DKW que le hacía la corte a su manera profesional. Esa misma tarde el muchacho encargado del Floride corrió a avisar a Taunus que un Ford Mercury ofrecía agua a buen precio. Taunus se negó, pero al anochecer una de las monjas le pidió al ingeniero un sorbo de agua para la anciana del ID que sufría sin quejarse, siempre tomada de la mano de su marido y atendida alternativamente por las monjas y la muchacha del Dauphine. Quedaba medio litro de agua, y las mujeres lo destinaron a la anciana y a la señora del Beaulieu. Esa misma noche Taurus pagó de su bolsillo dos litros de agua; el Ford Mercury prometió conseguir más para el día siguiente, al doble del precio.

Era difícil reunirse para discutir, porque hacía tanto frío que nadie abandonaba los autos como no fuera por un motivo imperioso. Las baterías empezaban a descargarse y no se podía hacer funcionar todo el tiempo la calefacción; Taunus decidió que los dos coches mejor equipados se reservarían llegado el caso para los enfermos. Envueltos en mantas (los muchachos del Simca habían arrancado el tapizado de su auto para fabricarse chalecos y gorros, y otros empezaban a imitarlos), cada uno trataba de abrir lo menos posible las portezuelas para conservar el calor. En algunas de esas noches heladas el ingeniero oyó llorar ahogadamente a la muchacha del Dauphine. Sin hacer ruido, abrió poco a poco la portezuela y tanteó en la sombra hasta rozar una mejilla mojada. Casi sin resistencia la chica se dejó atraer al 404; el ingeniero la ayudó a tenderse en la cucheta, la abrigó con la única manta y le echó encima su gabardina. La oscuridad era más densa en el coche ambulancia con sus ventanillas tapadas por las lonas de la tienda. En algún momento el ingeniero bajó los dos parasoles y colgó de ellos su camisa y un pulóver para aislar completamente el auto. Hacia el amanecer ella le dijo al oído que antes de empezar a llorar había creído ver a lo lejos, sobre la derecha, las luces de una ciudad.

Quizá fuera una ciudad pero las nieblas de la mañana no dejaban ver ni a veinte metros. Curiosamente ese día la columna avanzó bastante más, quizá doscientos o trescientos metros. Coincidió con nuevos anuncios de la radio (que casi nadie escuchaba, salvo Taunus que se sentía obligado a mantenerse al corriente); los locutores hablaban enfáticamente de medidas de excepción que liberarían la autopista, y se hacían referencias al agotador trabajo de las cuadrillas camineras y de las fuerzas policiales. Bruscamente, una de las monjas deliró. Mientras su compañera la contemplaba aterrada y la muchacha del Dauphine le humedecía las sienes con un resto de perfume, la monja habló de Armagedón, del noveno día, de la cadena de cinabrio. El médico vino mucho después, abriéndose paso entre la nieve que caía desde el mediodía y amurallaba poco a poco los autos. Deploró la carencia de una inyección calmante y aconsejó que llevaran a la monja a un auto con buena calefacción. Taunus la instaló en su coche, y el niño pasó al Caravelle donde también estaba su amiguita del 203; jugaban con sus autos y se divertían mucho porque eran los únicos que no pasaban hambre. Todo ese día y los siguientes nevó casi de continuo, y cuando la columna avanzaba unos metros había que despejar con medios improvisados las masas de nieve amontonadas entre los autos.

A nadie se le hubiera ocurrido asombrarse por la forma en que se obtenían las provisiones y el agua. Lo único que podía hacer Taunus era administrar los fondos comunes y tratar de sacar el mejor partido posible de algunos trueques. El Ford Mercury y un Porsche venían cada noche a traficar con las vituallas: Taunus y el ingeniero se encargaban de distribuirlas de acuerdo con el estado físico de cada uno. Increíblemente la anciana del ID sobrevivía, perdida en un sopor que las mujeres se cuidaban de disipar. La señora del Beaulieu que unos días antes había sufrido de náuseas y vahídos, se había repuesto con el frío y era de las que más ayudaban a la monja a cuidar a su compañera, siempre débil y un poco extraviada. La mujer del soldado y la del 203 se encargaban de los dos niños; el viajante del DKW, quizá para consolarse de que la ocupante del Dauphine hubiera preferido al ingeniero, pasaba horas contándoles cuentos a los niños. En la noche los grupos ingresaban en otra vida sigilosa y privada; las portezuelas se abrían silenciosamente para dejar entrar o salir alguna silueta aterida; nadie miraba a los demás, los ojos estaban tan ciegos como la sombra misma. Bajo mantas sucias, con manos de uñas crecidas, oliendo a encierro y a ropa sin cambiar, algo de felicidad duraba aquí y allá. La muchacha del Dauphine no se había equivocado: a lo lejos brillaba una ciudad, y poco a poco se irían acercando. Por las tardes el chico del Simca se trepaba al techo de su coche, vigía incorregible envuelto en pedazos de tapizado y estopa verde. Cansado de explorar el horizonte inútil, miraba por milésima vez los autos que lo rodeaban; con alguna envidia descubría a Dauphine en el auto 404, una mano acariciando un cuello, el final de un beso. Por pura broma, ahora había reconquistado la amistad del 404, les gritaba que la columna iba a moverse; entonces Dauphine tenía que abandonar el 404 y entrar en su auto, pero al rato volvía a pasarse en busca de calor, y al muchacho del Simca le hubiera gustado tanto poder traer a su coche a alguna chica de otro grupo, pero no era ni para pensarlo con ese frío y esa hambre, sin contar que el grupo de más adelante estaba en franco tren de hostilidad con el de Taunus por una historia de un tubo de leche condensada, y salvo las transacciones oficiales con Ford Mercury y con Porsche no había relación posible con los otros grupos. Entonces el muchacho del Simca suspiraba descontento y volvía a hacer de vigía hasta que la nieve y el frío lo obligaban a meterse tiritando en su auto.

Pero el frío empezó a ceder, y después de un período de lluvias y vientos que enervaron los ánimos y aumentaron las dificultades de aprovisionamiento, siguieron días frescos y soleados en que ya era posible salir de los autos, visitarse, reanudar relaciones con los grupos vecinos. Los jefes habían discutido la situación, y finalmente se logró hacer la paz con el grupo de más adelante. De la brusca desaparición de Ford Mercury se habló mucho tiempo sin que nadie supiera lo que había podido ocurrirle, pero Porsche siguió viniendo y controlando el mercado negro. Nunca faltaban del todo el agua o las conservas, aunque los fondos del grupo disminuían y Taunus y el ingeniero se preguntaban qué ocurriría el día en que no hubiera más dinero para Porsche. Se habló de un golpe de mano, de hacerlo prisionero y exigirle que revelara la fuente de los suministros, pero en esos días la columna había avanzado un buen trecho y los jefes prefirieron seguir esperando y evitar el riesgo de echarlo todo a perder por una decisión violenta. Al ingeniero, que había acabado por ceder a una indiferencia casi agradable, lo sobresaltó por un momento el tímido anuncio de la muchacha del Dauphine, pero después comprendió que no se podía hacer nada para evitarlo y la idea de tener un hijo de ella acabó por parecerle tan natural como el reparto nocturno de las provisiones o los viajes furtivos hasta el borde de la autopista. Tampoco la muerte de la anciana del ID podía sorprender a nadie. Hubo que trabajar otra vez en plena noche, acompañar y consolar al marido que no se resignaba a entender. Entre dos de los grupos de vanguardia estalló una pelea y Taunus tuvo que oficiar de árbitro y resolver precariamente la diferencia. Todo sucedía en cualquier momento, sin horarios previsibles; lo más importante empezó cuando ya nadie lo esperaba, y al menos responsable le tocó darse cuenta el primero. Trepado en el techo del Simca, el alegre vigía tuvo la impresión de que el horizonte había cambiado (era el atardecer, un sol amarillento deslizaba su luz rasante y mezquina) y que algo inconcebible estaba ocurriendo a quinientos metros, a trescientos, a doscientos cincuenta. Se lo gritó al 404 y el 404 le dijo algo a Dauphine que se pasó rápidamente a su auto cuando ya Taunus, el soldado y el campesino venían co-

rriendo y desde el techo del Simca el muchacho señalaba
hacia adelante y repetía interminablemente el anuncio
como si quisiera convencerse de que lo que estaba viendo
era verdad; entonces oyeron la conmoción, algo como un
pesado pero incontenible movimiento migratorio que despertaba de un interminable sopor y ensayaba sus fuerzas.
Taunus les ordenó a gritos que volvieran a sus coches; el
Beaulieu, el ID, el Fiat 600 y el De Soto arrancaron con un
mismo impulso. Ahora el 2HP, el Taunus, el Simca y el
Ariane empezaban a moverse, y el muchacho del Simca, orgulloso de algo que era como un triunfo, se volvía hacia
el 404 y agitaba el brazo mientras el 404, el Dauphine, el
2HP de las monjas y el DKW se ponían a su vez en marcha.
Pero todo estaba en saber cuánto iba a durar eso; el 404 se
lo preguntó casi por rutina mientras se mantenía a la par de
Dauphine y le sonreía para darle ánimo. Detrás, el Volkswagen, el Caravelle, el 203 y el Floride arrancaban a su vez
lentamente, un trecho en primera velocidad, después la segunda, interminablemente la segunda pero ya sin desem-
bragar como tantas veces, con el pie firme en el acelerador,
esperando poder pasar a tercera. Estirando el brazo izquierdo el 404 buscó la mano de Dauphine, rozó apenas la
punta de sus dedos, vio en su cara una sonrisa de incrédula
esperanza y pensó que iban a llegar a París y que se baña-
rían, que irían juntos a cualquier lado, a su casa o a la de ella
a bañarse, a comer, a bañarse interminablemente y a comer
y beber, y que después habría muebles, habría un dormitorio con muebles y un cuarto de baño con espuma de jabón
para afeitarse de verdad, y retretes, comida y retretes y sábanas. París era un retrete y dos sábanas y el agua caliente
por el pecho y las piernas, y una tijera de uñas, y vino blanco, beberían vino blanco antes de besarse y sentirse oler a

lavanda y a colonia, antes de conocerse de verdad a plena luz, entre sábanas limpias, y volver a bañarse por juego, amarse y bañarse y beber y entrar en la peluquería, entrar en el baño, acariciar las sábanas y acariciarse entre las sábanas y amarse entre la espuma y la lavanda y los cepillos antes de empezar a pensar en lo que iban a hacer, en el hijo y los problemas y el futuro, y todo eso siempre que no se detuvieran, que la columna continuara aunque todavía no se pudiese subir a la tercera velocidad, seguir así en segunda, pero seguir. Con los paragolpes rozando el Simca, el 404 se echó atrás en el asiento, sintió aumentar la velocidad, sintió que podía acelerar sin peligro de irse contra el Simca, y que el Simca aceleraba sin peligro de chocar contra el Beaulieu, y que detrás venía el Caravelle y que todos aceleraban más y más, y que ya se podía pasar a tercera sin que el motor penara, y la palanca calzó increíblemente en la tercera y la marcha se hizo suave y se aceleró todavía más, y el 404 miró enternecido y deslumbrado a su izquierda buscando los ojos de Dauphine. Era natural que con tanta aceleración las filas ya no se mantuvieran paralelas, Dauphine se había adelantado casi un metro y el 404 le veía la nuca y apenas el perfil, justamente cuando ella se volvía para mirarlo y hacía un gesto de sorpresa al ver que el 404 se retrasaba todavía más. Tranquilizándola con una sonrisa el 404 aceleró bruscamente, pero casi enseguida tuvo que frenar porque estaba a punto de rozar el Simca; le tocó secamente la bocina y el muchacho del Simca lo miró por el retrovisor y le hizo un gesto de impotencia, mostrándole con la mano izquierda el Beaulieu pegado a su auto. El Dauphine iba tres metros más adelante, a la altura del Simca, y la niña del 203, al nivel del 404, agitaba los brazos y le mostraba su muñeca. Una mancha roja a la derecha desconcertó al 404; en vez del 2HP de las monjas o del Volkswagen del soldado vio un Chevrolet desconocido, y casi enseguida el Chevrolet se adelantó seguido por un Lancia y por un Renault 8. A su izquierda se le apareaba un ID que empezaba a sacarle ventaja metro a metro, pero antes de que fuera sustituido por un 403, el 404 alcanzó a distinguir todavía en la delantera el 203 que ocultaba ya a Dauphine. El grupo se dislocaba, ya no existía, Taunus debía de estar a más de veinte metros adelante, seguido de Dauphine; al mismo tiempo la tercera fila de la izquierda se atrasaba porque en vez del DKW del viajante, el 404 alcanzaba a ver la parte trasera de un viejo furgón negro, quizá un Citroën o un Peugeot. Los autos corrían en tercera, adelantándose o perdiendo terreno según el ritmo de su fila, y a los lados de la autopista se veían huir los árboles, algunas casas entre las masas de niebla y el anochecer. Después fueron las luces rojas que todos encendían siguiendo el ejemplo de los que iban adelante, la noche que se cerraba bruscamente. De cuando en cuando sonaban bocinas, las agujas de los velocímetros subían cada vez más, algunas filas corrían a setenta kilómetros, otras a sesenta y cinco, algunas a sesenta. El 404 había esperado todavía que el avance y el retroceso de las filas le permitiera alcanzar otra vez a Dauphine, pero cada minuto lo iba convenciendo de que era inútil, que el grupo se había disuelto irrevocablemente, que ya no volverían a repetirse los encuentros rutinarios, los mínimos rituales, los consejos de guerra en el auto de Taunus, las caricias de Dauphine en la paz de la madrugada, las risas de los niños jugando con sus autos, la imagen de la monja pasando las cuentas del rosario. Cuando se encendieron las luces de los frenos del Simca, el 404 redujo la marcha con un absurdo sentimiento de esperanza, y apenas puesto el freno de mano saltó del auto y corrió hacia adelante. Fuera del Simca y el Beaulieu (más atrás estaría el Caravelle, pero poco le importaba) no reconoció ningún auto; a través de cristales diferentes lo miraban con sorpresa y quizá escándalo otros rostros que no había visto nunca. Sonaban las bocinas, y el 404 tuvo que volver a su auto; el chico del Simca le hizo un gesto amistoso, como si comprendiera, y señaló alentadoramente en dirección de París. La columna volvía a ponerse en marcha, lentamente durante unos minutos y luego como si la autopista estuviera definitivamente libre. A la izquierda del 404 corría un Taunus, y por un segundo al 404 le pareció que el grupo se recomponía, que todo entraba en el orden, que se podría seguir adelante sin destruir nada. Pero era un Taunus verde, y en el volante había una mujer con anteojos ahumados que miraba fijamente hacia adelante. No se podía hacer otra cosa que abandonarse a la marcha, adaptarse mecánicamente a la velocidad de los autos que lo rodeaban, no pensar. En el Volkswagen del soldado debía de estar su chaqueta de cuero. Taunus tenía la novela que él había leído en los primeros días. Un frasco de lavanda casi vacío en el 2HP de las monjas. Y él tenía ahí, tocándolo a veces con la mano derecha, el osito de felpa que Dauphine le había regalado como mascota. Absurdamente se aferró a la idea de que a las nueve y media se distribuirían los alimentos, habría que visitar a los enfermos, examinar la situación con Taunus y el campesino del Ariane; después sería la noche, sería Dauphine subiendo sigilosamente a su auto, las estrellas o las nubes, la vida. Sí, tenía que ser así, no era posible que eso hubiera terminado para siempre. Tal vez el soldado consiguiera una ración de agua, que había escaseado en las últimas horas; de todos modos se podía contar con Porsche, siempre que se le pagara el precio que pedía. Y en la antena de la radio flotaba locamente la bandera con la cruz roja, y se corría a ochenta kilómetros por hora hacia las luces que crecían poco a poco, sin que ya se supiera bien por qué tanto apuro, por qué esa carrera en la noche entre autos desconocidos donde nadie sabía nada de los otros, donde todo el mundo miraba fijamente hacia adelante, exclusivamente hacia adelante.

Juan Rulfo

(Sayula, Jalisco, México, 1918-Ciudad de México, 1986) La brevedad de su obra literaria –esencialmente consiste en el libro de cuentos *El llano en llamas* y la novela *Pedro Páramo,* ambos escuetos– no impide considerarla una de las mayores contribuciones a la renovación de la narrativa hispanoamericana, una década antes de que se hablase del «boom». De hecho esa exigüidad ha alcanzado un carácter casi legendario porque ambos títulos son obras maestras en sus respectivos géneros, difíciles de superar aun por su propio autor. En efecto, poco después de publicarlos, Rulfo entró en una honda crisis personal y en un período de silencio casi total (salvo por un libro de guiones y textos para el cine) que se prolongó hasta su muerte. Irónico destino de un escritor cuya obra hizo de la elipsis, la soledad y el silencio vehículos de una enorme fuerza expresiva. Clausurando efectivamente su ciclo creador, en 1974 Rulfo destruyó el original inconcluso de *La cordillera,* la novela en la que había trabajado infructuosamente por más de una década.

Una experiencia fundamental de su infancia es la violencia desatada por la rebelión cristera (1926-1928), esa reacción de los sectores católicos tradicionales contra el laicismo revolucionario; las escenas de bandolerismo y luchas faccionales de sus cuentos y el clima general de su novela deben mucho a este crítico momento de la historia mexicana. En 1934 Rulfo llega a la capital e inicia estudios de leyes, que abandona muy pronto, pasando a desempeñar diversos trabajos burocráticos, hasta que en 1962 –después de vivir tres años en Guadalajara– entra a ocupar un cargo en el Instituto Nacional Indigenista, que mantuvo hasta el final de su vida. A partir de 1945 había empezado a publicar relatos en revistas mexicanas. Poco más puede agregarse de una vida muy privada, y no es exagerado decir que los hechos más notorios son sus libros. Ambos tuvieron inmediato éxito de público y de crítica, pero produjeron también –sobre todo *Pedro Páramo*– algún desconcierto y confusión: aunque trataban temas mexicanos y presentaban situaciones reconocibles, no eran narraciones tradicionales. Señalaban la crisis y la renovación más radical de esa peculiar forma del regionalismo mexicano que se conoce como «la novela de la revolución». Su posición frente a ella es semejante a la que tiene José María Arguedas *(véase)* respecto del indigenismo peruano, aparte de otras conexiones entre sus respectivas obras y vidas.

En su cosmovisión del hombre y el ámbito rural mexicanos son decisivos los aportes técnicos de la novela norteamericana, sobre todo el de Faulkner, pero también las hondas visiones del mundo campesino de los escritores rusos, franceses y nórdicos, que sin dejar de ser realistas capturan un sentido místico y «primitivo» en un orden de vida ligado a la tierra. Un aspecto capital en Rulfo es su aguda fragmentación del tiempo narrativo. En su obra, el tiempo no es un dato objetivo y confiable, sino la percepción discontinua y oscura de una conciencia subjetiva frecuentemente limitada (como ocurre en «Macario») o sospechosa (como vemos en «En la madrugada»). No tenemos la totalidad del hilo temporal sino su precaria composición por la memoria y el designio íntimo de cada individuo. La imaginación del autor opera con secuencias sintetizadoras del proceso general, cuyos bordes se superponen o dejan vacíos que empañan la visión del conjunto y desordenan la sucesión temporal lógica. Rompecabezas o laberinto temporal que tiene mucho del montaje cinematográfico, con sus técnicas del *flashback,* el *fade-out* y las voces en *off.* Esas distintas perspectivas crean estructuras narrativas marcadas por reiteraciones, adelantos y retornos, ecos y reflejos que diseminan y profundizan los valores simbólicos en el relato.

Otro aspecto relacionado con éste es la presentación de una realidad cuyas fronteras con las formas de la imaginación popular se han borrado y confundido casi por completo. Así, a la difusión del tiempo corresponde una difuminación del espacio en el que los personajes viven sus dramas. En *Pedro Páramo,* las dicotomías vida/muerte y mundo concreto/ultratumba se disuelven en una realidad ambigua que contradice las evidencias racionales. Los muertos hablan entre ellos y con los vivos, en un trasmundo de sueños anticipatorios, promesas rituales y castigos predestinados. Esta visión, siendo muy personal, hunde sus raíces en la mitología del antiguo México y en creencias mágico-católicas del presente. Por ejemplo, la asociación de la muerte con las experiencias de la ebriedad, el sueño y la sexualidad, tan frecuentes en Rulfo, tiene una base en la teología náhuatl. Según ésta, la muerte era irreversible pero no acarreaba la aniquilación total del individuo y contenía, en cierto modo, una forma de «vida». Los lectores de Rulfo reconocerán fácilmente cómo el autor reactiva ese fondo de creencias y las convierte en una coherente interpretación del alma colectiva mexicana.

La violencia, el odio, la venganza generalizada (aun dentro de una familia) y el abandono que el campo había sufrido debido a la guerra revolucionaria están presentes en los cuentos de Rulfo; pero también la agónica ternura y la piedad que resiste la fuerza de esas divisiones. La atmósfera luctuosa, desolada y sin esperanza domina en *El llano en llamas*. El ardido laconismo del lenguaje, las elipsis de las estructuras que dejan mucho librado a la imaginación, la rigurosa economía formal que prescinde de todo lo accesorio producen un efecto imborrable, de que algo tremendo e inevitable está ocurriendo por razones que no comprendemos bien. Una extraordinaria muestra de ese arte puede verse en «No oyes ladrar los perros», conmovedora parábola de amor paternal. En ella vemos a un viejo cargando sobre sus hombros el cuerpo herido del hijo bandolero, mientras reniega de él por la vergüenza que le causa. La enorme concentración dramática que alcanza el texto no sólo se debe a su brevedad, sino a la forma austera de su composición: lo que pasa es mínimo, pues todo se reduce a la contemplación de esa imagen terrible de dos cuerpos entrelazados en su penoso trayecto, cada uno con su propia agonía pero con un doloroso lazo común. El narrador nos coloca, con un arranque *in medias res,* en una situación que prácticamente no cambia y que es intolerable.

Al principio no entendemos bien qué es lo que está pasando y menos la razón por la cual el padre lleva sobre sí al hijo. Pero la imagen es tremenda y lo dice todo: los dos hombres forman un solo cuerpo, una figura contrahecha en la que el que va «arriba» ve pero no puede caminar y el que va «abajo» camina sin ver. El desolado y hostil paisaje, que parece dibujado con tintas expresionistas, también divide al mundo en dos partes: la espectral luz de la luna arriba, la tierra bañada en sombras abajo. Se diría que la imagen expresa la más intensa piedad que un padre puede sentir por su hijo, pero el diálogo –filoso, lleno de rencores y distancias– nos revela que ese amor está rodeado de repudio; por eso el padre no vacila en añadir a la agonía del hijo las duras palabras que tiene que decirle. En su descargo, hay que admitir que no hay otra salida: el hijo está muriendo. El monstruoso –y humanísimo– centauro que crean, acoplados, es la más patética figura que pueda existir de la relación paterno-filial y su ambivalencia. El lugar común de que los hijos son una «carga» para sus padres está concretado en esta imagen sin duda trágica y desgarrada, que es también esencial en *Pedro Páramo*. Pero su simbolismo no se agota allí y evoca otras alegorías de origen mitológico, bíblico o estético: el pastor que salva a la oveja descarriada llevándola sobre los hombros; el Vía Crucis de Cristo y su clamor al sentirse abandonado por el Padre; *La Pietà* de Miguel Ángel; el verso de Vallejo que dice: «Un cojo pasa dando el brazo a un niño», etc. Y no olvidemos que el final nos niega la certeza de la muerte del hijo, pues Rulfo no nos dice si las gotas que caían sobre el viejo eran o no de sangre; sólo que eran «gruesas gotas, *como* de lágrimas».

Obra narrativa

El llano en llamas, México: Fondo de Cultura Económica, 1953; ed. Carlos Blanco Aguinaga, Madrid: Cátedra, 1985; *Pedro Páramo,* México: Fondo de Cultura Económica, 1955; ed. de Françoise Perus, Madrid: Cátedra, 2016; *Obras completas,* ed. Jorge Ruffinelli, Caracas: Biblioteca Ayacucho, 1977; *Antología personal,* pról. Jorge Ruffinelli, México: Era, 1988; Madrid: Alianza Editorial, 1988; *Toda la obra,* ed. crít. Claude Fell, Madrid: Archivos, 1992.

Crítica

Campbell, Federico (selec. y pról.), *La ficción de la memoria: J. R. ante la crítica,* México D. F.: Universidad Nacional Autónoma de México, Ediciones Era, 2003; Durán, Manuel, *Tríptico mexicano**, 9-50; «El primer cuento de R.», *La Jornada Semanal,* México, 78 (1990), 27-30; Estrada, Julio, *El sonido de R.,* México: UNAM, 1990; Fares, Gustavo C., *Ensayos sobre la obra de J. R.,* Nueva York: Peter Lang, 1998; Giacoman, Helmy F., *Homenaje a J. R.,* Nueva York: Las Américas, 1974; Gordon, Donald K., *Los cuentos de J. R.,* Madrid: Playor, 1976; Janney, Frank, ed., *Inframundo. El México de J. R.* [inc. fotografías de J. R.], Nueva York: Ediciones del Norte, 1983; Jiménez de Báez, Ivette, *J. R., del páramo a la esperanza,* México: El Colegio de México, 1990; Leal, Luis, *J. R.,* Boston: Twayne, 1983; Lillo, Gastón y José Leandro Urbina, eds., *J. R. entre lo tradicional y lo moderno,* núm. especial de la *Revista Canadiense de Estudios Hispánicos,* 22: 2 (1998); Martínez Carrizales, Leonardo, ed., *J. R., los caminos de la fama pública. J. R. ante la crítica literario-periodística de México. Una antología,* México: Fondo de Cultura Económica, 1998; Medina, Dante, ed., *Homenaje a R.,* Guadalajara, México: Universidad, 1989; Ortega, María Luisa, *Mito y poesía en la obra de J. R.,* Bogotá: Universidad de los Andes, Siglo del Hombre Editores, 2004; Peralta, Violeta, y Befumo Boschi, Liliana, *R. La soledad creadora,* Buenos Aires: García Cambeiro, 1975; Popovic Karic, Pol y Chávez Pérez, Fidel, *J. R: perspectivas críticas: ensayos inéditos,* Mexico D. F.: ITESM, Siglo XXI editores, 2007; Rama, Ángel, *Primeros cuentos...**, 203-23; Rodríguez Alcalá, Hugo, *El arte de J. R.,* México: INBA, 1965; Rowe, William, *R. El llano en llamas,* Valencia: Grant & Cutler/Tamesis Books, 1987; Ruffinelli, Jorge, *El lugar de Rulfo...**, 9-65; Sommers, Joseph, ed., *La narrativa de J. R. Interpretaciones críticas,* México: SEP-Setenta, 1974.

No oyes ladrar los perros

–Tú que vas allá arriba, Ignacio, dime si no oyes alguna señal de algo o si ves alguna luz en alguna parte.

  –No se ve nada.

  –Ya debemos estar cerca.

  –Sí, pero no se oye nada.

  –Mira bien.

  –No se ve nada.

  –Pobre de ti, Ignacio.

La sombra larga y negra de los hombres siguió moviéndose de arriba abajo, trepándose a las piedras, disminuyendo y creciendo según avanzaba por la orilla del arroyo. Era una sola sombra, tambaleante.

La luna venía saliendo de la tierra, como una llamarada redonda.

  –Ya debemos estar llegando a ese pueblo, Ignacio. Tú que llevas las orejas de fuera, fíjate a ver si no oyes ladrar los

perros. Acuérdate que nos dijeron que Tonaya estaba detra-
sito del monte. Y desde qué horas que hemos dejado el
monte. Acuérdate, Ignacio.

–Sí, pero no veo rastro de nada.

–Me estoy cansando.

–Bájame.

El viejo se fue reculando hasta encontrarse con el pare-
dón y se recargó allí, sin soltar la carga de sus hombros.
Aunque se le doblaban las piernas, no quería sentarse, porque después no hubiera podido levantar el cuerpo de su
hijo, al que allá atrás, horas antes, le habían ayudado a
echárselo a la espalda. Y así lo había traído desde entonces.

–¿Cómo te sientes?

–Mal.

Hablaba poco. Cada vez menos. En ratos parecía dormir.
En ratos parecía tener frío. Temblaba. Sabía cuándo le aga-
rraba a su hijo el temblor por las sacudidas que le daba, y
porque los pies se le encajaban en los ijares como espuelas.
Luego las manos del hijo, que traía trabadas en su pescue-
zo, le zarandeaban la cabeza como si fuera una sonaja.

Él apretaba los dientes para no morderse la lengua y cuando acababa aquello le preguntaba:

–¿Te duele mucho?

–Algo –contestaba él.

Primero le había dicho: «Apéame aquí... Déjame aquí...
Vete tú solo. Yo te alcanzaré mañana o en cuanto me repon-
ga un poco». Se lo había dicho como cincuenta veces. Ahora ni siquiera eso decía.

Allí estaba la luna. Enfrente de ellos. Una luna grande y
colorada que les llenaba de luz los ojos y que estiraba y os-
curecía más su sombra sobre la tierra.

–No veo ya por dónde voy –decía él.

Pero nadie le contestaba.

El otro iba allá arriba, todo iluminado por la luna, con su cara descolorida, sin sangre, reflejando una luz opaca. Y él acá abajo.

—¿Me oíste, Ignacio? Te digo que no veo bien.

Y el otro se quedaba callado.

Siguió caminando, a tropezones. Encogía el cuerpo y luego se enderezaba para volver a tropezar de nuevo.

—Éste no es ningún camino. Nos dijeron que detrás del cerro estaba Tonaya. Ya hemos pasado el cerro. Y Tonaya no se ve, ni se oye ningún ruido que nos diga que está cerca. ¿Por qué no quieres decirme qué ves, tú que vas allá arriba, Ignacio?

—Bájame, padre.

—¿Te sientes mal?

—Sí.

—Te llevaré a Tonaya a como dé lugar. Allí encontraré quien te cuide. Dicen que allí hay un doctor. Yo te llevaré con él. Te he traído cargando desde hace horas y no te dejaré tirado aquí para que acaben contigo quienes sean.

Se tambaleó un poco. Dio dos o tres pasos de lado y volvió a enderezarse.

—Te llevaré a Tonaya.

—Bájame.

Su voz se hizo quedita, apenas murmurada:

—Quiero acostarme un rato.

—Duérmete allí arriba. Al cabo te llevo bien agarrado.

La luna iba subiendo, casi azul, sobre un cielo claro. La cara del viejo, mojada en sudor, se llenó de luz. Escondió los ojos para no mirar de frente, ya que no podía agachar la cabeza agarrotada entre las manos de su hijo.

—Todo esto que hago, no lo hago por usted. Lo hago por su difunta madre. Porque usted fue su hijo. Por eso lo hago.

Ella me reconvendría si yo lo hubiera dejado tirado allí, donde lo encontré, y no lo hubiera recogido para llevarlo a que lo curen, como estoy haciéndolo. Es ella la que me da ánimos, no usted. Comenzando porque a usted no le debo más que puras dificultades, puras mortificaciones, puras vergüenzas.

Sudaba al hablar. Pero el viento de la noche le secaba el sudor. Y sobre el sudor seco volvía a sudar.

–Me derrengaré, pero llegaré con usted a Tonaya, para que le alivien esas heridas que le han hecho. Y estoy seguro de que, en cuanto se sienta usted bien, volverá a sus malos pasos. Eso ya no me importa. Con tal que se vaya lejos, donde yo no vuelva a saber de usted. Con tal de eso... Porque para mí usted ya no es mi hijo. He maldecido la sangre que usted tiene de mí. La parte que a mí me tocaba la he maldecido. He dicho: «¡Que se le pudra en los riñones la sangre que yo le di!». Lo dije desde que supe que usted andaba trajinando por los caminos, viviendo del robo y matando gente... Y gente buena. Y si no, allí está mi compadre Tranquilino. El que lo bautizó a usted. El que le dio su nombre. A él también le tocó la mala suerte de encontrarse con usted. Desde entonces dije: «Ése no puede ser mi hijo».

»Mira a ver si ya ves algo. O si oyes algo. Tú que puedes hacerlo desde allá arriba, porque yo me siento sordo.

–No veo nada.

–Peor para ti, Ignacio.

–Tengo sed.

–¡Aguántate! Ya debemos estar cerca. Lo que pasa es que ya es muy noche y han de haber apagado la luz en el pueblo. Pero al menos debías de oír si ladran los perros. Haz por oír.

–Dame agua.

–Aquí no hay agua. No hay más que piedras. Aguántate. Y aunque la hubiera, no te bajaría a tomar agua. Nadie me ayudaría a subirte otra vez y yo solo no puedo.

–Tengo mucha sed y mucho sueño.

–Me acuerdo cuando naciste. Así eras entonces. Despertabas con hambre y comías para volver a dormirte. Y tu madre te daba agua, porque ya te habías acabado la leche de ella. No tenías llenadero. Y eras muy rabioso. Nunca pensé que con el tiempo se te fuera a subir aquella rabia a la cabeza... Pero así fue. Tu madre, que descanse en paz, quería que te criaras fuerte. Creía que cuando tú crecieras irías a ser su sostén. No te tuvo más que a ti. El otro hijo que iba a tener la mató. Y tú la hubieras matado otra vez si ella estuviera viva a estas alturas.

Sintió que el hombre aquel que llevaba sobre sus hombros dejó de apretar las rodillas y comenzó a soltar los pies, balanceándolos de un lado para otro. Y le pareció que la cabeza, allá arriba, se sacudía como si sollozara.

Sobre su cabello sintió que caían gruesas gotas, como de lágrimas.

–¿Lloras, Ignacio? Lo hace llorar a usted el recuerdo de su madre, ¿verdad?, pero nunca hizo usted nada por ella. Nos pagó siempre mal. Parece que, en lugar de cariño, le hubiéramos retacado el cuerpo de maldad. ¿Y ya ve? Ahora lo han herido. ¿Qué pasó con sus amigos? Los mataron a todos. Pero ellos no tenían a nadie. Ellos bien hubieran podido decir: «No tenemos a quién darle nuestra lástima». ¿Pero usted, Ignacio?

Allí estaba ya el pueblo. Vio brillar los tejados bajo la luz de la luna. Tuvo la impresión de que lo aplastaba el peso de su hijo al sentir que las corvas se le doblaban en el último esfuerzo. Al llegar al primer tejabán, se recostó sobre el pretil de la acera y soltó el cuerpo, flojo, como si lo hubieran descoyuntado.

Destrabó difícilmente los dedos con que su hijo había venido sosteniéndose de su cuello y, al quedar libre, oyó cómo por todas partes ladraban los perros.

—¿Y tú no los oías, Ignacio? —dijo—. No me ayudaste ni siquiera con esta esperanza.

José Donoso

(Santiago, 1924-1997) La situación de Donoso dentro del grupo de escritores del «boom» es bastante singular: mientras algunos críticos lo colocan fuera o al margen de él, otros señalan que sus innovaciones técnicas, sus preocupaciones estéticas y su concepción misma del arte narrativo son esencialmente análogas a las de, digamos, Onetti, Cortázar, Fuentes o Vargas Llosa *(véanse)*. Habría que agregar dos elementos más para entender bien esa relación: en *El jardín de al lado* –una de sus mejores novelas y quizá la menos bien entendida– Donoso examina precisamente el asunto de su posición periférica respecto del mencionado grupo y la presenta como una variante o agravante de los temas del exilio y el fracaso, que son dos de las constantes de su obra; y en el ensayo-crónica titulado *Historia personal del boom* (1972) adopta la triple actitud del testigo, protagonista y crítico de ese fenómeno literario que definió toda una época.

Tampoco parece haber mucho acuerdo sobre la caracterización general de su obra narrativa. Unos destacan los rasgos que lo ligan a la sólida tradición realista chilena; otros, en cambio, han hablado de su «irrealismo grotesco»; y hay quienes lo consideran como un tardío heredero del surrealismo. Sin ánimo de agregar a la polémica, habría que señalar que Donoso trabaja, dentro de la visión realista, contra el mimetismo y la verosimilitud de su representación estética. Puede llamársele realista en el sentido en el que usamos esa expresión para aplicarla a Henry James, Onetti *(véase)* o Sábato; es decir, los que exploran sus límites más extremos y descienden a sus zonas más oscuras, donde lo «real» se disuelve en una red de obsesiones, fantasmagorías y transfiguraciones que alteran la lógica de la percepción habitual. Su visión negra y hasta esperpéntica de la psiquis humana está asociada a una intensa experimentación del lenguaje narrativo, sobre todo a partir de *El obsceno pájaro de la noche* (el título proviene de una carta del padre de Henry James), una de sus obras mayores. Una cuestión fundamental para Donoso es la de la relación del creador con su mundo narrativo y con sus creaturas como proyecciones u objetivaciones de algo que él está lejos de conocer bien. Las complejas formas y estructuras de sus relatos son indicios de un *pathos* que trata de resolver angustiosos dilemas en el acto creador: una transferencia de la vida real al plano de la imaginación. Uno de esos dilemas que Donoso trató de reflejar en su obra de manera algo oblicua es el de la homosexualidad, del que dejó indicios algo velados pero más abiertos en sus libros finales. Por eso es posible afirmar que el de Donoso es una especie de realismo neurótico o freudiano. Él dijo que quería «novelar un mundo esquizofrénico dando por absolutamente real lo más caprichoso».

Pero este elemento de psicología profunda que constituye el núcleo de su obra creadora se integró, más tarde, con otro de carácter ideológico (como puede verse en la notable *Casa de campo*) o francamente político (como en *La desesperanza*); al mismo tiempo, la cuestión narrador-narración lo llevó a replantear por completo la función autorial y las formas de la imaginación humana. Lo hizo bajo muy variados estímulos intelectuales: por un lado, su sólido conocimiento de la novela anglosajona moderna y contemporánea; por otro, los aportes teóricos de Lévi-Strauss, Jung, Bajtin y la nueva psiquiatría. En verdad, la evolución de su arte fue compleja y a veces desconcertante. Al comienzo, en los años que pasó básicamente en Santiago con breves estancias en Estados Unidos y Argentina, Donoso era un narrador que parecía escribir cómodamente dentro del cauce realista que, por otra parte, era común a la generación chilena del cincuenta, a la que pertenecía entre otros Jorge Edwards *(véase)*. Ese realismo tenía un tópico favorito –las viejas familias burguesas chilenas un poco venidas a menos– y un agridulce tono evocativo, a medias entre la nostalgia y la distancia crítica. En la década de los sesenta hay un marcado proceso de maduración que da a su obra una ambigua cualidad visionaria, que es notoria en *El lugar sin límites* y *El obsceno...* (cuya redacción le llevó ocho años). Durante esta etapa viaja por diferentes lugares, pero sus largos años en España (Mallorca, Barcelona, Teruel) fueron decisivos porque le aseguraron una rara mezcla de reclusión y visibilidad en esa década agitada. En los últimos años de esa experiencia, Donoso continuó su búsqueda con dos obras importantes por muy distintas razones *(Casa de campo, El jardín...)* y practicó una forma en la que alcanzaría gran maestría: la novela corta, que usó para parodiar el realismo burgués del XIX y practicar el género erótico. Tras su vuelta a Chile, en 1982, el aspecto testimonial e histórico fue dominante en una obra narrativa que parecía estar en constante renovación, apuntando a varias direcciones a la vez.

Donoso comenzó su obra literaria como cuentista y continuó alternando su cultivo del género con el de la novela y el relato breve. «Dos cartas», escrito hacia 1954, pertenece a su primer volumen: *Veraneo y otros cuentos*. Se trata, por lo tanto, de un texto correspondiente a su período formativo, pero que deja traslucir algunos rasgos que aparecerían, desarrollados, en su arte maduro: el malestar existencial de los personajes, la frustración enmascarada tras las buenas maneras, el destino de solitarios en el que lentamente naufragan. Hay un hermetismo insuperable en el mundo social que este cuento presenta: la relación entre el chileno Jaime Martínez y el inglés John Dutfield no es realmente una amistad pues se reduce a unos cuantos vagos recuerdos de la adolescencia compartida en un colegio (Donoso parece estar evocando imágenes de su propia experiencia en The Grange, colegio británico de Santiago, donde también estudiaba por entonces Carlos Fuentes) y una serie de cartas espaciadas a lo largo de varios años. En realidad, poco hay de común entre ambos, comenzando por el origen y terminando por el opuesto tipo de vida que llevan como adultos: Martínez llega a ser un próspero abogado de Santiago; Dutfield es un aventurero que acaba de colono en Kenya. El tema que el autor está tratando en el fondo es el del desarraigo, el exilio interno o físico que impide sentirse formar parte de algo estable y propio. Al volver a Inglaterra, Dutfield descubre que ya no soporta vivir en su país y busca, para expatriarse, las lejanas tierras de África. Aparentemente, su destino errante contrasta con el sedentario y confortable de Martínez, pero luego nos enteramos por éste de que «aquellas raíces [familiares] lo hacían prisionero sin darle estabilidad» y que, por practicar una profesión que no había elegido, «vivía presa de la insatisfacción y de la zozobra». En la carta que le escribe a Dutfield compara su posición privilegiada a una «jaula» que lo aísla de la realidad concreta. Se trata, pues, de dos destinos que sólo tangencialmente se rozan y permanecen insensibles uno respecto del otro. Irónicamente, y para subrayar esa incomunicación, las dos cartas no llegan a sus respectivos destinatarios: una se extravía, la otra es destruida antes de ser enviada. La atmósfera sombría del relato, el tono impasible con el que el lenguaje registra lo trivial y lo trascendente, la resignada reflexión que hace sobre el inexorable paso del tiempo dan especial densidad a una historia aparentemente simple.

Obra narrativa

Veraneo y otros cuentos, Santiago: Editorial Universitaria, 1955; *Dos cuentos,* Santiago: Guardia Vieja, 1956; *Coronación,* Santiago: Nascimento, 1956; *El charleston,* Santiago: Nascimento, 1960; *Los mejores cuentos de J. D.,* ed. Luis Domínguez, Santiago: Zig-Zag, 1965; *Este domingo,* Santiago: Zig-Zag, 1966; *El lugar sin límites,* México: Joaquín Mortiz, 1966; ed. de Selena Millares, Madrid: Cátedra, 1999; *El obsceno pájaro de la noche,* Barcelona: Seix Barral, 1970; *Cuentos,* pról. Ana María Moix, Barcelona: Seix Barral, 1971; *Tres novelitas burguesas,* Barcelona: Seix Barral, 1973; *Casa de campo,* Barcelona: Seix Barral, 1978; *La misteriosa desaparición de la marquesita de Loria,* Barcelona: Seix Barral, 1980; *El jardín de al lado,* Barcelona: Seix Barral, 1981; *Cuatro para Delfina,* Barcelona: Seix Barral, 1982; *La desesperanza,* Barcelona: Seix Barral, 1986; *Taratuta. Naturaleza muerta con cachimba,* Madrid: Mondadori, 1990;

El lugar sin límites. El obsceno pájaro de la noche, ed. Hugo Achúgar, Caracas: Biblioteca Ayacucho, 1990; *Donde van a morir los elefantes,* Madrid: Alfaguara, 1995; *Conjeturas sobre la memoria de mi
tribu,* Santiago de Chile: Aguilar Chilena de Ediciones, 1996; *Nueve novelas breves,* Santiago de Chile: Alfaguara, 1977; *El mocho,*
Santiago de Chile: Aguilar Chilena de Ediciones, 1997; *Mascarada: tres novelas cosmopolitas,* ensayo preliminar, biblio. y notas de
Ricardo Guitiérrez-Mouat, México D. F.: Fondo de Cultura Económica, 2006: *Lagartija sin cola,* ed. de Julio Ortega. Madrid: Alfaguara, 2007.

Crítica

Achúgar, Hugo, *Ideología y estructuras narrativas en J. D.,* Caracas:
Centro de Estudios Latinoamericanos Rómulo Gallegos, 1979;
Castillo-Feliú, Guillermo I., ed., *The Creative Process in the Works
of J. D.,* Rock Hill, Carolina del Sur: Winthrop College/Winthrop
Studies On Major Modern Writers, 1982; Catalán, Pablo, *Carto-
grafía de José Donoso: un juego de espacios, un arte de los límites,*
Providence: Frasis editores, 2004; Cerda, Carlos, *J. D.: originales
y metáforas,* Santiago: Planeta/Biblioteca del Sur, 1988; Cornejo
Polar, Antonio, ed., *J. D. La destrucción de un mundo,* Buenos Aires: García Cambeiro, 1975; Fleak, Kenneth, *The Chilean Short
Story*, 91-114; Goic, Cedomil, «J. D.», en Carlos A. Solé, ed. *,
vol. 3, 1277-88; Gutiérrez Mouat, Ricardo, *J. D.: Impostura e im-
postación. La modelización lúdica y carnavalesca de una producción
literaria,* Gaithersburg, Maryland: Hispamérica, 1983; Friedman,
Mary Lusky, *The self in the narratives of José Donoso: Chile, 1924-
1996,* Lewinston: Edwin Mellen Press, 2004; Mac Adam, Alfred,
Textual Confrontations, 110-18; Magnarelli, Sharon, *Understanding J. D.,* Columbia: University of South Carolina Press, 1993;
McMurray, George, *J. D.,* Boston: Twayne, 1979; Quinteros, Isis,
J. D. Una insurrección contra la realidad, Madrid: Hispanova,

1978; Solotorevsky, Myrna, *J. D. Incursiones en su producción no-velesca,* Valparaíso: Ediciones Universitarias de Valparaíso/Universidad Católica de Valparaíso, 1983; Swanson, Philip, *J. D., the «Boom» and Beyond,* Liverpool: Liverpool Monographs in Hispanic Studies, 1988; Vidal, Hernán, *J. D.: surrealismo y rebelión de los instintos,* Calonge, Gerona: Aubí, 1972; VV. AA., *Studies on the works of J. D.: an anthology of critical essays,* ed Miriam Edelstein, Lewinston: Edwin Mellen Press, 1990.

Dos cartas

Para John B. Elliot

Éstas son las últimas cartas que se escribieron dos hombres, Jaime Martínez, un chileno, y John Dutfield, un inglés.

Se conocieron como compañeros en los cursos infantiles de un colegio de Santiago, y continuaron en la misma clase hasta terminar sus humanidades. Pero jamás fueron amigos. No podía haber sido de otro modo, ya que sus aficiones y personalidades se marcaron desde temprano como opuestas. Sin embargo, el chileno solía llevar sándwiches al inglés, porque Dutfield era interno, y como todos los internos de todos los colegios, sufría de un hambre constante. Esto no fue causa para que sus relaciones se hicieran más íntimas. En un torneo de boxeo que se llevara a cabo en el colegio, John Dutfield y Jaime Martínez se vieron obligados a enfrentarse. Los vítores de los compañeros enardecieron por un momento los puños del chileno, de ordinario inseguros, e hizo sangrar la nariz de su contrincante. No obstante, el inglés fue vencedor de la jornada. Esto a nadie sorprendió, ya que Dutfield era deportista por vocación, mientras que Martínez era dado a las conversaciones y a los libros. Después, el chileno siguió llevando sándwiches al inglés.

Una vez rendido el bachillerato, que ambos aprobaron mediocremente, se efectuó una cena de fin de estudios. Aquella noche fluyeron el alcohol y las efusiones, cimentando lealtades viejas mientras nuevas lealtades se iban forjando en la llama de una hombría recientemente descubierta. Dutfield debía partir en breve. Pertenecía a una de esas familias inglesas errantes e incoloras, nómades comerciales, que impulsada por la voz omnipotente de la firma que el padre representara en varios países, cambiaba de sitio de residencia cada tantos años. Debían trasladarse ahora, siguiendo el mandato todopoderoso, a Cape Town, en la Unión Sudafricana. Al final de la comida, agotadas las rememoraciones y los cantos, Dutfield y Martínez apuntaron direcciones, prometiendo escribirse.

Y así lo hicieron de tarde en tarde, por más de diez años, Dutfield se instaló por un tiempo al lado de sus padres en Cape Town. Pero tenía sangre nómade. Cruzó el veldt y la selva, pasó a Rhodesia, solo, en busca de fortuna, y por último echó raíces en Kenya, donde contrajo matrimonio y adquirió tierras. El resto de su vida transcurrió allí, cercano a los ruidos de la selva, cuidando de sus acres de maíz, y contemplando cómo crecían sus hijos junto a los árboles y los nativos, compartiendo ideales y prejuicios de quienes eran como ellos.

El chileno, en cambio, permaneció en su patria. A medida que los años fueron pasando, constató que había quedado solo, que poco a poco se había alejado de todos los que fueron sus amigos de colegio, sin hacerse, entretanto, de nuevos amigos que valieran el nombre. Sin embargo, y no dejaba de turbarlo la ironía del caso, seguía manteniendo correspondencia, muy distanciada, es cierto, con John Dutfield.

Jaime Martínez estudió leyes. Como abogado chileno su vida transcurrió apacible, rodeada de un círculo de seguridades de toda índole. Desde un principio comenzó a distinguirse en su profesión. Vestía casi siempre de oscuro, y llevaba las manos, quizá demasiado expresivas para un hombre de su posición, invariablemente bien cuidadas. Las cartas que con el plantador de Kenya cruzaba una vez al año, a veces dos, contenían recuerdos humorísticos de sus días de colegio, novedades acerca de los cambios exteriores que la vida de ambos hombres iba acumulando con los años, preguntas y respuestas acerca de las modificaciones experimentadas con el tiempo por la ciudad en que ambos se educaran. Nada más. ¿Y para qué más? ¿Cómo iniciar, después de tanto tiempo y a tantas millas de distancia, una intimidad que, por lo demás, jamás había existido?

Ésta es la última carta que John Dutfield, plantador de Kenya, escribió a Jaime Martínez, abogado chileno, más o menos diez años después de haber egresado del colegio en que ambos estudiaban juntos:

«Querido Martínez:

»Aquí me tienes contestando tu carta de meses atrás, aprovechando una enfermedad ligera que me ha tenido en cama unos días. No te había escrito antes, porque tú sabes, el trabajo de un plantador de Kenya no es cosa fácil, como ha de ser el de un abogado chileno.

»El otro día me sucedió algo curioso. Creo que por eso se me ha ocurrido escribirte. Habíamos salido, mi mujer y yo, a ver los animales de la granja, al atardecer. Cuando llegamos donde estaban los chanchos, vimos un animal peliblanco, que parecía contemplar el crepúsculo, con aire tristón, algo aparte del resto. Cuál no sería mi sorpresa cuando mi mujer me dijo: "Mira, John, ese chancho parece que estuviera inspirado". Figúrate. ¿Te acuerdas del "Chancho inspirado"? Apuesto que no. Era ese profesor recién llegado de Cambridge que tuvimos un semestre, ese rubio gordo, acuérdate, que se lo pasaba leyéndonos odas de no sé quién y admirando los crepúsculos de Chile. Al día siguiente de su llegada, nosotros los internos mojamos las sábanas de su cama asegurándole que era una costumbre tradicional de bienvenida. Él vio nuestra mentira, pero por congraciarse con nosotros no nos acusó. Duró poco en el colegio. Le entró la melancolía, la nostalgia de su patria al pobre, y no tuvo más remedio que volver a Inglaterra. Tendría, entonces, unos veinticinco años, menos de lo que tú y yo tenemos ahora.

»No comprendo cómo se puede sentir nostalgia por Inglaterra. Claro que yo era muy chico cuando salí, y estuvimos en Jamaica unos años antes de pasar a Chile, así es que no puedo juzgar. Pero cuando me dieron de alta en el ejército –por mi pierna herida en batalla, que sigue igual, con dolores cada tantos meses–, por curiosidad más que por interés se me ocurrió recorrer Inglaterra. Encontré todo aglomerado, feo, sucio, viejo, con un clima insoportable. Me dio claustrofobia y volví a Kenya tan pronto como pude. Pero me parece curioso contarte que a mis padres les sucedió algo parecido que al "Chancho inspirado". Mi papá jubiló hace algunos años en la firma que tanto tiempo representara en Kingston, Valparaíso y Cape Town. Acá tenía una espléndida situación. Los viejos eran respetados por todos, tenían un magnífico círculo de amistades, y una casa encantadora mirando al océano, en uno de los barrios buenos de Cape Town. Pero en vez de quedarse para disfrutar de los agrados de la vida, después de jubilar, se les ocurrió comprar un *cottage* en el pueblecito de Yorkshire, donde nacieron, se conocieron y se casaron. Ahora están viviendo allá, felices, como si nunca hubieran salido. Yo conocí el pueblecito ese, porque cuando mis parientes supieron que me habían dado de alta en el ejército, me invitaron a pasar unos días con ellos. Vieras qué pueblo más feo es. Toda la gente es bastante pobre y mis parientes también. Yo no podría vivir allí, con esa gente aburrida y provinciana, en ese pueblo sucio y viejo, cerca de una mina y rodeado de fábricas hediondas. No llego a comprender cómo los viejos están tan contentos.

»No sé si será por mi enfermedad, pero anoche no más estaba pensando que no sabría dónde irme si llegara el momento de retirarme, como mi padre. Yo era muy niño cuando salí de Europa, no siento vínculos con ella. Kingston está fuera de la cuestión, sólo me acuerdo de una mama negra que tuve, lo demás se ha borrado. En Chile no sabría qué hacer: me sentiría, sin duda, fuera de lugar, ya que todos mis amigos estarán dispersos. Además, mi mujer es de estas tierras, y la idea de América la atemoriza. Quizás Cape Town fuera una solución. Comprarme una casita cerca del mar, hacerme socio de un club donde tenga amigos y donde el whisky no sea caro.

»En fin, tengo apenas treinta años y no ha llegado el momento para pensar en eso seriamente. Creo que en todo caso, como se presenta la situación, terminaré mis días aquí, en esta plantación, en esta casa que yo mismo construí y a la que ahora último hemos hecho importantes agregados. ¡Vieras qué agradable es! Mi mujer se ocupa del jardín y de la huerta. Pero debo confesarte que la fruta no prospera –los árboles están nuevos todavía– porque Pat y John, mis dos chiquillos, se trepan a ellos como nativos y se comen la fruta verde. ¡Vieras qué indigestiones!

»Bueno, me he alargado mucho y nada te he dicho. Si alguna vez se te ocurre hacer un safari por estos lados –te repito mi viejo chiste–, tienes tu casa. Escribe. No dejes pasar el año sin noticias tuyas y de Chile.

John Dutfield».

Esta carta jamás llegó a manos de su destinatario. De alguna manera se extravió en los correos, y la recibió un tal Jaime Martínez, calle Chile, en Santiago de Cuba. El moreno la abrió, leyéndola con extrañeza. Al comprobar que no era para él, la cerró con el propósito de enviarla al abogado chileno que la carta mencionaba. Pero en esos días su mujer estaba por tener el noveno hijo y la misiva se perdió entre mil cosas antes que el moreno recordara hacerlo. Cuando recordó, no la pudo hallar. Y decidió que no valía la pena preocuparse: nada de importancia había en ella. Era una carta que bien podía no haberse escrito.

El hecho es que John Dutfield ya no volvió a escribir a Jaime Martínez. Pasaron los años, y la existencia del plantador de Kenya transcurría apacible en sus tierras. El trabajo y la lucha eran duros, pero había compensaciones. Cada día se marcaba más la línea oscura que partía su frente donde el cucalón la protegía del sol, cada día se desteñían más sus ojos y se enrojecían más sus manos. De vez en cuando, pero muy a lo lejos, le extrañaba no recibir noticias de Chile.

Después dejó de extrañarse. Varios años más tarde, John Dutfield, su mujer y sus niños fueron asesinados por los mau-mau, y sus casas y cosechas iluminaron una clara noche africana.

La última carta de Jaime Martínez fue escrita hacia la misma fecha que la de John Dutfield. El abogado chileno acababa de publicar una reseña histórica sobre un antepasado suyo que tuviera actuación fugaz en una de las juntas que afianzaron la independencia de su patria. El libro tuvo un pequeño éxito de élite: el lenguaje era justo y la evocación de la época libre de sentimentalismos. Le parecía que en su libro había dado importancia a cuanto tenía dignidad en sus raíces. Pero sólo él sabía, y no con gran claridad, que aquellas raíces lo hacían prisionero sin darle estabilidad. Él no había buscado su profesión y modo de vida, sino que había sido arrastrado hacia ellos, y por lo tanto vivía presa de la insatisfacción y de la zozobra.

Sin saber cómo ni para qué, una noche de invierno en que el frío se agolpaba a su ventana, y después de haber bebido la acostumbrada taza de té caliente, tomó su pluma y escribió la carta siguiente a John Dutfield, de Kenya, a quien no había escrito por cerca de un año y de quien no había tenido noticias por largo tiempo:

«Querido John:

»No sé por qué te estoy escribiendo esta noche. Posiblemente porque hace tiempo que nada sucede. Te debe extrañar el tono melancólico con que inicio esta carta. Pero no te inquietes: no me van a meter a la cárcel por estafador, ni me voy a suicidar, ni estoy enfermo. Al contrario, porque nada ha pasado, estoy como nunca de bien.

»Quizás por eso te escribo. Por si te interesa, te diré que sigo surgiendo en mi profesión, y que me estoy llenando de dinero. Dentro de pocos años, y tengo apenas treinta, seré, sin duda, uno de los grandes abogados de Chile. Pero inmediatamente que aseguro a alguien lo que acabo de contarte, siento la necesidad de tomar un trago de whisky, para no dudar de que en realidad vale la pena que así sea. Sí, sí, vale la pena (acabo de empinarme un gran trago). No dudo de que te reirás de mí al leer estas líneas, y no sin razón, tú, con tus grandes problemas exteriores resueltos. Pero, aguarda, no te rías. Precisamente porque eres tan distinto a mí, y porque vives a tantas y tantas millas de distancia, y porque no veo tu risa irónica, es que te estoy escribiendo estas cosas. Pero en realidad no sé qué te estoy contando. Quizás nada.

»Claro, nada. Pero nada da tema para mucho. ¿Te acuerdas a veces del colegio? Me imagino que nunca. O si te acuerdas, será como de una especie de gran country club, donde todo era grande, bonito y fácil. Y tienes razón, puesto que no has tenido que seguir luchando, como yo, con las terribles ironías que fue dejando. Yo sí lo recuerdo. Sobre todo ahora, en este último tiempo, lo recuerdo muy a menudo. ¿Recuerdas aquellos últimos años, cuando solíamos ir a esos sitios que todos asegurábamos haber conocido desde hacía largo tiempo, y de aquellas borracheras audaces en vísperas de algunos exámenes? ¿Te acuerdas de aquella vez que Duval nos dijera que había invitado a una mujer estupenda para la kermesse anual del colegio, y luego hizo su aparición, muy orondo, del brazo de una prima de chapes?[1]. Esa prima de Duval se casó y tiene cuatro hijos.

»No sé por qué tengo de ti una imagen imborrable: te veo encaramado a una muralla mirando si pasaba una de las alumnas del colegio para niñas bien que había en la otra es-

---

1. *Chapes:* chilenismo por *trenzas.*

quina. Una vez, fue en el último año, mis grandes amigos de entonces, Lozano y Benítez, escribieron una carta de amor, por lo demás bastante escandalosa, a una alumna de ese colegio. Olga Merino se llamaba. Una vez que la vimos pasar, dijiste que era la mujer más despampanante que habías visto en tu vida. Era menuda y tenía el pelo liso y claro. Yo estaba muy enamorado de ella, aunque no le había hablado más de dos o tres veces. Pero jamás le dije nada. Y ese amor, como tantos otros amores míos, murió rápidamente. La veo mucho ahora, porque se casó con un colega a quien frecuento. Si la vieras, está tan distinta. Tiene fama de elegancia y de belleza en este rincón del mundo. Pero es otra persona. No conserva nada, nada, de lo que me hizo quererla terriblemente durante un mes, hace más de diez años. No es más que natural, lógico. Pero es también insoportable. Y a todos nos ha pasado lo mismo, ya no nos reconocemos, los únicos que entonces importábamos. ¿Seré yo también, tú crees, un ser tan irreconocible, tan distinto? Olga no tiene importancia en sí, te la nombro sólo porque tú la viste un día. No tiene importancia porque, naturalmente, he querido más muchas veces en mi vida. Y esos amores tampoco me dominaron. Les di vuelta la espalda y no me dominaron. Tampoco me dominaron mis vicios, ni mi deseo de hacer fortuna, ni mis amigos. Nada de lo que he hecho, repentinamente pienso, tiene importancia. Creo que es porque uno olvida. ¡Y yo no he querido olvidar! ¡Jamás he aceptado que un solo átomo de mi vida pasada, las cosas y las personas y los sitios que he amado y odiado, pierdan su importancia y se apaguen! Y todo ha perdido importancia. Lo que demuestra que sólo tengo capacidad para arañar la superficie de las cosas.

»A propósito, recuerdo cuando estabas en la guerra. Me relatabas el asco de aquel mundo que se deshacía. Y yo me felicitaba de estar aquí, en esta jaula, al margen de esa miserable experiencia de la humanidad. Leía los periódicos, me informaba meticulosamente, seguía con interés los tumbos de la batalla. Pero ni eso me conmovió. ¿Por qué? Quizás tú sepas la solución.

»No te rías mucho al leer esta carta. Además, te ruego que no me contestes en el mismo tono. Contéstame como si no hubieras recibido estas líneas de:

Jaime Martínez».

Cuando el autor releyó su carta, constató que sus problemas se habían enfriado notablemente escribiéndola. La encontró incoherente, sentimental, literaria, reveladora de una parte de su ser que, bien mirada, no había tenido mayor importancia en dar forma a su destino. La rompió y, al echarla al canasto, se prometió escribir otra en breve. Recordó también que John Dutfield era hombre de sensibilidades algo romas y no deseó paralogizarlo.

Pasaron los años y el abogado chileno no volvió a escribir al plantador de Kenya. Como si se avergonzara por la carta que había escrito y roto, aplazaba y volvía a aplazar el momento para escribir al África. Jaime Martínez llegó pronto a la cúspide de su profesión y ya no tuvo tiempo para recordar su deuda con Dutfield.

Sólo a veces, en el transcurso de los años, hojeando el periódico en el silencio de su biblioteca o de su club, leía por azar el nombre de Kenya en un artículo. Entonces, durante no más de medio segundo, se paralizaba algo en su interior, y pensaba en ese amigo que ya no era su amigo, que jamás lo había sido y que ya jamás lo sería. Pero era sólo por medio segundo. El té caliente que le acababan de traer, y el problema del cobre expuesto en un artículo contiguo al que nombraba casualmente a Kenya, apresaban su atención por completo. Después de ese medio segundo, pasaban años, dos o tres, o cuatro, sin que volviera a pensar en Dutfield. Ignoraba que hacía largo tiempo que los vientos africanos habían dispersado sus cenizas por los cielos del mundo.

Gabriel García Márquez

(Aracataca, Colombia, 1928-Ciudad de México, 2014) La obra de García Márquez se divide claramente en dos partes: antes y después de *Cien años de soledad*. Igual puede decirse de la novelística hispanoamericana, que, desde entonces, ya no volvió a ser la misma. No sólo era una auténtica obra maestra, una novela-síntesis de todos los niveles y matices que pueden darse en la realidad y en la imaginación, sino que era también una novela popular en el mejor sentido de la palabra: todos podían acceder a ella sin mayores dificultades y todos hallaban en sus episodios una distinta forma de revelación que los impulsaba a seguir leyendo. Cambió además el destino personal de su autor, que se convirtió en una leyenda viva, la encarnación misma del grado más hipnótico y aéreo que había alcanzado la estética de lo real-maravilloso, definida por Carpentier *(véase)*. *Cien años...* es un libro representativo de una época y que hoy, a la distancia, sigue ejerciendo la misma fascinación. Inventó un lugar, Macondo, que, siendo imaginario, ha resultado tan real que todos parecemos haberlo visitado.

Pero la cronología externa, que nos dice que ésta era la cuarta novela publicada por García Márquez, es engañosa. En su caso, la publicación y la génesis novelística de sus primeros libros no coinciden: en realidad, el autor escribió tres distintas novelas mientras trataba de escribir, sin conseguirlo, *Cien años*... Es decir, el libro que fue *concebido* primero (y postergado por varios años) es la famosa novela de 1967. Hay que entender, por lo tanto, que aquellas tres novelas son, en distinto grado, acercamientos, rodeos o desprendimientos de ese núcleo de experiencia que se resistía (mientras lo tentaba) a ser convertida en relato. Esa imposibilidad marca los esfuerzos narrativos del autor durante los años arduos y oscuros, en los que escribió con tenacidad pero sin mayores estímulos. Desechar, sin embargo, esos primeros intentos como obras menores o fallidas sería un error: como acercamientos al mundo macondino que retrataría su gran novela, pueden considerarse fracasos, pero se trata, sin duda, de espléndidos fracasos en los que hay claros indicios de virtudes narrativas que, siendo ya notables, iban pronto a convertirse en excepcionales. Es importante recordar que cuando el autor empieza a publicar sus primeros cuentos, artículos y crónicas de cine en periódicos colombianos, el marco histórico-cultural era particularmente agitado: a raíz del «bogotazo» de 1948 se había iniciado una larga etapa en la política de su país que se conoce como «la violencia» y que se convertiría en uno de los mayores temas literarios de su generación. Aunque de modo muy diferente al de las novelas de ese grupo, el clima de terror e intolerancia que el país vivía entonces se reflejaría sobre todo en la fase inicial del autor. Desde esos tempranos años García Márquez se distinguió por una posición de izquierda radical, cuyo paradigma fue su indeclinable defensa de la revolución castrista aún en las etapas más duras del proceso revolucionario, lo que lo enajenó con un buen sector de los intelectuales latinoamericanos que veían en esa actitud una poco comprensible defensa de un sistema dogmático y autoritario.

Sus primeros libros son tres novelas *(La hojarasca, El coronel no tiene quien le escriba* y *La mala hora)* y la colección de cuentos *Los funerales de la Mamá Grande.* Hay una oscilación estilística en este grupo, entre la estructura elaborada y el lenguaje barroquizante de *La hojarasca* o del relato que da título al volumen de cuentos (que reflejan el influjo dominante de Faulkner) y el tono despojado, lacónico y directo de los otros libros, que más bien parecen mostrar la huella de Hemingway y Graham Greene. Esos distintos lenguajes narrativos se corresponden con dos territorios imaginarios: por un lado, Macondo, una tierra donde la realidad no tiene fronteras y todo es posible; por otro, el anónimo «pueblo», un lugar polvoriento y abandonado donde los personajes meramente sobreviven más allá de toda esperanza. En ambos casos, revelan a un joven escritor que se emancipaba estéticamente respecto de los consabidos modelos del realismo de la «violencia»; una nueva etapa en la historia de la novela estaba comenzando con esos libros. Desde entonces, hay en él una profunda fidelidad a la experiencia personal y social, a la vez que al rigor literario, que lo alejan del tremendismo y el simplismo ideológico habituales en la novela política. Su enfoque era más elíptico y sutil, como puede verse en *La hojarasca,* que es la inicial prefiguración literaria del mítico Macondo, un territorio prodigioso pero sin duda marcado por las huellas de la historia trágica del subdesarrollo, las guerras civiles y el imperialismo. Es una novela «bananera» cuyas diferencias con las de Asturias *(véase)* son ilustrativas.

Tanto *El coronel...* como *La mala hora* (ambas escritas en París, donde había llegado como corresponsal periodístico) ocurren en «el pueblo», pero el hecho de que algunos personajes, situaciones e imágenes de procedencia macondina se infiltren en sus páginas revela cuál era el verdadero foco de su visión narrativa. Particularmente, *El coronel...* es una pequeña obra maestra del estilo condensado de su autor. La breve novela es el paradigma de un lenguaje estrictamente funcional: no sobra ni una palabra ni una línea y cada una resuena en el lector con un eco imborrable. Todo es simple y directo, pero cargado con oblicuas sugerencias, elevada tensión dramática y un seco humor que hace verosímil una situación intolerable.

Así como era necesario llamar la atención sobre esta porción de su obra y su relación con *Cien años...,* abundar en ésta y en las que la siguen parece redundante: la crítica las ha observado, estudiado y repasado hasta en sus más pequeños detalles. Baste decir que la magia de *Cien años...* (que tiene el carácter recurrente e inclusivo de los relatos bíblicos y de *Las mil y una noches*) quizá resida en la forma rigurosa en que está manejado el *tempo* narrativo: su historia se regula por un preciso reloj interno que comprime y expande los ritmos de la novela en los momentos precisos, lo que crea un efecto de temporalidad cíclica y porosa. La estructura es envolvente como un rizo que lentamente se va abriendo y haciéndonos sentir que lo que pasó volverá a pasar una vez más, como anuncia la famosa primera línea del libro. La obra posterior, escrita en Barcelona y México, es dignísima secuela de ese libro capital, sobre todo porque el autor se negó a repetir el modelo con el que había tenido éxito y se propuso empresas de muy diversa naturaleza; aun es posible discutir si en algún caso no ha escrito un libro que supere *Cien años...* Quizá eso ocurra con *El otoño del*

Gabriel García Márquez

patriarca, su obra más intrincada, estilísticamente más radical y un aporte mayor a una rica vertiente de la novela hispanoamericana: la novela del dictador, en la que lo precedieron, entre otros, Asturias y Carpentier *(véanse)*. El libro es ante todo una larga metáfora sobre la soledad, la monstruosidad, la vana gloria y la miseria del poder absoluto. Muy distintas de ésta son su *Crónica de una muerte anunciada,* en la que usa y desafía las reglas del *thriller; El amor en los tiempos del cólera,* deliciosa parodia de la novela romántica en la que los amantes sólo consuman su pasión cuando son unos ancianos; y *El general en su laberinto,* recuento de los últimos días de la vida de Simón Bolívar, que se aparta de los moldes comunes de la biografía novelesca y presenta la imagen más humana que tengamos de una venerada figura histórica. En 1982 García Márquez obtuvo el Premio Nobel de Literatura. En sus últimos años de actividad literaria el autor publicó en 2002 sus memorias, tituladas *Vivir para contarla,* y en 2004 la novela *Memoria de mis putas tristes.* En los años finales de su vida, García Márquez, agobiado por una larga enfermedad que le robó su caudal de recuerdos dejó de escribir.

Aparte del temprano *Los funerales...,* ha escrito sólo otros dos libros de cuentos: *La increíble y triste historia de la cándida Eréndira y de su abuela desalmada* y *Doce cuentos peregrinos;* los textos aquí seleccionados, «Un día de éstos» y «Un señor muy viejo con unas alas enormes», pertenecen respectivamente a los dos primeros libros. *(Ojos de perro azul* también figura en su bibliografía, pero es una publicación que el escritor se vio obligado a hacer cuando sus cuentos juveniles fueron exhumados y difundidos sin su autorización.) El primero es uno de los mejores ejemplos de su estilo realista: un modelo de precisión verbal, tono perfectamente calibrado e impecable creación de atmósfera. Lo que aparentemente tenemos es una situación corriente: el Alcalde va a ver al dentista del «pueblo» con un terrible dolor de muelas, y el dentista hace la extracción; pero lo que hay detrás de esa simple historia es una lección moral sobre cómo la violencia política infecta hasta la más insignificante relación humana. El Alcalde es la autoridad y el dentista es su enemigo político; en una pequeña sociedad silenciada, esta visita en su consultorio es la única posibilidad de hacerle conocer su opinión. Al comienzo, esa relación está amortiguada, con una pizca de humor negro, por la mediación del niño que transmite inocentemente al dentista lo que el Alcalde le pide; luego, esa misma inocencia nos hace ver que la relación dentista-paciente enmascara la verdadera: el poderoso frente a un modesto hombre de pueblo a quien aquél necesita ahora desesperadamente. Hay un contrapunto entre la creciente tensión y las lentas operaciones que realiza el dentista con sus instrumentos; como suele ocurrir en los relatos del autor, los objetos reales son símbolos para quienes las posibilidades de cambio no existen: están deteriorados por el uso continuo y resignado. Cuando el dentista le dice al Alcalde que tendrá que sacarle la muela sin anestesia «porque tiene un absceso», no sabemos si miente o si dice la verdad (su consultorio es paupérrimo), pero lo cierto es que se produce una íntima sensación de justicia restaurada (el narrador la llama «una amarga ternura») cuando le dice: «Aquí nos paga veinte muertos, teniente». Así, de paso, nos enteramos de que se trata de una autoridad militar, impuesta por un gobierno *de facto*. La extracción se convierte entonces en un acto de reparación, y cada uno cumple su papel del modo más digno posible. El irónico final subraya que el abuso de la ley, en ese contexto, está sobreentendido. Difícil decir de modo más sucinto, discreto y memorable lo que es la dictadura.

«Un señor...» fue publicado originalmente (con un ligero cambio en el título) en *Casa de las Américas,* en 1968. Es completamente distinto del anterior: estamos ante la florescencia tropical del estilo macondino y de lo sobrenatural descrito con el estudiado candor de un cuento de hadas o de un cuadro de Botero. Como resultado de unas lluvias torrenciales (una ocurrencia endémica en García Márquez), un hombre viejo y alado aparece en el patio de una casa. A pesar de su aspecto derrengado y lastimoso, la gente concluye, tras algunos debates de vecindario, que se trata de un ángel caído del cielo. Tras el asombro, sobrevienen el hábito, las molestias y luego la explotación económica del insólito visitante: lo exhiben, con éxito, como un espectáculo de feria. El tono burlesco y de doméstica confianza con que está tratado un personaje celestial lo convierte en algo no sólo plausible sino familiar. El mecanismo clave de esa operación narrativa es retórico: la hipérbole (otra marca reconocible del autor), o más bien el apilamiento de hipérbole sobre hipérbole en series cada vez más delirantes. La inesperada aparición de otra criatura extraña («la mujer que se había convertido en araña por desobedecer a sus padres») es la hipérbole mayor, precisamente porque resulta un fenómeno más cautivante y simpático que el del ángel caído. La mezcla exacta de elementos sobrenaturales y cotidianos (el niño y el ángel contraen «la varicela al mismo tiempo»; las alas de éste revuelven «estiércol de gallinero y polvo lunar») crea un efecto de encantamiento irresistible que nos seduce y nos hace sonreír. El sistema de metaforización es también hiperbólico porque se apoya en una desorbitada

traslación de nivel: «murciélago sideral», «ruidos en los riñones», «la lógica de sus alas», etc. La idea detrás del cuento es que, ante lo extraordinario, cualquier explicación es
buena. Como en los clásicos cuentos de hadas, la fábula
está asociada con una vieja creencia que, en este caso, puede ser la de considerar el nacimiento de un niño como una
bendición y, por lo tanto, asociada con el advenimiento de
un ángel.

Obra narrativa

La hojarasca, Bogotá: Ediciones S. L. B., 1955; *El coronel no tiene
quien le escriba,* Medellín, Colombia: Aguirre Editor, 1961; *Los funerales de la Mamá Grande,* Xalapa, México: Universidad Veracruzana, 1962; *La mala hora,* Madrid: Talleres Gráficos Luis Pérez, 1962 [ed. mutilada y rechazada por el autor, que reconoce
como primera la ed.: México: Era, 1966]; *Cien años de soledad,*
Buenos Aires: Sudamericana, 1967; ed. Jacques Joset, Madrid:
Cátedra, 1984; *La increíble y triste historia de la cándida Eréndira
y de su abuela desalmada,* Barcelona/Caracas: Monte Ávila, 1972;
Barcelona: Mondadori, 2000; *Ojos de perro azul,* Barcelona: Plaza
& Janés, 1974; *El otoño del patriarca,* Barcelona: Plaza & Janés,
1975; *Todos los cuentos de G. G. M.* (1947-1972), Barcelona: Plaza
& Janés, 1975; *Crónica de una muerte anunciada,* Bogotá: La Oveja Negra, 1981; *El amor en los tiempos del cólera,* Barcelona: Bruguera, 1985; *El verano feliz de la señora Forbes,* Madrid: Almarabú, 1986; *El general en su laberinto,* Buenos Aires: Sudamericana,
1989; *Doce cuentos peregrinos,* pról. G. G. M., Buenos Aires: Sudamericana, 1992; *Del amor y otros demonios,* Barcelona: Mondadori, 1994; *Noticia de un secuestro,* Barcelona: Mondadori, 1996;
Vivir para contarla, Barcelona: Mondadori, 2002; *Memoria de mis putas tristes,* Buenos Aires: Editorial Sudamericana, Mondadori, 2004.

Crítica (selección mínima)

Ayén, Xavi, *Aquellos años del boom. G. M., Vargas Llosa y el grupo que lo cambiaron todo,* Barcelona: RBA, 2014; Bloom, Harold, ed., *G. G. M.,* Nueva York-Filadelfia: Chelsea House, 1989; *Books Abroad,* número especial, Norman, Oklahoma, 43:3 (1973); Canfield, Martha L., *G. G. M.,* Bogotá: Procultura-Instituto Colombiano de Cultura, 1991; Cobo Borda, Juan Gustavo, ed., *Repertorio crítico sobre G. G. M.,* 2 vols., Bogotá: Instituto Caro y Cuervo, 1995; *El arte de leer a G. M.,* Bogotá: Grupo Editorial Norma, 2007; Dolan, Sean, *G. G. M.,* Nueva York: Chelsea House, 1994; Earle, Peter G., ed., *G. G. M.,* Madrid: Taurus, 1981; Evens, Kristen, *Doce cuentos peregrinos de G. G. M.: un análisis en profundidad,* Antwerpen, 2009; Fau, Margaret Eustella, *G. G. M. An Annotated Bibliography. 1947-1979,* Westport, Connecticut-Londres: Greenwood, 1980; Carlos, Fuentes, *«Cien años de Soledad» y un homenaje: discursos,* México D. F.: Fondo de Cultura Económica, 2007; Giacoman, Helmy F., ed., *Homenaje a G. G. M.,* Long Island City, Nueva York: Las Américas, 1972; Gilard, Jacques, *Así leí a G. M.,* Bogotá: Collage Editores, 2015; Gladieu, Marie-Madelaine, *Lectures de G. M.: «El otoño del patriarca»,* Rennes: Presses Universitaires de Rennes, 2014; Gullón, Ricardo, *G. G. M. o el olvidado arte de contar,* Madrid: Taurus, 1970; Iglesias Berzal, M., *Los cuentos de G. G. M.: narración, historia y relato,* Saarbrücken: Editorial Académica Española, 2014; Janés, Regina, *G. G. M. Revolutions in Wonderland,* Columbia-Londres: University of Missouri Press, 1981; Lastra, Pedro, ed., *Nueve asedios a G. M.,* Santiago: Editorial Universitaria, 1969; Ludmer, Josefina, *Cien años de soledad: una interpretación,* Buenos Aires: Tiempo Contemporáneo, 1972; Martin, Gerald, *G. G. M.: una vida,* Nueva York: Vintage español, 2009; Martínez, Pedro Simón, ed., *Recopilación de textos sobre G. G. M.,* La Habana: Casa de las Américas, 1969; McMurray, George R., *G. G. M.,* Nueva York: Ungar, 1977; McNerney, Kathleen, *Understanding G. M.,* Columbia: University of South Carolina Press, 1989; Oberhelman, Harley O., *G. G. M. A Study of the Short Fiction,* Boston: Twayne, 1991; Oviedo, José Miguel, *Escrito al margen**, 25-53; Palencia Roth, Michael, *G. G. M.: la línea, el círculo y las metamorfosis del mito,* Madrid: Gredos, 1983; Paoli, Roberto, *Invito alla lettura di G. M.,* Milán: Mursia, 1987; Rama, Ángel, *Primeros cuentos...*,* 233-45; Rocco, Alessandro, *G. G. M. and the cinema,* Woodbridge: Tamesis, 2014; Saldívar, Dasso, *G. M.: el viaje a la semilla,* 2.ª ed., Madrid: Alfaguara, 1997; Sorela, Pedro, *G. M.: los años difíciles,* Madrid: Mondadori, 1988; Vargas Llosa, *G. M.: historia de un deicidio,* Barcelona: Barral Editores, 1971; Villoro, Juan, *Lo que pesa un muerto: la función del narrador en «Crónica de una muerte anunciada»,* México D. F.: El Colegio de México, 2014; Volkening, Ernesto, *G. G. M. Un triunfo sobre el olvido,* Bogotá: Arango Edit., 1998; VV. AA., *Presencia del ausente: homenaje a G. G. M.,* Buenos Aires: Editorial Sudamericana, 2007; Williams, Raymond L., *G. G. M.,* Boston: Twayne, 1984.

Un día de éstos

El lunes amaneció tibio y sin lluvia. Don Aurelio Escovar, dentista sin título y buen madrugador, abrió su gabinete a las seis. Sacó de la vidriera una dentadura postiza montada aún en el molde de yeso y puso sobre la mesa un puñado de instrumentos que ordenó de mayor a menor, como en una exposición. Llevaba una camisa a rayas, sin cuello, cerrada arriba con un botón dorado, y los pantalones sostenidos con cargadores elásticos. Era rígido, enjuto, con una mirada que raras veces correspondía a la situación, como la mirada de los sordos.

Cuando tuvo las cosas dispuestas sobre la mesa rodó la fresa hacia el sillón de resortes y se sentó a pulir la dentadura postiza. Parecía no pensar en lo que hacía, pero trabajaba con obstinación, pedaleando en la fresa incluso cuando no se servía de ella.

Después de las ocho hizo una pausa para mirar el cielo por la ventana y vio dos gallinazos pensativos que se secaban al sol en el caballete de la casa vecina. Siguió trabajando con la idea de que antes del almuerzo volvería a llover. La voz destemplada de su hijo de once años lo sacó de su abstracción.

–Papá.

–Qué.

–Dice el Alcalde que si le sacas una muela.

–Dile que no estoy aquí.

Estaba puliendo un diente de oro. Lo retiró a la distancia del brazo y lo examinó con los ojos a medio cerrar. En la salita de espera volvió a gritar su hijo.

–Dice que sí estás porque te está oyendo.

El dentista siguió examinando el diente. Sólo cuando lo puso en la mesa con los trabajos terminados, dijo:

–Mejor.

Volvió a operar la fresa. De una cajita de cartón donde guardaba las cosas por hacer, sacó un puente de varias piezas y empezó a pulir el oro.

–Papá.

–Qué.

Aún no había cambiado de expresión.

–Dice que si no le sacas la muela te pega un tiro.

Sin apresurarse, con un movimiento extremadamente tranquilo, dejó de pedalear en la fresa, la retiró del sillón y abrió por completo la gaveta inferior de la mesa. Allí estaba el revólver.

–Bueno –dijo–. Dile que venga a pegármelo.

Hizo girar el sillón hasta quedar de frente a la puerta, la mano apoyada en el borde de la gaveta. El Alcalde apareció en el umbral. Se había afeitado la mejilla izquierda, pero en la otra, hinchada y dolorida, tenía una barba de cinco días. El dentista vio en sus ojos marchitos muchas noches de desesperación. Cerró la gaveta con la punta de los dedos y dijo suavemente:

—Siéntese.

—Buenos días —dijo el Alcalde.

—Buenos —dijo el dentista.

Mientras hervían los instrumentos, el Alcalde apoyó el cráneo en el cabezal de la silla y se sintió mejor. Respiraba un olor glacial. Era un gabinete pobre: una vieja silla de madera, la fresa de pedal y una vidriera con pomos de loza. Frente a la silla, una ventana con un cancel de tela hasta la altura de un hombre. Cuando sintió que el dentista se acercaba, el Alcalde afirmó los talones y abrió la boca.

Don Aurelio Escovar le movió la cara hacia la luz. Después de observar la muela dañada, ajustó la mandíbula con una cautelosa presión de los dedos.

—Tiene que ser sin anestesia —dijo.

—¿Por qué?

—Porque tiene un absceso.

El Alcalde lo miró a los ojos. «Está bien», dijo, y trató de sonreír. El dentista no le correspondió. Llevó a la mesa de trabajo la cacerola con los instrumentos hervidos y los sacó del agua con unas pinzas frías, todavía sin apresurarse. Después rodó la escupidera con la punta del zapato y fue a lavarse las manos en el aguamanil. Hizo todo sin mirar al Alcalde. Pero el Alcalde no lo perdió de vista.

Era una cordal inferior. El dentista abrió las piernas y apretó la muela con el gatillo caliente. El Alcalde se aferró a las barras de la silla, descargó toda su fuerza en los pies y sintió un vacío helado en los riñones, pero no soltó un suspiro. El dentista sólo movió la muñeca. Sin rencor, más bien con una amarga ternura, dijo:

—Aquí nos paga veinte muertos, teniente.

El Alcalde sintió un crujido de huesos en la mandíbula y sus ojos se llenaron de lágrimas. Pero no suspiró hasta que no sintió salir la muela. Entonces la vio a través de las lágrimas. Le pareció tan extraña a su dolor, que no pudo entender la tortura de sus cinco noches anteriores.

Inclinado sobre la escupidera, sudoroso, jadeante, se desabotonó la guerrera y buscó a tientas el pañuelo en el bolsillo del pantalón. El dentista le dio un trapo limpio.

—Séquese las lágrimas —dijo.

El Alcalde lo hizo. Estaba temblando. Mientras el dentista se lavaba las manos, vio el cielo raso desfondado y una telaraña polvorienta con huevos de araña e insectos muertos. El dentista regresó secándose las manos. «Acuéstese —dijo— y haga buches de agua de sal.» El Alcalde se puso de pie, se despidió con un displicente saludo militar, y se dirigió a la puerta estirando las piernas, sin abotonarse la guerrera.

—Me pasa la cuenta —dijo.

—¿A usted o al municipio?

El Alcalde no lo miró. Cerró la puerta, y dijo, a través de la red metálica:

—Es la misma vaina.

Un señor muy viejo con unas alas enormes

Al tercer día de lluvia habían matado tantos cangrejos dentro de la casa, que Pelayo tuvo que atravesar su patio anegado para tirarlos en el mar, pues el niño recién nacido había pasado la noche con calenturas y se pensaba que era a causa de la pestilencia. El mundo estaba triste desde el martes. El cielo y el mar eran una misma cosa de ceniza, y las arenas de la playa, que en marzo fulguraban como polvo de lumbre, se habían convertido en un caldo de lodo y mariscos podridos. La luz era tan mansa al mediodía, que cuando Pelayo regresaba a la casa después de haber tirado los cangrejos, le costó trabajo ver qué era lo que se movía y se quejaba en el fondo del patio. Tuvo que acercarse mucho para descubrir que era un hombre viejo, que estaba tumbado boca abajo en el lodazal, y a pesar de sus grandes esfuerzos no podía levantarse, porque se lo impedían sus enormes alas.

Asustado por aquella pesadilla, Pelayo corrió en busca de Elisenda, su mujer, que estaba poniéndole compresas al niño enfermo, y la llevó hasta el fondo del patio. Ambos observaron el cuerpo caído con un callado estupor. Estaba vestido como un trapero. Le quedaban apenas unas hilachas descoloridas en el cráneo pelado y muy pocos dientes en la boca, y su lastimosa condición de bisabuelo ensopado lo había desprovisto de toda grandeza. Sus alas de gallinazo grande, sucias y medio desplumadas, estaban encalladas para siempre en el lodazal. Tanto lo observaron, y con tanta atención, que Pelayo y Elisenda se sobrepusieron muy pronto del asombro y acabaron por encontrarlo familiar. Entonces se atrevieron a hablarle, y él les contestó en un dialecto incomprensible pero con una buena voz de navegante. Fue así como pasaron por alto el inconveniente de las alas, y concluyeron con muy buen juicio que era un náufrago solitario de alguna nave extranjera abatida por el temporal. Sin embargo, llamaron para que lo viera a una vecina que sabía todas las cosas de la vida y la muerte, y a ella le bastó con una mirada para sacarlos del error.

–Es un ángel –les dijo–. Seguro que venía por el niño, pero el pobre está tan viejo que lo ha tumbado la lluvia.

Al día siguiente todo el mundo sabía que en casa de Pelayo tenían cautivo un ángel de carne y hueso. Contra el criterio de la vecina sabia, para quien los ángeles de estos tiempos eran sobrevivientes fugitivos de una conspiración celestial, no habían tenido corazón para matarlo a palos. Pelayo estuvo vigilándolo toda la tarde desde la cocina, armado con su garrote de alguacil, y antes de acostarse lo sacó a rastras del lodazal y lo encerró con las gallinas en el gallinero alambrado. A media noche, cuando terminó la lluvia, Pelayo y Elisenda seguían matando cangrejos. Poco después el niño despertó sin fiebre y con deseos de comer. Entonces se sintieron magnánimos y decidieron poner al ángel en una balsa con agua dulce y provisiones para tres días, y abandonarlo a su suerte en altamar. Pero cuando salieron al patio con las primeras luces, encontraron a todo el vecindario frente al gallinero, retozando con el ángel sin la menor devoción y echándole cosas de comer por los huecos de las alambradas, como si no fuera una criatura sobrenatural sino un animal de circo.

El padre Gonzaga llegó antes de las siete alarmado por la desproporción de la noticia. A esta hora ya habían acudido curiosos menos frívolos que los del amanecer, y habían hecho toda clase de conjeturas sobre el porvenir del cautivo. Los más simples pensaban que sería nombrado alcalde del mundo. Otros, de espíritu más áspero, suponían que sería ascendido a general de cinco estrellas para que ganara todas las guerras. Algunos visionarios esperaban que fuera conservado como semental para implantar en la tierra una estirpe de hombres alados y sabios que se hicieran cargo del universo. Pero el padre Gonzaga, antes de ser cura, había sido leñador macizo. Asomado a las alambradas repasó en un instante su catecismo, y todavía pidió que le abrieran la puerta para examinar de cerca a aquel varón de lástima que más bien parecía una enorme gallina decrépita entre las gallinas absortas. Estaba echado en un rincón, secándose al sol las alas extendidas, entre las cáscaras de frutas y las sobras de desayunos que le habían tirado los madrugadores. Ajeno a las impertinencias del mundo, apenas si levantó sus ojos de anticuario y murmuró algo en su dialecto cuando el padre Gonzaga entró en el gallinero y le dio los buenos días en latín. El párroco tuvo la primera sospecha de su impostura al comprobar que no entendía la lengua de Dios ni sabía saludar a sus ministros. Luego observó que visto de cerca resultaba demasiado humano: tenía un insoportable olor de intemperie, el revés de las alas sembrado de algas parasitarias y las plumas mayores maltratadas por vientos terrestres, y nada de su naturaleza miserable estaba de acuerdo con la egregia dignidad de los ángeles. Entonces abandonó el gallinero, y con un breve sermón previno a los curiosos contra los riesgos de la ingenuidad. Les recordó que el demonio tenía la mala costumbre de recurrir a artificios de carnaval para confundir a los incautos. Argumentó que si las alas no eran el elemento esencial para determinar las diferencias entre un gavilán y un aeroplano, mucho menos podían serlo para reconocer a los ángeles. Sin embargo, prometió escribir una carta a su obispo, para que éste escribiera otra a su primado y para que éste escribiera otra al Sumo Pontífice, de modo que el veredicto final viniera de los tribunales más altos.

Su prudencia cayó en corazones estériles. La noticia del ángel cautivo se divulgó con tanta rapidez, que al cabo de pocas horas había en el patio un alboroto de mercado, y tuvieron que llevar la tropa con bayonetas para espantar el tumulto que ya estaba a punto de tumbar la casa. Elisenda, con el espinazo torcido de tanto barrer basura de feria, tuvo entonces la buena idea de tapiar el patio y cobrar cinco centavos por la entrada para ver al ángel.

Vinieron curiosos hasta de la Martinica. Vino una feria ambulante con un acróbata volador, que pasó zumbando varias veces por encima de la muchedumbre, pero nadie le hizo caso porque sus alas no eran de ángel sino de murciélago sideral. Vinieron en busca de salud los enfermos más desdichados del Caribe: una pobre mujer que desde niña estaba contando los latidos de su corazón y ya no le alcanzaban los números, un jamaiquino que no podía dormir porque lo atormentaba el ruido de las estrellas, un sonámbulo que se levantaba de noche a deshacer las cosas que había hecho despierto, y muchos otros de menor gravedad. En medio de aquel desorden de naufragio que hacía temblar la tierra, Pelayo y Elisenda estaban felices de cansancio, porque en menos de una semana atiborraban de plata los dormitorios, y todavía la fila de peregrinos que esperaban turno para entrar llegaba hasta el otro lado del horizonte.

El ángel era el único que no participaba de su propio acontecimiento. El tiempo se le iba en buscar acomodo en su nido prestado, aturdido por el calor de infierno de las lámparas de aceite y las velas de sacrificio que le arrimaban a las alambradas. Al principio trataron de que comiera cristales de alcanfor, que, de acuerdo con la sabiduría de la vecina sabia, era el alimento específico de los ángeles. Pero él los despreciaba, como despreció sin probarlos los almuerzos papales que le llevaban los penitentes, y nunca se supo si fue por ángel o por viejo que terminó comiendo nada más que papillas de berenjena. Su única virtud sobrenatural parecía ser la paciencia.

Sobre todo en los primeros tiempos, cuando lo picoteaban las gallinas en busca de los parásitos estelares que proliferaban en sus alas, y los baldados le arrancaban plumas para tocarse con ellas sus defectos, y hasta los más piadosos le tiraban piedras tratando de que se levantara para verlo de cuerpo entero. La única vez que consiguieron alterarlo fue cuando le abrasaron el costado con un hierro de marcar novillos, porque llevaba tantas horas de estar inmóvil que lo creyeron muerto. Despertó sobresaltado, despotricando en lengua hermética y con los ojos en lágrimas, y dio un par de aletazos que provocaron un remolino de estiércol de gallinero y polvo lunar, y un ventarrón de pánico que no parecía de este mundo. Aunque muchos creyeron que su reacción no había sido de rabia sino de dolor, desde entonces se cuidaron de no molestarlo, porque la mayoría entendió que su pasividad no era la de un héroe en uso de buen retiro sino la de un cataclismo en reposo.

El padre Gonzaga se enfrentó a la frivolidad de la muchedumbre con fórmulas de inspiración doméstica, mientras le llegaba un juicio terminante sobre la naturaleza del cautivo. Pero el correo de Roma había perdido la noción de la urgencia. El tiempo se les iba en averiguar si el convicto tenía ombligo, si su dialecto tenía algo que ver con el arameo, si podía caber muchas veces en la punta de un alfiler, o si no sería simplemente un noruego con alas. Aquellas cartas de parsimonia habrían ido y venido hasta el fin de los siglos, si un acontecimiento providencial no hubiera puesto término a las tribulaciones del párroco.

Sucedió que por esos días, entre muchas otras atracciones de las ferias errantes del Caribe, llevaron al pueblo el espectáculo triste de la mujer que se había convertido en araña por desobedecer a sus padres. La entrada para verla no sólo costaba menos que la entrada para ver al ángel, sino que permitían hacerle toda clase de preguntas sobre su absurda condición, y examinarla al derecho y al revés, de modo que nadie pusiera en duda la verdad del horror. Era una tarántula espantosa del tamaño de un carnero y con la cabeza de una doncella triste. Pero lo más desgarrador no era su figura de disparate, sino la sincera aflicción con que contaba los pormenores de su desgracia; siendo casi una niña se había escapado de la casa de sus padres para ir a un baile, y cuando regresaba por el bosque después de haber bailado toda la noche sin permiso, un trueno pavoroso abrió el cielo en dos mitades, y por aquella grieta salió el relámpago de azufre que la convirtió en araña. Su único alimento eran las bolitas de carne molida que las almas caritativas quisieran echarle en la boca. Semejante espectáculo, cargado de tanta verdad humana y de tan temible escarmiento, tenía que derrotar sin proponérselo al de un ángel despectivo que apenas si se dignaba mirar a los mortales. Además los escasos milagros que se le atribuían al ángel revelaban un cierto desorden mental, como el del ciego que no recobró la visión pero le salieron tres dientes nuevos, y el del paralítico que no pudo andar pero estuvo a punto de ganarse la lotería, y el del leproso a quien le nacieron girasoles en las heridas. Aquellos milagros de consolación que más bien parecían entretenimientos de burla, habían quebrantado ya la reputación del ángel cuando la mujer convertida en araña terminó de aniquilarla. Fue así como el padre Gonzaga se curó para siempre del insomnio, y el patio de Pelayo volvió a quedar tan solitario como en los tiempos en que llovió tres días y los cangrejos caminaban por los dormitorios.

Los dueños de la casa no tuvieron nada que lamentar. Con el dinero recaudado construyeron una mansión de dos plantas, con balcones y jardines, y con sardineles muy altos para que no se metieran los cangrejos del invierno, y con barras de hierro en las ventanas para que no se metieran los ángeles. Pelayo estableció además un criadero de conejos muy cerca del pueblo y renunció para siempre a su mal empleo de alguacil, y Elisenda se compró unas zapatillas satinadas de tacones altos y muchos vestidos de seda tornasol, de los que usaban las señoras más codiciadas en los domingos de aquellos tiempos. El gallinero fue lo único que no mereció atención. Si alguna vez lo lavaron con creolina y quemaron las lágrimas de mirra en su interior, no fue por hacerle honor al ángel, sino por conjurar la pestilencia de muladar que ya andaba como un fantasma por todas partes y estaba volviendo vieja la casa nueva. Al principio, cuando el niño aprendió a caminar, se cuidaron de que no estuviera muy cerca del gallinero. Pero luego se fueron olvidando del temor y acostumbrándose a la peste, y antes de que el niño mudara los dientes se había metido a jugar dentro del gallinero, cuyas alambradas podridas se caían a pedazos. El ángel no fue menos displicente con él que con el resto de los mortales, pero soportaba las infamias más ingeniosas con una mansedumbre de perro sin ilusiones. Ambos contrajeron la varicela al mismo tiempo. El médico que atendió al niño no resistió a la tentación de auscultar al ángel, y le encontró tantos soplos en el corazón y tantos ruidos en los riñones, que no le pareció posible que estuviera vivo. Lo que más le asombró, sin embargo, fue la lógica de sus alas. Resultaban tan naturales en aquel organismo completamente humano, que no podía entenderse por qué no las tenían también los otros hombres.

Cuando el niño fue a la escuela, hacía mucho tiempo que el sol y la lluvia habían desbaratado el gallinero. El ángel andaba arrastrándose por acá y por allá como un moribundo sin dueño. Lo sacaban a escobazos de un dormitorio y un momento después lo encontraban en la cocina. Parecía estar en tantos lugares al mismo tiempo, que llegaron a pensar que se desdoblaba, que se repetía a sí mismo por toda la casa, y la exasperada Elisenda gritaba fuera de quicio que era una desgracia vivir en aquel infierno lleno de ángeles. Apenas si podía comer, sus ojos de anticuario se le habían vuelto tan turbios que andaba tropezando con los horcones, y ya no le quedaban sino las cánulas peladas de las últimas plumas. Pelayo le echó encima una manta y le hizo la caridad de dejarlo dormir en el cobertizo, y sólo entonces advirtieron que pasaba la noche con calenturas delirando en trabalenguas de noruego viejo. Fue ésa una de las pocas veces en que se alarmaron, porque pensaban que se iba a morir, y ni siquiera la vecina sabia había podido decirles qué se hacía con los ángeles muertos.

Sin embargo, no sólo sobrevivió a su peor invierno, sino que pareció mejor con los primeros soles. Se quedó inmóvil muchos días en el rincón más apartado del patio, donde nadie lo viera, y a principios de diciembre empezaron a nacerle en las alas unas plumas grandes y duras, plumas de pajarraco viejo, que más bien parecían un nuevo percance de la decrepitud. Pero él debía conocer la razón de esos cambios, porque se cuidaba muy bien de que nadie los notara, y de que nadie oyera las canciones de navegantes que a veces cantaba bajo las estrellas. Una mañana, Elisenda estaba cortando rebanadas de cebolla para el almuerzo, cuando un viento que parecía de alta mar se metió en la cocina. Entonces se asomó por la ventana, y sorprendió al ángel en las primeras tentativas del vuelo. Eran tan torpes, que abrió con las uñas un surco de arado en las hortalizas y estuvo a punto de desbaratar el cobertizo con aquellos aletazos indignos que resbalaban en la luz y no encontraban asidero en el aire. Pero logró ganar altura. Elisenda exhaló un suspiro de descanso, por ella y por él, cuando lo vio pasar por encima de las últimas casas sustentándose de cualquier modo con un azaroso aleteo de buitre senil. Siguió viéndolo hasta cuando ya no era posible que lo pudiera ver, porque entonces ya no era un estorbo en su vida, sino un punto imaginario en el horizonte del mar.

Carlos Fuentes

(Ciudad de Panamá, 1928-Ciudad de México, 2012) El mundo narrativo de este escritor mexicano ama la desmesura, las fantasmagorías, la monstruosidad; arte de lo grotesco y lo abigarrado, nos recuerda los monumentos aztecas, la pintura manierista, las fantasías goyescas, las feroces telas de Antonio Saura. Ese mundo convulso y contorsionado, donde todo parece querer ocupar un lugar y significar algo, es el resultado estético de la virtud intelectual más característica del autor: su pasión. Una pasión múltiple, pues absorbe (sin saciarse) el exuberante poder del lenguaje, el drama de la historia, la fascinación por la cultura universal, el urgente llamado de la política. Esas distintas facetas lo acercan a varios escritores hispanoamericanos –Carpentier, Cortázar, García Márquez *(véanse),* entre otros–, pero el sello personal de Fuentes, en medio de las metamorfosis y constantes zigzagueos de su proceso creador, es inconfundible. Su activa presencia en el escenario internacional –como periodista, como difusor de ideas nuevas, como interlocutor o intérprete de lo que pasa en todas partes–, así como el elemento provocador que con frecuencia acompaña lo que escribe, contribuye a la indudable fascinación que produce su obra.

Esa obra es vastísima y cubre varios géneros: novela, *nouvelle,* cuento, teatro, ensayo, crítica... Su vida no es menos rica e intensa. Hijo de un diplomático mexicano de carrera (lo que explica su nacimiento en Panamá), estuvo expuesto desde temprano a diversos ambientes, culturas, lenguas y experiencias. (De hecho es, junto con Cabrera Infante, uno de los pocos escritores hispanoamericanos con obra escrita originalmente en español e inglés.) Numerosos premios (el Cervantes en 1987 y el Menéndez y Pelayo en 1992 son dos de ellos), incontables viajes y varios cargos internacionales (el más importante de los cuales fue el de embajador en París entre 1972 y 1976) han marcado una vida siempre activa y visible en toda clase de foros, en los que ha mostrado ser además un polemista ardoroso y un expositor convincente.

Es imposible resumir los diferentes ambientes, personajes, tonos y texturas que presentan esos géneros en las manos del autor, que parece haber hecho una costumbre suya la de exceder constantemente sus propios límites. Pero, como señaló Octavio Paz hace más de cuarenta años, su narrativa está recorrida por el eje «invención verbal y crítica del lenguaje». Hoy, esa afirmación debe modificarse y ampliarse: crítica de *los lenguajes* (el del mito, el de la novela, el del hombre contemporáneo, el de las utopías privadas y colectivas); y presencia de otro eje: la cuestión del ser mexicano en el mundo y del mundo en la conciencia del mexicano. La novela (que es el centro de su mundo imaginario) ha sido un formidable vehículo para interrogar, para descifrar ese enigma. Signos y claves, feroces máscaras y terribles rostros, origen y destino, dioses y hombres, caudillos y mártires anónimos, brujas y madres: sus ficciones suelen ser el descubrimiento de una oscura paradoja en toda aventura humana, encerrada en la suprema dualidad de vida y muerte. El mecanismo narrativo mediante el cual el autor las hace aparecer es, por eso, una composición en la que proliferan duplicaciones, transfiguraciones y superposiciones interminables; su efecto es el de una fastuosa cobertura o veladura, bajo cuyos densos repliegues debemos hallar una indeseable o entrañable verdad. Lector y espectador voraz, las técnicas de Fuentes se inspiran en todos los modelos posibles: literarios, plásticos, cinematográficos, teóricos, filosóficos, etc. Pero también lo atraen las formas del *kitsch* y la cultura popular (el melodrama o el *thriller,* como puede verse en *La cabeza de la hidra),* que contienen ese elemento grotesco y truculento que ejerce una especial fascinación sobre él. A veces, su esfuerzo no logra el resultado que persigue (por ser demasiado consciente o demasiado ambicioso), pero tal vez eso se deba a que Fuentes encara cada libro como un desafiante salto desde alturas siempre más elevadas: nunca peca por defecto, sino por exceso.

En cierto momento el autor decidió ordenar su propio proyecto narrativo bajo el título general de «La edad del tiempo», del que avanzá un buen trecho. En realidad, estuvo escribiendo prácticamente hasta el día de su muerte; la última novela que publicó en vida se titula *Federico en su balcón* y la primera que aparece póstumamente es *Aquiles o El guerrillero y el asesino,* sobre el crimer de un revolucionario colombiano mientras volaba en un avión. En ese conjunto hay varias cimas: *La muerte de Artemio Cruz,* disección de la vida de un líder en el marco de una sociedad ilusionada y frustrada por la promesa revolucionaria (cuyo modelo recuerda tanto al *Citizen Kane* de Orson Welles); la proteica *Cambio de piel,* en la que unos personajes generan a otros y se encarnizan con ellos, en un rito sangriento que concilia la ferocidad de los sacrificios aztecas y los campos de concentración nazis; *Terra nostra,* tal vez su construcción más atrevida y perfecta, pues más que una novela es una cadena de novelas que se imbrican unas en otras mediante narraciones por relevos, mitos que desembocan en realidades y un reparto de personajes propios, ajenos y reinventados, como la Celestina o el mismo Cervantes; *Cristóbal Nonato,* la macabra proyección futurística que prevé para México una catástrofe colectiva que llega disimulada entre anuncios de fecundidad y burlescas parodias de la perdida Arcadia nacional. Entre muchos otros premios importantes que el autor ha recibido deben citarse el Rómulo Gallegos (1977), el Cervantes (1987), el Príncipe de Asturias (1994), el Don Quijote de la Mancha (2008) y el Formentor de las letras (2011).

Entre los libros de cuentos que Fuentes ha publicado tenemos: *Los días enmascarados, Cantar de ciegos, Agua quemada* y *Constancia.* «La muñeca reina» pertenece al segundo y narra una historia de erotismo infantil que por su tono confesional parece sacada de una página de memorias; el narrador en primera persona se llama Carlos y nos dice que recuerda a la bullente Amilamia «detenida para siempre, como en un álbum». La evocación inicial nos permite además ingresar al mundo de una imaginación en ciernes, ya estimulada por los libros; es decir, a la vez una educación sentimental y una educación intelectual, lo cual explicará el incontenible fantaseo al que asistiremos. El notorio cambio de atmósfera que se produce en la segunda sección nos despista: estamos ahora en el presente y el narrador se convierte en un investigador del paradero de la niña. Su burda estratagema fracasa y desemboca en una escena que no esperamos: una opresiva y delirante escenografía que quiere conservar viva su memoria y negar el tiempo. Pero la ceremonia funeral es otro engaño que el lector sólo descubre, confundido, en las líneas finales: el «invernadero» que eterniza a Amilamia es una trampa, un artificio que usurpa el lugar de una verdad todavía más sórdida. El ritmo urgente e *in crescendo* de las imágenes va formando largas series asociativas que tienen la exaltación del pensamiento deslumbrado por un acontecimiento inexplicable; eso contribuye a crear el clima fantasmagórico de la conclusión, donde lo real parece tan vago y dudoso como el recuerdo. La analogía mujer-muñeca es una variante del tema del doble, tan frecuente en el autor, y que tiene una larga tradición en la narración sobrenatural; pero quizá un antecedente más cercano sea una escena de *Ensayo de un crimen* (1955), el filme de Buñuel inspirado en una novela de Rodolfo Usigli: en vez de matar a una mujer real, el protagonista quema un maniquí que tiene sus rasgos. El cuento parece una inversión barroquizante de esta idea.

Obra narrativa

Los días enmascarados, México: Los Presentes, 1954; *La región más transparente,* México: Fondo de Cultura Económica, 1959; ed. de Georgina García Gutierrez, Madrid: Ediciones Cátedra, 2006; *Aura,* México: Era, 1962; *La muerte de Artemio Cruz,* México: Fondo de Cultura Económica, 1962; pról. Jean-Paul Borel, bibliog. y cronol. Wilfrido H. Corral, Caracas: Biblioteca Ayacucho, 1992; ed. de José Carlos González Boixo, Madrid: Ediciones Cátedra, 2005; *Cantar de ciegos,* México: Joaquín Mortiz, 1964; *Cambio de piel,* México: Joaquín Mortiz, 1967; *Zona sagrada,* México: Siglo XXI, 1967; *Cumpleaños,* México: Joaquín Mortiz, 1969; *Cuerpos y ofrendas* [antología de relatos], pról. Octavio Paz, Madrid: Alianza Editorial, 1972; *Obras completas,* 3 vols., pról. Fernando Benítez, diversos estudios y documentos, México: Aguilar, 1974; *Terra nostra,* México: Joaquín Mortiz, 1975; *La cabeza de la hidra,* Barcelona: Seix Barral, 1978; *Una familia lejana,* México: Era, 1980; *Agua quemada,* México: Fondo de Cultura Económica, 1981; *Gringo viejo,* México: Fondo de Cultura Económica, 1985; *Obras completas. 1. Novelas; 2. Cuentos y novelas cortas,* México: Aguilar, 1985-1986; *Cristóbal Nonato,* México: Fondo de Cultura Económica, 1987; *Constancia,* Madrid: Mondadori, 1989; *La campaña,* Madrid: Mondadori, 1990; *El naranjo,* México; Alfaguara, 1994; *La fuente de cristal,* Madrid: Alfaguara, 1995; *Los años de Laura Díaz,* Madrid: Alfaguara, 1999; *Instinto de Inez,* México, Alfaguara, 2001; *La silla del águila,* Madrid: Alfaguara, 2003; *Todas las familias felices,* México: Alfaguara, 2006; *La voluntad y la fortuna,* México: Alfaguara, 2008; *Adán en Edén,* México: Alfaguara, 2009; *Carolina Grau,* Alfaguara, México, 2010; *Federico en su balcón,* Madrid: Alfaguara, 2012; *Aquiles o El guerrillero y el asesino,* México: Alfaguara/ FCE, 2016.

Crítica

Anthropos, número especial, 91 (1988); Befumo Boschi, Liliana, *Nostalgia del futuro en la obra de C. F.,* Buenos Aires: García Cambeiro, 1974; Boldy, Steven, *The narrative of C. F., family, text, nation,* Durham, Eng: University of Durham, 2002; Brody, Robert, y Charles, Rossman, eds., *C. F. A Critical View,* Austin: University of Texas Press, 1982; Carballo, Emmanuel*, «C. F.», 534-76; *C. F. Premio de Literatura en lengua castellana «Miguel de Cervantes» 1987,* Barcelona-Madrid: Anthropos-Ministerio de Cultura, 1988;

C. F., World Literature Today, número especial, Norman, Oklahoma, 57: 4 (1983); Durán, Gloria, *La magia y las brujas en la obra de C. F.,* México: UNAM, 1976; Durán, Manuel, *Tríptico...*,* 51-133; Faris, Wendy B., *C. F.,* Nueva York: Ungar, 1983; Fell, Claude, Escalante J., Volpi (eds), *C. F.,* París: Herne, 2006; Fuentes, Carlos, García-Gutiérrez (eds), *La región más transparente en el siglo XXI; homenaje a C. F. y su obra,* México D. F.: Universidad Nacional Autónoma de México, 2012; García Gutiérrez, Georgina, *Los disfraces: la obra mestiza de C. F.,* México: El Colegio de México, 1981; reed., El Colegio de México, 2000; Giacoman, Helmy F., ed., *Homenaje a C. F.,* Madrid-Long Island City, Nueva York: Las Américas, 1971; Guzmán, Daniel de, *C. F.,* Nueva York: Twayne, 1972; Gyurko, Lanin A., «C. F.», en Carlos A. Solé, ed.*, vol. 3, 1353-75; *Lifting the Obsidian Mask: The Artistic Vision of C. F.,* Potoma, Maryland: Scripta Humanistica, 2007; Ibsen, Kristine, *Autor, text and reader in the novels of C. F.,* Nueva York: Peter Lang, 1993; Loveluck, Juan, e Isaac Levy, eds., *Simposio C. F. Actas, University of South Carolina Hispanic Studies,* 2 (1980); Ortega, Julio, *Imagen de C. F.,* México D. F.: Jorale editores, 2008; Reeve, Richard, «Los cuentos de C. F.: de la fantasía al surrealismo», en Enrique Pupo-Walker, ed.*, 249-63; Sancedo Plata, Alejandra, *C. F., cinco vías para una nueva interpretación,* Xalapa, Ver., México: Universidad Veracruzana, 2012; Williams, Raymond L., *The writings of C. F.,* Austin; University of Texas Press, 1996.

La muñeca reina

1

Vine porque aquella tarjeta, tan curiosa, me hizo recordar
su existencia. La encontré en un libro olvidado cuyas páginas habían reproducido un espectro de la caligrafía infantil.
Estaba acomodando, después de mucho tiempo de no hacerlo, mis libros. Iba de sorpresa en sorpresa, pues algunos,
colocados en las estanterías más altas, no fueron leídos durante mucho tiempo. Tanto, que el filo de las hojas se había
granulado, de manera que sobre mis palmas abiertas cayó
una mezcla de polvo de oro y escama grisácea, evocadora
del barniz que cubre ciertos cuerpos entrevistos primero en
los sueños y después en la decepcionante realidad de la primera función de ballet a la que somos conducidos. Era un
libro de mi infancia —acaso de la de muchos niños— y relata-
ba una serie de historias ejemplares más o menos truculen-

tas que poseían la virtud de arrojarnos sobre las rodillas de nuestros mayores para preguntarles, una y otra vez, ¿por qué? Los hijos que son desagradecidos con sus padres, las mozas que son raptadas por caballerangos y regresan avergonzadas a la casa, así como las que de buen grado abandonan el hogar, los viejos que a cambio de una hipoteca vencida exigen la mano de la muchacha más dulce y adolorida de la familia amenazada, ¿por qué? No recuerdo las respuestas. Sólo sé que de entre las páginas manchadas cayó, revoloteando, una tarjeta blanca con la letra atroz de Amilamia: *Amilamia no olbida a su amigito y me buscas aquí como te lo divujo.*

Y detrás estaba ese plano de un sendero que partía de la X que debía indicar, sin duda, la banca del parque donde yo, adolescente rebelde a la educación prescrita y tediosa, me olvidaba de los horarios de clase y pasaba varias horas leyendo libros que, si no fueron escritos por mí, me lo parecían: ¿cómo iba a dudar que sólo de mi imaginación podían surgir todos esos corsarios, todos esos correos del zar, todos esos muchachos, un poco más jóvenes que yo, que bogaban el día entero sobre una barcaza a lo largo de los grandes ríos americanos? Prendido al brazo de la banca como a un arzón milagroso, al principio no escuché los pasos ligeros que, después de correr sobre la grava del jardín, se detenían a mis espaldas. Era Amilamia y no supe cuánto tiempo me habría acompañado en silencio si su espíritu travieso, cierta tarde, no hubiese optado por hacerme cosquillas en la oreja con los vilanos de un amargón que la niña soplaba hacia mí con los labios hinchados y el ceño fruncido.

Preguntó mi nombre y, después de considerarlo con el rostro muy serio, me dijo el suyo con una sonrisa, si no cándida, tampoco demasiado ensayada. Pronto me di cuenta que Amilamia había encontrado, por así decirlo, un punto intermedio de expresión entre la ingenuidad de sus años y las formas de mímica adulta que los niños bien educados deben conocer, sobre todo para los momentos solemnes de la presentación y la despedida. La gravedad de Amilamia, más bien, era un don de su naturaleza, al grado de que sus momentos de espontaneidad, en contraste, parecían aprendidos. Quiero recordarla, una tarde y otra, en una sucesión de imágenes fijas que acaban por sumar a Amilamia entera. Y no deja de sorprenderme que no pueda pensar en ella como realmente fue, o como en verdad se movía, ligera, interrogante, mirando de un lado a otro sin cesar. Debo recordarla detenida para siempre, como en un álbum. Amilamia a lo lejos, un punto en el lugar donde la loma caía, desde un lago de tréboles, hacia el prado llano donde yo leía sentado sobre la banca: un punto de sombra y sol fluyentes y una mano que me saludaba desde allá arriba. Amilamia, detenida en su carrera loma abajo, con la falda blanca esponjada y los calzones de florecillas apretados con ligas alrededor de los muslos, con la boca abierta y los ojos entrecerrados, porque la carrera agitaba el aire y la niña lloraba de gusto. Amilamia sentada bajo los eucaliptos, fingiendo un llanto para que yo me acercara a ella. Amilamia boca abajo con una flor entre las manos: los pétalos de un amento que, descubrí más tarde, no crecía en este jardín, sino en otra parte, quizás en el jardín de la casa de Amilamia, pues la única bolsa de su delantal de cuadros azules venía a menudo llena de esas flores blancas. Amilamia viéndome leer, detenida con ambas manos a los barrotes de la banca verde, inquiriendo con los ojos grises: recuerdo que nunca me preguntó qué cosa leía, como si pudiese adivinar en mis ojos las imágenes nacidas de las páginas. Amilamia riendo con placer cuando yo la levantaba del talle y la hacía girar sobre mi cabeza y ella parecía descubrir otra perspectiva del mundo en ese vuelo lento. Amilamia dándome la espalda y despidiéndose con el brazo en alto y los dedos alborotados. Y Amilamia en las mil posturas que adoptaba alrededor de mi banca: colgada de cabeza, con las piernas al aire y los calzones abombados; sentada sobre la grava, con las piernas cruzadas y la barbilla apoyada en el mentón; recostada sobre el pasto, exhibiendo el ombligo al sol; tejiendo ramas de los árboles, dibujando animales en el lodo con una vara, lamiendo los barrotes de la banca, escondida bajo el asiento, quebrando sin hablar las cortezas sueltas de los troncos añosos, mirando fijamente el horizonte más allá de la colina, canturreando con los ojos cerrados, imitando las voces de pájaros, perros, gatos, gallinas, caballos. Todo para mí, y sin embargo, nada. Era su manera de estar conmigo, todo esto que recuerdo, pero también su manera de estar a solas en el parque. Sí; quizás la recuerdo fragmentariamente porque mi lectura alternaba con la contemplación de la niña mofletuda, de cabello liso y cambiante con los reflejos de la luz: ora pajizo, ora de un castaño quemado. Y sólo hoy pienso que Amilamia, en ese momento, establecía el otro punto de apoyo para mi vida, el que creaba la tensión entre mi propia infancia irresuelta y el mundo abierto, la tierra prometida que empezaba a ser mía en la lectura.

Entonces no. Entonces soñaba con las mujeres de mis libros, con las hembras –la palabra que trastornaba– que asumían el disfraz de la Reina para comprar el collar en secreto, con las invenciones mitológicas –mitad seres reconocibles, mitad salamandras de pechos blancos y vientres húmedos– que esperaban a los monarcas en sus lechos. Y así, imperceptiblemente, pasé de la indiferencia hacia mi compañía infantil a una aceptación de la gracia y gravedad de la niña, y de allí a un rechazo impensado de esa presencia inútil. Acabó por irritarme, a mí que ya tenía catorce años, esa niña de siete que no era, aún, la memoria y su nostalgia, sino el pasado y su actualidad. Me había dejado arrastrar por una flaqueza. Juntos habíamos corrido, tomados de la mano, por el prado. Juntos habíamos sacudido los pinos y recogido las piñas que Amilamia guardaba con celo en la bolsa del delantal. Juntos habíamos fabricado barcos de papel para seguirlos, alborozados, al borde de la acequia. Y esa tarde, cuando juntos rodamos por la colina, en medio de gritos de alegría, y al pie de ella caímos juntos. Amilamia sobre mi pecho, yo con el cabello de la niña en mis labios, y sentí su jadeo en mi oreja y sus bracitos pegajosos de dulce alrededor de mi cuello, le retiré con enojo los brazos y la dejé caer. Amilamia lloró, acariciándose la rodilla y el codo heridos, y yo regresé a mi banca. Luego Amilamia se fue y al día siguiente regresó, me entregó el papel sin decir palabra y se perdió, canturreando, en el bosque. Dudé entre rasgar la tarjeta o guardarla en las páginas del libro. *Las tardes de la granja.* Hasta mis lecturas se estaban infantilizando al lado de Amilamia. Ella no regresó al parque. Yo, a los pocos días, salí de vacaciones y después regresé a los deberes del primer año de bachillerato. Nunca la volví a ver.

2

Y ahora, casi rechazando la imagen, que es desacostumbrada sin ser fantástica y por ser real es más dolorosa, regreso a ese parque olvidado y, detenido ante la alameda de pinos y eucaliptos, me doy cuenta de la pequeñez del recinto boscoso, que mi recuerdo se ha empeñado en dibujar con una amplitud que pudiera dar cabida al oleaje de la imaginación. Pues aquí habían nacido, hablado y muerto Strogoff y Huckleberry, Milady de Winter y Genoveva de Brabante: en un pequeño jardín rodeado de rejas mohosas, plantado de escasos árboles viejos y descuidados, adornado apenas con una banca de cemento que imita la madera y que me obliga a pensar que mi hermosa banca de hierro forjado, pintada de verde, nunca existió o era parte de mi ordenado delirio retrospectivo. Y la colina... ¿Cómo pude creer que era eso, el promontorio que Amilamia bajaba y subía durante sus diarios paseos, la ladera empinada por donde rodábamos juntos? Apenas una elevación de zacate pardo sin más relieve que el que mi memoria se empeñaba en darle.

Me buscas aquí como te lo divujo. Entonces habría que cruzar el jardín, dejar atrás el bosque, descender en tres zancadas la elevación, atravesar ese breve campo de avellanos –era aquí, seguramente, donde la niña recogía los pétalos blancos–, abrir la reja rechinante del parque y súbitamente recordar, saber, encontrarse en la calle, darse cuenta de que todas aquellas tardes de la adolescencia, como por milagro, habían logrado suspender los latidos de la ciudad circundante, anular esa marea de pitazos, campanadas, voces, llantos, motores, radios, imprecaciones: ¿cuál era el verdadero imán: el jardín silencioso o la ciudad febril? Espero el cambio de luces y paso a la otra acera sin dejar de mirar el iris rojo que detiene el tránsito. Consulto el papelito de Amilamia. Al fin y al cabo, ese plano rudimentario es el verdadero imán del momento que vivo, y sólo pensarlo me sobresalta. Mi vida, después de las tardes perdidas de los catorce años, se vio obligada a tomar los cauces de la disciplina y ahora, a los veintinueve, debidamente diploma-

do, dueño de un despacho, asegurado de un ingreso módi-
co, soltero aún, sin familia que mantener, ligeramente abu-
rrido de acostarme con secretarias, apenas excitado por
alguna salida eventual al campo o a la playa, carecía de una
atracción central como las que antes me ofrecieron mis libros, mi parque y Amilamia. Recorro la calle de este subur-
bio chato y gris. Las casas de un piso se suceden monótonamente, con sus largas ventanas enrejadas y sus portones de
pintura descascarada. Apenas el rumor de ciertos oficios
rompe la uniformidad del conjunto. El chirreo de un afila-
dor aquí, el martilleo de un zapatero allá. En las cerradas
laterales, juegan los niños del barrio. La música de un orga-
nillo llega a mis oídos, mezclada con las voces de las rondas.
Me detengo un instante a verlos, con la sensación, también
fugaz, de que entre esos grupos de niños estaría Amilamia,
mostrando impúdicamente sus calzones floreados, colgada
de las piernas desde un balcón, afecta siempre a sus extra-
vagancias acrobáticas, con la bolsa del delantal llena de pétalos blancos. Sonrío y por vez primera quiero imaginar a la
señorita de veintidós años que, si aún vive en la dirección
apuntada, se reirá de mis recuerdos o acaso habrá olvidado
las tardes pasadas en el jardín.

La casa es idéntica a las demás. El portón, dos ventanas
enrejadas, con los batientes cerrados. Un solo piso corona-
do por un falso barandal neoclásico que debe ocultar los
menesteres de la azotea: la ropa tendida, los tinacos de
agua, el cuarto de criados, el corral. Antes de tocar el timbre, quiero desprenderme de cualquier ilusión. Amilamia
ya no vive aquí. ¿Por qué iba a permanecer quince años en
la misma casa? Además, pese a su independencia y soledad
prematuras, parecía una niña bien educada, bien arreglada,
y este barrio ya no es elegante; los padres de Amilamia, sin

duda, se han mudado. Pero quizás los nuevos inquilinos saben adónde.

Aprieto el timbre y espero. Vuelvo a tocar. Ésa es otra contingencia: que nadie esté en casa. Y yo, ¿sentiré otra vez la necesidad de buscar a mi amiguita? No, porque ya no será posible abrir un libro de la adolescencia y encontrar, al azar, la tarjeta de Amilamia. Regresaría a la rutina, olvidaría el momento que sólo importaba por su sorpresa fugaz.

Vuelvo a tocar. Acerco la oreja al portón y me siento sorprendido. Una respiración ronca y entrecortada se deja escuchar del otro lado; el soplido trabajoso, acompañado por un olor desagradable a tabaco rancio, se filtra por los tablones resquebrajados del zaguán.

–Buenas tardes. ¿Podría decirme...?

Al escuchar mi voz, la persona se retira con pasos pesados e inseguros. Aprieto de nuevo el timbre, esta vez gritando:

–¡Oiga! ¡Ábrame! ¿Qué le pasa? ¿No me oye?

No obtengo respuesta. Continúo tocando el timbre sin resultados. Me retiro del portón, sin alejar la mirada de las mínimas rendijas, como si la distancia pudiese darme perspectiva e incluso penetración. Con toda la atención fija en esa puerta condenada, atravieso la calle caminando hacia atrás; un grito agudo me salva a tiempo, seguido de un pitazo prolongado y feroz, mientras yo, aturdido, busco a la persona cuya voz acaba de salvarme, sólo veo el automóvil que se aleja por la calle y me abrazo a un poste de luz, a un asidero que, más que seguridad, me ofrece un punto de apoyo para el paso súbito de la sangre helada a la piel ardiente, sudorosa. Miro hacia la casa que fue, era, debía ser la de Amilamia. Allá, detrás de la balaustrada, como lo sabía, se agita la ropa tendida. No sé qué es lo demás: camisones, pijamas, blusas, no sé; yo veo ese pequeño delantal de cuadros azules, tieso, prendido con pinzas al largo cordel que se mece entre una barra de fierro y un clavo del muro blanco de la azotea.

3

En el Registro de la Propiedad me han dicho que ese terreno está a nombre de un señor R. Valdivia, que alquila la casa. ¿A quién? Eso no lo saben. ¿Quién es Valdivia? Ha declarado ser comerciante. ¿Dónde vive? ¿Quién es usted?, me ha preguntado la señorita con una curiosidad altanera. No he sabido presentarme calmado y seguro. El sueño no me alivió de la fatiga nerviosa. Valdivia. Salgo del Registro y el sol me ofende. Asocio la repugnancia que me provoca el sol brumoso y tamizado por las nubes bajas –y por ello más intenso– con el deseo de regresar al parque sombreado y húmedo. No, no es más que el deseo de saber si Amilamia vive en esa casa y por qué se me niega la entrada. Pero lo que debo rechazar, cuanto antes, es la idea absurda que no me permitió cerrar los ojos durante la noche. Haber visto el delantal secándose en la azotea, el mismo en cuya bolsa guardaba las flores, y creer por ello que en esa casa vivía una niña de siete años que yo había conocido catorce o quince antes... Tendría una hijita. Sí, Amilamia, a los veintidós años, era madre de una niña que quizás se vestía igual, se parecía a ella, repetía los mismos juegos, ¿quién sabe?, iba al mismo parque. Y cavilando llego de nuevo hasta el portón de la casa. Toco el timbre y espero el resuello agudo del otro lado de la puerta. Me he equivocado. Abre la puerta una mujer que no tendrá más de cincuenta años. Pero envuelta en un chal, vestida de negro y con zapatos de tacón bajo, sin maquillaje, con el pelo estirado hasta la nuca, entrecano, parece haber abandonado toda ilusión o pretexto de juventud y me observa con ojos casi crueles de tan indiferentes.

–¿Deseaba?

–Me envía el señor Valdivia. –Toso y me paso una mano por el pelo. Debí recoger mi cartapacio en la oficina. Me doy cuenta de que sin él no interpretaré bien mi papel.

–¿Valdivia? –La mujer me interroga sin alarma; sin interés.

–Sí. El dueño de la casa.

Una cosa es clara: la mujer no delatará nada en el rostro. Me mira impávida.

–Ah sí. El dueño de la casa.

–¿Me permite?...

Creo que en las malas comedias el agente viajero adelanta un pie para impedir que le cierren la puerta en las narices. Yo lo hago, pero la señora se aparta y con un gesto de la mano me invita a pasar a lo que debió ser una cochera. Al lado hay una puerta de cristal y madera despintada. Camino hacia ella, sobre los azulejos amarillos del patio de entrada, y vuelvo a preguntar, dando la cara a la señora que me sigue con paso menudo:

–¿Por aquí?

La señora asiente y por primera vez observo que entre sus manos blancas lleva una camándula con la que juguetea sin cesar. No he vuelto a ver esos viejos rosarios desde mi infancia y quiero comentarlo, pero la manera brusca y decidida con que la señora abre la puerta me impide la conversación gratuita. Entramos a un aposento largo y estrecho. La señora se apresura a abrir los batientes, pero la estancia sigue ensombrecida por cuatro plantas perennes que crecen en los macetones de porcelana y vidrio incrustado. Sólo hay en la sala un viejo sofá de alto respaldo enrejado de bejuco y una mecedora. Pero no son los escasos muebles o las plantas lo que llama mi atención. La señora me invita a tomar asiento en el sofá antes de que ella lo haga en la mecedora.

A mi lado, sobre el bejuco, hay una revista abierta.

—El señor Valdivia se excusa de no haber venido personalmente.

La señora se mece sin pestañear. Miro de reojo esa revista de cartones cómicos.

—La manda saludar y...

Me detengo, esperando una reacción de la mujer. Ella continúa meciéndose. La revista está garabateada con un lápiz rojo.

—... y me pide informarle que piensa molestarla durante unos cuantos días...

Mis ojos buscan rápidamente.

—... Debe hacerse un nuevo avalúo de la casa para el catastro. Parece que no se hace desde... ¿Ustedes llevan viviendo aquí...?

Sí; ese lápiz labial romo está tirado debajo del asiento. Y si la señora sonríe lo hace con las manos lentas que acarician la camándula: allí siento, por un instante, una burla veloz que no alcanza a turbar sus facciones. Tampoco esta vez me contesta.

—... ¿por lo menos quince años, no es cierto?...

No afirma. No niega. Y en sus labios pálidos y delgados no hay la menor señal de pintura...

—... ¿usted, su marido y...?

Me mira fijamente, sin variar de expresión, casi retándome a que continúe. Permanecemos un instante en silencio, ella jugueteando con el rosario, yo inclinado hacia adelante, con las manos sobre las rodillas. Me levanto.

–Entonces, regresaré esta misma tarde con mis papeles...

La señora asiente mientras, en silencio, recoge el lápiz labial, toma la revista de caricaturas y los esconde entre los pliegues del chal.

4

La escena no ha cambiado. Esta tarde, mientras yo apunto cifras imaginarias en un cuaderno y finjo interés en establecer la calidad de las tablas opacas del piso y la extensión de la estancia, la señora se mece y roza con las yemas de los dedos los tres dieces del rosario. Suspiro al terminar el supuesto inventario de la sala y le pido que pasemos a otros lugares de la casa. La señora se incorpora, apoyando los brazos largos y negros sobre el asiento de la mecedora y ajustándose el chal a las espaldas estrechas y huesudas.

Abre la puerta de vidrio opaco y entramos a un comedor apenas más amueblado. Pero la mesa con patas de tubo, acompañada de cuatro sillas de níquel y hulespuma, ni siquiera poseen el barrunto de distinción de los muebles de la sala. La otra ventana enrejada, con los batientes cerrados, debe iluminar en ciertos momentos este comedor de paredes desnudas, sin cómodas ni repisas. Sobre la mesa sólo hay un frutero de plástico con un racimo de uvas negras, dos melocotones y una corona zumbante de moscas. La señora, con los brazos cruzados y el rostro inexpresivo, se detiene detrás de mí. Me atrevo a romper el orden: es evidente que las estancias comunes de la casa nada me dirán sobre lo que deseo saber.

–¿No podríamos subir a la azotea? –pregunto–. Creo que es la mejor manera de cubrir la superficie total.

La señora me mira con un destello fino y contrastado, quizás, con la penumbra del comedor.

–¿Para qué? –dice, por fin–. La extensión la sabe bien el señor... Valdivia...

Y esas pausas, una antes y otra después del nombre del propietario, son los primeros indicios de que algo, al cabo, turba a la señora y la obliga, en defensa, a recurrir a cierta ironía.

–No sé –hago un esfuerzo por sonreír–. Quizás prefiero ir de arriba hacia abajo y no... –mi falsa sonrisa se va derritiendo–... de abajo hacia arriba.

–Usted seguirá mis indicaciones –dice la señora con los brazos cruzados sobre el regazo y la cruz de plata sobre el vientre oscuro.

Antes de sonreír débilmente, me obligo a pensar que en la penumbra mis gestos son inútiles, ni siquiera simbólicos. Abro con un crujido de la pasta el cuaderno y sigo anotando con la mayor velocidad posible, sin apartar la mirada, los números y apreciaciones de esta tarea cuya ficción –me lo dice el ligero rubor de las mejillas, la definida sequedad de la lengua– no engaña a nadie. Y al llenar la página cuadriculada de signos absurdos, de raíces cuadradas y fórmulas algebraicas, me pregunto qué cosa me impide ir al grano, preguntar por Amilamia y salir de aquí con una respuesta satisfactoria. Nada. Y sin embargo, tengo la certeza de que por ese mismo camino, si bien obtendría una respuesta, no sabría la verdad. Mi delgada y silenciosa acompañante tiene una silueta que en la calle no me detendría a contemplar, pero que en esta casa de mobiliario ramplón y habitantes ausentes deja de ser un rostro anónimo de la ciudad para convertirse en un lugar común del misterio. Tal es la paradoja, y si las memorias de Amilamia han despertado otra vez mi apetito de imaginación, seguiré las reglas del juego, agotaré las apariencias y no reposaré hasta encontrar la respuesta –quizá simple y clara, inmediata y evidente– a través de los inesperados velos que la señora del rosario tiende en mi camino. ¿Le otorgo a mi anfitriona renuente una extrañeza gratuita? Si es así, sólo gozaré más en los laberintos de mi invención. Y las moscas zumban alrededor del frutero, pero se posan sobre ese punto herido del melocotón, ese trozo mordisqueado –me acerco con el pretexto de mis notas– por unos dientecillos que han dejado su huella en la piel aterciopelada a la carne ocre de la fruta. No miro hacia donde está la señora. Finjo que sigo anotando. La fruta parece mordida, pero no tocada. Me agacho para verla mejor, apoyo las manos sobre la mesa, adelanto los labios como si quisiera repetir el acto de morder sin tocar. Bajo los ojos y veo otra huella cerca de mis pies: la de dos llantas que me parecen de bicicleta, dos tiras de goma impresas sobre el piso de madera despintada que llegan hasta el filo de la mesa y luego se retiran, cada vez más débiles, a lo largo del piso, hacia donde está la señora...

Cierro mi libro de notas.

–Continuemos, señora.

Al darle la cara, la encuentro de pie con las manos sobre el respaldo de una silla. Delante de ella, sentado, tose el humo de su cigarrillo negro un hombre de espaldas cargadas y mirar invisible: los ojos están escondidos por esos párpados arrugados, hinchados, gruesos y colgantes similares a un cuello de tortuga vieja, que no obstante parecen seguir mis movimientos. Las mejillas mal afeitadas, hendidas por mil surcos grises, cuelgan de los pómulos salientes y las manos verdosas están escondidas entre las axilas: viste una camisa burda, azul, y su pelo revuelto semeja, por lo rizado, un fondo de barco cubierto de caramujos. No se mueve y el signo real de su existencia es ese jadeo difícil (como si la respiración debiera vencer los obstáculos de una y otra compuerta de flema, irritación, desgaste) que ya había escuchado entre los resquicios del zaguán.

Ridículamente, murmuro: «Buenas tardes...», y me dispongo a olvidarlo todo: el misterio, Amilamia, el avalúo, las pistas. La aparición de este lobo asmático justifica una pronta huida. Repito «Buenas tardes», ahora en son de despedida. La máscara de la tortuga se desbarata en una sonrisa atroz: cada poro de esa carne parece fabricado de goma quebradiza, de hule pintado y podrido. El brazo se alarga y me detiene.

—Valdivia murió hace cuatro años —dice el hombre con esa voz sofocada, lejana, situada en las entrañas y no en la laringe: una voz tipluda y débil.

Arrestado por esa garra fuerte, casi dolorosa, me digo que es inútil fingir. Los rostros de cera y caucho que me observan nada dicen y por eso puedo, a pesar de todo, fingir por última vez, inventar que me hablo a mí mismo cuando digo:

—Amilamia...

Sí: nadie habrá de fingir más. El puño que aprieta mi brazo afirma su fuerza sólo por un instante, en seguida afloja y al fin cae, débil y tembloroso, antes de levantarse y tomar la mano de cera que le tocaba el hombro: la señora, perpleja por primera vez, me mira con los ojos de un ave violada y llora con un gemido seco que no logra descomponer el azoro rígido de sus facciones. Los ogros de mi invención, súbitamente, son dos viejos solitarios, abandonados, heridos, que apenas pueden confortarse al unir sus manos con un estremecimiento que me llena de vergüenza. La fantasía me trajo hasta este comedor desnudo para violar la intimidad y el secreto de dos seres expulsados de la vida por algo que yo no tenía el derecho de compartir. Nunca me he despreciado tanto. Nunca me han faltado las palabras de manera tan burda. Cualquier gesto es vano: ¿voy a acercarme, voy a tocarlos, voy a acariciar la cabeza de la señora, voy a pedir excusas por mi intromisión? Me guardo el libro de notas en la bolsa del saco. Arrojo al olvido todas las pistas de mi historia policial: la revista de dibujos, el lápiz labial, la fruta mordida, las huellas de la bicicleta, el delantal de cuadros azules... Decido salir de esta casa sin decir nada. El viejo, detrás de los párpados gruesos, ha debido fijarse en mí. El resuello tipludo me dice:

–¿Usted la conoció?

Ese pasado tan natural, que ellos deben usar a diario, acaba por destruir mis ilusiones. Allí está la respuesta. Usted la conoció. ¿Cuántos años? ¿Cuántos años habrá vivido el mundo sin Amilamia, asesinada primero por mi olvido, resucitada, apenas ayer, por una triste memoria impotente? ¿Cuándo dejaron esos ojos grises y serios de asombrarse con el deleite de un jardín siempre solitario? ¿Cuándo esos labios de hacer pucheros o de adelgazarse en aquella seriedad ceremoniosa con la que, ahora me doy cuenta, Amilamia descubría y consagraba las cosas de una vida que, acaso, intuía fugaz?

–Sí, jugamos juntos en el parque. Hace mucho.

–¿Qué edad tenía ella? –dice, con la voz aún más apagada, el viejo.

–Tendría siete años. Sí, no más de siete.

La voz de la mujer se levanta, junto con los brazos que parecen implorar:

–¿Cómo era, señor? Díganos cómo era, por favor...

Cierro los ojos. Amilamia también es mi recuerdo. Sólo podría compararla a las cosas que ella tocaba, traía y descubría en el parque. Sí. Ahora la veo, bajando por la loma. No, no es cierto que sea apenas una elevación de zacate. Era una colina de hierba y Amilamia había trazado un sendero con sus idas y venidas y me saludaba desde lo alto antes de bajar, acompañada por la música, sí, la música de mis ojos, las pinturas de mi olfato, los sabores de mi oído, los olores de mi tacto..., mi alucinación..., ¿me escuchan?..., bajaba saludando, vestida de blanco, con un delantal de cuadros azules..., el que ustedes tienen tendido en la azotea...

Toman mis brazos y no abro los ojos.

–¿Cómo era, señor?

–Tenía los ojos grises y el color del pelo le cambiaba con los reflejos del sol y la sombra de los árboles...

Me conducen suavemente, los dos; escucho el resuello del hombre, el golpe de la cruz del rosario contra el cuerpo de la mujer...

–Díganos, por favor...

–El aire la hacía llorar cuando corría; llegaba hasta mi banca con las mejillas plateadas por un llanto alegre...

No abro los ojos. Ahora subimos. Dos, cinco, ocho, nueve, doce peldaños. Cuatro manos guían mi cuerpo.

–¿Cómo era, cómo era?

–Se sentaba bajo los eucaliptos y hacía trenzas con las ramas y fingía el llanto para que yo dejara mi lectura y me acercara a ella...

Los goznes rechinan. El olor lo mata todo: dispersa los demás sentidos, toma asiento como un mogol amarillo en el trono de mi alucinación, pesado como un cofre, insinuante como el crujir de una seda drapeada, ornamentado como un cetro turco, opaco como una veta honda y perdida, brillante como una estrella muerta. Las manos me sueltan. Más que el llanto, es el temblor de los viejos lo que me rodea. Abro lentamente los ojos: dejo que el mareo líquido de mi córnea primero, en seguida la red de mis pestañas, descubran el aposento sofocado por esa enorme batalla de perfumes, de vahos y escarchas de pétalos casi encarnados, tal es la presencia de las flores que aquí, sin duda, poseen una piel viviente: dulzura del jaramago, náusea del ásaro, tumba del nardo, templo de la gardenia: la pequeña recámara sin ventanas, iluminada por las uñas incandescentes de los pesados cirios chisporroteantes, introduce su rastro de cera y flores húmedas hasta el centro del plexo y sólo de allí, del sol de la vida, es posible revivir para contemplar, detrás de los cirios y entre las flores dispersas, el cúmulo de juguetes usados, los aros de colores y los globos arrugados sin aire, viejas ciruelas transparentes; los caballos de madera con las crines destrozadas, los patines del diablo, las muñecas despelucadas y ciegas, los osos vaciados de serrín, los patos de hule perforado, los perros devorados por la polilla, las cuerdas de saltar roídas, los jarrones de vidrio repletos de dulces secos, los zapatitos gastados, el triciclo –¿tres ruedas?; no, dos; y no de bicicleta; dos ruedas paralelas, abajo–, los zapatitos de cuero y estambre; y al frente, al alcance de mi mano, el pequeño féretro levantado sobre cajones azules decorados con flores de papel, esta vez flores de la vida, claveles y girasoles, amapolas y tulipanes, pero como aquéllas, las de la muerte, parte de un asativo que cocía todos los elementos de este invernadero funeral en el que reposa, dentro del féretro plateado y entre las sábanas de seda negra y junto al acolchado de raso blanco, ese rostro inmóvil y sereno, enmarcado por una cofia de encaje, dibujado con tintes de color de rosa: cejas que el más leve pincel trazó, párpados cerrados, pestañas reales, gruesas, que arrojan una sombra tenue sobre las mejillas tan saludables como en los días del parque. Labios serios, rojos, casi en el puchero de Amilamia cuando fingía un enojo para que yo me acercara a jugar. Manos unidas sobre el pecho. Una camándula, idéntica a la de la madre, estrangulando ese cuello de pasta. Mortaja blanca y pequeña del cuerpo impúber, limpio, dócil.

Los viejos se han hincado, sollozando.

Yo alargo la mano y rozo con los dedos el rostro de porcelana de mi amiga. Siento el frío de esas facciones dibujadas, de la muñeca-reina que preside los fastos de esta cámara real de la muerte. Porcelana, pasta y algodón. *Amilamia no olbida a su amigito y me buscas aquí como te lo divujo.*

Aparto los dedos del falso cadáver. Mis huellas digitales quedan sobre la tez de la muñeca.

Y la náusea se insinúa en mi estómago, depósito del humo de los cirios y la peste del ásaro en el cuarto encerrado. Doy la espalda al túmulo de Amilamia. La mano de la señora toca mi brazo. Sus ojos desorbitados no hacen temblar la voz apagada:

—No vuelva, señor. Si de veras la quiso, no vuelva más.

Toco la mano de la madre de Amilamia, veo con los ojos mareados la cabeza del viejo, hundida entre sus rodillas, y salgo del aposento a la escalera, a la sala, al patio, a la calle.

5

Si no un año, sí han pasado nueve o diez meses. La memoria de aquella idolatría ha dejado de espantarme. He perdido el olor de las flores y la imagen de la muñeca helada. La verdadera Amilamia ya regresó a mi recuerdo y me he sentido, si no contento, sano otra vez: el parque, la niña viva, mis horas de lectura adolescente, han vencido a los espectros de un culto enfermo. La imagen de la vida es más poderosa que la otra. Me digo que viviré para siempre con mi verdadera Amilamia, vencedora de la caricatura de la muerte. Y un día me atrevo a repasar aquel cuaderno de hojas cuadriculadas donde apunté los datos falsos del avalúo. Y de sus páginas, otra vez, cae la tarjeta de Amilamia con su terrible caligrafía infantil y su plano para ir del parque a la casa. Sonrío al recogerla. Muerdo uno de los bordes, pensando que los pobres viejos, a pesar de todo, aceptarían este regalo.

Me pongo el saco y me anudo la corbata, chiflando. ¿Por qué no visitarlos y ofrecerles ese papel con la letra de la niña?

Me acerco corriendo a la casa de un piso. La lluvia comienza a caer en gotones aislados que hacen surgir de la tierra, con una inmediatez mágica, ese olor de bendición mojada que parece remover los humus y precipitar las fermentaciones de todo lo que existe con una raíz en el polvo.

Toco el timbre. El aguacero arrecia e insisto. Una voz chillona grita: «¡Voy!», y espero que la figura de la madre, con su eterno rosario, me reciba. Me levanto las solapas del saco. También mi ropa, mi cuerpo, transforman su olor al contacto con la lluvia. La puerta se abre.

–¿Qué quiere usted? ¡Qué bueno que vino!

Sobre la silla de ruedas, esa muchacha contrahecha detiene una mano sobre la perilla y me sonríe con una mueca inasible. La joroba del pecho convierte el vestido en una cortina del cuerpo: un trapo blanco al que, sin embargo, da un aire de coquetería el delantal de cuadros azules. La pequeña mujer extrae de la bolsa del delantal una cajetilla de cigarros y enciende uno con rapidez, manchando el cabo con los labios pintados de color naranja. El humo le hace guiñar los hermosos ojos grises. Se arregla el pelo cobrizo, apajado, peinado a la permanente, sin dejar de mirarme con un aire inquisitivo y desolado, pero también anhelante, ahora miedoso.

—No, Carlos. Vete. No vuelvas más.

Y desde la casa escucho, al mismo tiempo, el resuello tipludo del viejo, cada vez más cerca:

—¿Dónde estás? ¿No sabes que no debes contestar las llamadas? ¡Regresa! ¡Engendro del demonio! ¿Quieres que te azote otra vez?

Y el agua de la lluvia me escurre por la frente, por las mejillas, por la boca, y las pequeñas manos asustadas dejan caer sobre las losas húmedas la revista de historietas.

Mario Vargas Llosa

(Arequipa, Perú, 1936) Cuando en 1963 Vargas Llosa publicó *La ciudad y los perros,* su primera novela, se convirtió en el miembro más joven (tenía entonces veintisiete años) del grupo conocido como el «boom» y en el único cuya obra prácticamente comenzaba en esa década; resultó casi natural que la identificación entre el auge novelístico de la época y el éxito internacional que alcanzó ese libro fuese inmediata y total. Desde esa fecha, la obra y la persona del autor han figurado permanentemente en el centro de la atención pública, gracias no sólo a sus novelas, sino a sus ensayos, trabajos periodísticos, obras teatrales y su activa presencia en el escenario de la política y las ideas sociales. Más importante que eso es destacar que su aporte esencial a la novela consistió en recobrar el perdido aliento épico del género –quizá sólo presente por esos años en la obra de Carpentier *(véase)*–, gracias a la creación de vastos ámbitos espacio-temporales como escenarios de acciones, aventuras y otros desafíos físicos al mundo real. Su innegable pasión literaria, su rigurosa disciplina artística y su constante defensa del género novelístico como una forma mayor de expresar lo humano contribuyeron a darle todavía más visibilidad en el medio intelectual.

El interés crítico que su obra ha provocado se manifiesta en los numerosos libros, trabajos y estudios que se le han dedicado; como en el caso de otros bien conocidos escritores, eso nos exime de entrar en detalles y concentrarnos en lo principal. Cuando salió de Lima para estudiar en Madrid (1958), Vargas Llosa era un escritor prácticamente desconocido; su formación, su producción y su madurez literarias son, en gran parte, frutos de su experiencia europea (París, Londres y Barcelona), donde permanecería hasta 1974. Pero no hay que olvidar que, con sólo tres excepciones, las de *La guerra del fin del mundo*, *La Fiesta del Chivo* y *El sueño del celta* (que ocurren en Brasil, República Dominicana e Irlanda, respectivamente), su obra es una reconstrucción imaginaria de vivencias íntimas o colectivas de la realidad peruana.

Su obra novelística es de proporciones y ambiciones poco comunes. Dos etapas (o quizá tres, si las nuevas líneas que aparecen en su creación más reciente se definen dentro del designio general) se pueden reconocer en ella. La primera comprende *La ciudad y los perros*, *La casa verde* y *Conversación en la Catedral*. Estas obras no pueden ser más distintas en intención, asuntos y formas, pero configuran una unidad en el nivel de complejidad del diseño y de la visión narrativa que proponen. Y aun sus conexiones con el mundo de *Los jefes* y *Los cachorros* no deben soslayarse, pues son parte del mismo orbe ficticio. (El dominante influjo de Sartre, Flaubert y la novela de caballerías contribuye a reforzar esa unidad.) Todos los libros del período están poblados por la misma categoría de figuras humanas: personajes violentos y marginales, rebeldes que quieren llegar a ser líderes, aventureros que aspiran a un triunfo o realización que dé sentido a su vida aun a costa de violar las normas establecidas. Las tres novelas están marcadas por un índice geométrico de crecimiento en el número de historias que cuentan y en la interacción de las mismas: cada vez los espacios aumentan y se hacen más amplios; los contactos entre los planos temporales se vuelven más intrincados; el ritmo y el grado de conflictividad dramática son más intensos; las técnicas de representación de la realidad objetiva y de las relaciones interpersonales asumen mayor virtuosidad y riesgo. Su esfuerzo como narrador se distingue por ser a la vez *abarcador* y *centrípeto,* estimulado por el ideal inalcanzable de la *novela total,* un doble o rival ficticio del mundo real, tan complejo como se pueda, pero regido por sus propias leyes. Un principio capital de ese mundo es el de la supremacía y el sistema de estrictas jerarquías que impone; tal es el reto que enfrentan los personajes desadaptados o desposeídos típicos del autor, para probar que pueden dominar un medio hostil que trata de destruirlos o domesticarlos. Los espacios donde esa lucha tiene lugar pueden ser la selva –donde la ambición y la voluntad personal son la ley verdadera–, el sistema o el poder político construido como una pirámide con uno o muy pocos arriba y muchos sometidos abajo.

La segunda etapa creadora (escrita hasta 1990 básicamente en su país o al menos desde la perspectiva de su situación dentro de él) comienza con *Pantaleón y las visitadoras* y puede extenderse hasta *Elogio de la madrastra.* Pero, en verdad, tal vez haya aquí dos series dentro del mismo período de producción. Por un lado, tenemos novelas que introducen un sesgo farsesco o paródico en su visión del mundo militar *(Pantaleón...)*, de su propia experiencia de escritor *(La tía Julia y el escribidor)* y aun de ciertas formas literarias (la novela policial, el relato oral anónimo, la novela erótica). Por otro, tenemos novelas cuyo tema es esencialmente político *(La guerra...* e *Historia de Mayta)* y que examinan problemas como el poder, la intolerancia, la violencia. En ambas vertientes, se nota una tendencia general hacia la reelaboración de ciertos temas y preocupaciones dominantes en la primera etapa; hacia la revisión y reflexión de las grandes cuestiones que afectan la sociedad latinoamericana; y sobre todo el replanteamiento del arte realista que había cultivado. Su afinidad con esa convicción estética parece entrar en crisis: ahora, más que mostrar las amplias posibilidades del realismo, le interesa subrayar sus limitaciones, la inevitable traición que el lenguaje ficticio hace al mundo de la experiencia real. Propone entonces que aquélla contiene una verdad en sí misma, que niega y supera a la otra. Igualmente, su afán totalizador se ha moderado de manera considerable y lo vemos trabajar con historias menos complejas o abarcadoras, aunque sigue siendo fundamental para él el efecto de contraste que brinda el desarrollo paralelo de dos o más historias. Y si antes había un claro sesgo retrospectivo en su creación (memorias de adolescencia y juventud), este segundo grupo de obras coloca sus preocupaciones en el flujo inmediato de la realidad presente y sus perspectivas para el futuro. Hay un acercamiento del lenguaje narrativo al del ensayo y aun al reportaje periodístico: el mundo de la acción frenética da paso al análisis y a la indagación moral. En esta porción novelística, igual que en su intensa actividad crítica y periodística de esta etapa, son visibles las huellas del pensamiento de Camus y del humanismo liberal.

Entre los numerosísimos e importantes premios que el autor ha merecido deben citarse el Nobel de Literatura (2010), el Cervantes (1994) y el Rómulo Gallegos (1967). Con ocasión de haber cumplido 80 años de vida, el autor recibió homenajes en muchas partes del mundo, como el de la revista mexicana *Letras Libres* (marzo, 2016). Coincidiendo también con esa fecha la editorial Gallimard publicó dos grandes volúmenes en su famosa serie La Pléiade, honor que sólo han recibido anteriormente y de manera póstuma dos escritores latinoamericanaos: Borges y Paz. El único libro de cuentos de Vargas Llosa es *Los jefes* y data de 1959; es, por lo tanto, anterior a todas sus novelas y fue conocido sólo tras el éxito de éstas. Hay que agregar que los textos mismos son parcialmente fruto de su adolescencia, pues fueron escritos entre sus 17 y 21 años, período del cual ha dado testimonio en *La tía Julia...* El volumen puede asimilarse al auge del cuento realista, preferentemente de tema urbano, que la «generación del cincuenta» había popularizado en la Lima de entonces. Vargas Llosa no es un miembro de ese grupo, pero sí tenía contactos periféricos con él y admiraba la obra de algunos de sus integrantes, como Enrique Congrains Martin o Julio Ramón Ribeyro (*véase*). La afinidad realista no ocultaba, sin embargo, la ambivalencia estética del joven Vargas Llosa, que no compartía la creencia generalizada sobre el uso de «tesis» y propuestas ideológicas para subrayar el valor social de la literatura, y menos la apatía del grupo frente a las propuestas técnicas de la vanguardia. Aunque literariamente estaba en formación, el aporte de Vargas Llosa ya marchaba en una dirección distinta, que sus novelas revelarían de modo muy claro; esa nota personal está dada por el estilo más subjetivo y el carácter indirecto, no documental, de su enfoque crítico de lo social.

Esto puede verse en «Día domingo», quizá el relato más logrado y conocido del libro. Los personajes son típicos del autor: los mismos adolescentes miraflorinos, desadaptados, confusos y agresivos, que veremos en *La ciudad y los perros*. El ambiente urbano está fielmente retratado, con sus pandillas de barrio («los pajarracos»), que cultivan, de modo algo inocente, los rituales del machismo y la rebeldía sin objetivo preciso. Pero el foco está interiorizado: lo que crea la tensión dramática son los dilemas sentimentales de Miguel y su odio por Rubén, su rival en la conquista de Flora. La larga escena en el bar es una insensata orgía de alcohol que Miguel provoca para evitar que su enemigo se encuentre con ella; la escena termina con el desafío de éste a «correr olas» en el encrespado mar de invierno y así decidir quién tiene derecho a la chica. El corazón del relato es la minuciosa y notable descripción de esa lucha absurda de dos muchachos contra la fuerza del mar, cada uno tratando de probar que es más valiente que el otro. El reto está a punto de volverse trágico y crea una inesperada solidaridad entre ambos rivales; pero lo interesante es que ese lazo oculta una mentira y confirma las leyes del machismo: la hombría es una máscara que el grupo consagra y celebra como el rostro auténtico que debe exhibirse ante los demás. El estilo realista es directo y eficaz tanto en los pasajes descriptivos como en los diálogos, que están animados por un moderado uso de la jerga juvenil limeña de entonces. El lector atento descubrirá dos rasgos estilísticos del novelista: el dramático arranque *in medias res;* y, en la pequeña historia que cuenta el Escolar, un primer ensayo de los diálogos telescópicos (dos o más diálogos en distintos tiempos pero presentados simultáneamente), que luego, en sus obras mayores, el autor usaría magistralmente.

Obra narrativa

Los jefes, Barcelona: Rocas, 1959; pról. José María Castellet, Barcelona: Seix Barral, 1972; *La ciudad y los perros,* Barcelona: Seix Barral, 1963; *La casa verde,* Barcelona: Seix Barral, 1966; *Los cachorros. Pichula Cuéllar,* pról. Carlos Barral, Barcelona: Lumen, 1967; ed. Guadalupe Fernández Ariza, Madrid: Cátedra, 1983; ed. no venal de J. M. O., Lima: Academia de la Lengua, 2016; *Conversación en la Catedral,* Barcelona: Seix Barral, 1969; *Pantaleón y las visitadoras,* Barcelona: Seix Barral, 1973; *La tía Julia y el escribidor,* Barcelona: Seix Barral, 1977; *Obras escogidas,* vol. 1: *Novelas y cuentos,* pról. Alfredo Matilla Rivas; vol. 2: *Conversación en la Catedral. La orgía perpetua. Pantaleón y las visitadoras,* México: Aguilar, 1979; *Los jefes. Los cachorros,* Madrid: Alianza Editorial, 1978; ed. definitiva, pról. M. V. Ll., Barcelona: Seix Barral, 1980; *La guerra del fin del mundo,* Barcelona: Seix Barral, 1981; ed. José Miguel Oviedo, Caracas: Biblioteca Ayacucho, 1992; *Historia de Mayta,* Barcelona: Seix Barral, 1984; *¿Quién mató a Palomino Molero?,* Barcelona: Seix Barral, 1986; *El hablador,* Barcelona: Seix Barral, 1987; *Elogio de la madrastra,* Barcelona: Tusquets Editores, 1990; *Los cuadernos de don Rigoberto,* Madrid: Alfaguara, 1997; *La Fiesta del Chivo,* Madrid: Alfaguara, 2000; *El paraíso en la otra esquina,* Madrid: Alfaguara, 2003; *Travesuras de la niña mala,* Madrid: Alfaguara, 2006; *El sueño del celta,* Madrid: Alfaguara, 2010; *El héroe discreto,* Madrid: Alfaguara, 2013; *Cinco esquinas,* Madrid: Alfaguara, 2016. [La editorial Alfaguara ha iniciado la edición de la obra completa del autor, de la cual ya han aparecido varios volúmenes.]

Crítica (selección mínima)

Angrik, Birger, *La narración como exorcismo: M. V. Ll., obras (1963-2003),* Perú: Fondo de Cultura Económica, 2004; *Asedios* *a la realidad:* M. V. Ll., Las Palmas: Inventarios Provisionales, 1972; Boland, Roy, *M. V. Ll. «Oedipus and The 'Papa» State,* Madrid: Edit. Voz, 1982; *M. V. Ll.: From «Pantaleón y las visitadoras» to «Elogio de la madrastra»,* Auckland: University of Auckland, 1988; Boldori de Baldussi, Rosa, *V. Ll.: un narrador y sus demonios,* Buenos Aires: García Cambeiro, 1974; Díez, Luis Alfonso, ed., *Asedios a V. Ll.,* Santiago: Editorial Universitaria, 1972; Establier Pérez, Helena, *V. Ll. y el nuevo arte de hacer novelas,* Salamanca: Universidad de Salamanca, 1998; Gerdes, Dick, *M. V. Ll.,* Boston: Twayne, 1985; Giacoman, Helmy F., y José Miguel Oviedo, eds., *Homenaje a M. V. Ll.,* Madrid: Las Américas, 1972; Gnutzmann, Rita, *Para leer a M. V. Ll.,* Madrid: Edics. Júcar, 1992; Habra, Hedy, *Mundo alternos y artísticos en V. Ll.,* Madrid: Iberoamericana, Frankfurt am Main: Vervuert, 2012; Kristal, Efraín, *Temptation of the Word: The Novels of M. V. Ll.,* Nashville: Vanderbilt University Press, 1998; Kristal, Efrain y King, Johen, *The Cambridge Companion to V. Ll.,* Cambridge University Press, 2012; Lewis, Marvin A., *From Lima to Leticia: The Peruvian Novels of M. V. Ll.,* Lanham, Maryland: University Press of America, 1983; Lichtblau, Myron I., ed., *M. V. Ll., A Writers's Reality,* Syracuse, Nueva York: Syracuse University Press, 1991; Mac Adam, Alfred J., «Epic Adumbrations: Carlyle, Hardy, Da Cunha and V. Ll.», en *Textual Confrontations*,* 149-73; Martín, José Luis, *La narrativa de V. Ll. Acercamiento estilístico,* Madrid: Gredos, 1974; O'Bryan-Knight, Jean, *The Story of the Storyteller. «La tía Julia y el escribidor», «Historia de Mayta» y «El hablador» by M. V. Ll.,* Ámsterdam-Atlanta, Georgia: Rodopi, 1995; Oviedo, José Miguel, *M. V. Ll. la invención de una realidad,* 3.ª ed., Barcelona: Seix Barral, 1982; Oviedo, José Miguel, ed., *M. V. Ll.,* Madrid: Taurus, 1981; *Dossier V. Ll.,* Lima, Perú: Taurus, 2007; Rodríguez Rea, Miguel Ángel (ed.), *M. V. Ll. y la crítica peruana,* Lima: Universidad Ricardo Palma, Editorial Universitaria, 2011; Rossman, Charles, y Alan Warren Friedman, eds., *M. V. Ll.: estudios críticos,* Madrid: Alhambra, 1983; Williams, Raymond L., *M. V. Ll.,* Nueva York: Ungar, 1986; *World Literature Today,* número especial, Norman, Oklahoma, 52: 1 (1978); *M. V. Ll: a life of writing,* Austin; University of Texas Press, 2014.

Día domingo

Contuvo un instante la respiración, clavó las uñas en la palma de sus manos y dijo, muy rápido: «Estoy enamorado de ti». Vio que ella enrojecía bruscamente, como si alguien hubiera golpeado sus mejillas, que eran de una palidez resplandeciente y muy suaves. Aterrado, sintió que la confusión ascendía por él y petrificaba su lengua. Deseó salir corriendo, acabar: en la taciturna mañana de invierno había surgido ese desaliento íntimo que lo abatía siempre en los momentos decisivos. Unos minutos antes, entre la multitud animada y sonriente que circulaba por el Parque Central de Miraflores, Miguel se repetía aún: «Ahora. Al llegar a la avenida Pardo. Me atreveré. ¡Ah, Rubén, si supieras cómo te odio!». Y antes todavía, en la Iglesia, mientras buscaba a Flora con los ojos, la divisaba al pie de una columna y, abriéndose paso con los codos sin pedir permiso a las señoras que empujaba, conseguía acercársele y saludarla en voz baja, volvía a decirse, tercamente, como esa madrugada, tendido en su lecho, vigilando la aparición de la luz: «No hay más remedio. Tengo que hacerlo hoy día. En la mañana. Ya me las pagarás, Rubén». Y la noche anterior había llorado, por primera vez en muchos años, al saber que se preparaba esa innoble emboscada. La gente seguía en el Parque y la avenida Pardo se hallaba desierta; caminaban por la alameda, bajo los ficus de cabelleras altas y tupidas. «Tengo que apurarme –pensaba Miguel–, si no, me friego.» Miró de soslayo alrededor: no había nadie, podía intentarlo. Lentamente fue estirando su mano izquierda hasta tocar la de ella; el contacto le reveló que transpiraba. Imploró que ocurriera un milagro, que cesara aquella humillación. «Qué le digo –pensaba–, qué le digo.» Ella acababa de retirar su mano y él se sentía desamparado y ridículo. Todas las frases radiantes, preparadas febrilmente la víspera, se habían disuelto como globos de espuma.

–Flora –balbuceó–, he esperado mucho tiempo este momento. Desde que te conozco sólo pienso en ti. Estoy enamorado por primera vez, créeme, nunca había conocido una muchacha como tú.

Otra vez una compacta mancha blanca en su cerebro, el vacío. Ya no podía aumentar la presión: la piel cedía como jebe y las uñas alcanzaban el hueso. Sin embargo, siguió hablando, dificultosamente, con grandes intervalos, venciendo el bochornoso tartamudeo, tratando de describir una pasión irreflexiva y total, hasta descubrir, con alivio, que llegaban al primer óvalo de la avenida Pardo, y entonces calló. Entre el segundo y el tercer ficus, pasado el óvalo, vivía Flora. Se detuvieron, se miraron: Flora estaba aún encendida y la turbación había colmado sus ojos de un brillo húmedo. Desolado, Miguel se dijo que nunca le había parecido tan hermosa: una cinta azul recogía sus cabellos y él podía ver el nacimiento de su cuello, y sus orejas, dos signos de interrogación pequeñitos y perfectos.

—Mira, Miguel —dijo Flora; su voz suave, llena de música, segura—. No puedo contestarte ahora. Pero mi mamá no quiere que ande con chicos hasta que termine el colegio.

—Todas las mamás dicen lo mismo, Flora —insistió Miguel—. ¿Cómo iba a saber ella? Nos veremos cuando tú digas, aunque sea sólo los domingos.

—Ya te contestaré, primero tengo que pensarlo —dijo Flora, bajando los ojos. Y después de unos segundos añadió—: Perdona, pero ahora tengo que irme, se hace tarde.

Miguel sintió una profunda lasitud, algo que se expandía por todo su cuerpo y lo ablandaba.

—¿No estás enojada conmigo, Flora, no? —dijo humildemente.

—No seas sonso —replicó ella, con vivacidad—. No estoy enojada.

—Esperaré todo lo que quieras —dijo Miguel—. Pero nos seguiremos viendo, ¿no? ¿Iremos al cine esta tarde, no?

—Esta tarde no puedo —dijo ella, dulcemente—. Me ha invitado a su casa Martha.

Una correntada cálida, violenta, lo invadió y se sintió herido, atontado, ante esa respuesta que esperaba y que ahora le parecía una crueldad. Era cierto lo que el Melanés había murmurado, torvamente, a su oído, el sábado en la tarde. Martha los dejaría solos, era la táctica habitual. Después, Rubén relataría a los pajarracos cómo él y su hermana habían planeado las circunstancias, el sitio y la hora. Martha habría reclamado, en pago de sus servicios, el derecho de espiar detrás de la cortina. La cólera empapó sus manos de golpe.

–No seas así, Flora. Vamos a la matiné como quedamos. No te hablaré de esto. Te prometo.

–No puedo, de veras –dijo Flora–. Tengo que ir donde Martha. Vino a mi casa para invitarme. Pero después iré con ella al Parque Salazar.

Ni siquiera vio en esas últimas palabras una esperanza. Un rato después contemplaba el lugar donde había desaparecido la frágil figurita celeste, bajo el arco majestuoso de los ficus de la avenida. Era posible competir con un simple adversario, no con Rubén. Recordó los nombres de las muchachas invitadas por Martha, una tarde de domingo. Ya no podía hacer nada, estaba derrotado. Una vez más surgió entonces esa imagen que lo salvaba siempre que sufría una frustración: desde un lejano fondo de nubes infladas de humo negro se aproximaba él, al frente de una compañía de cadetes de la Escuela Naval, a una tribuna levantada en el Parque; personajes vestidos de etiqueta, el sombrero de copa en la mano, y señoras de joyas relampagueantes lo aplaudían. Aglomerada en las veredas, una multitud en la que sobresalían los rostros de sus amigos y enemigos, lo observaba maravillada, murmurando su nombre. Vestido de paño azul, una amplia capa flotando a sus espaldas, Miguel desfilaba delante, mirando el horizonte. Levantada la espada, su cabeza describía media esfera en el aire: allí, en el corazón de la tribuna estaba Flora, sonriendo. En una esquina, haraposo, avergonzado, descubría a Rubén: se limitaba a echarle una brevísima ojeada despectiva. Seguía marchando, desaparecía entre vítores.

Como el vaho de un espejo que se frota, la imagen desapareció. Estaba en la puerta de su casa, odiaba a todo el mundo, se odiaba. Entró y subió directamente a su cuarto. Se echó de bruces en la cama; en la tibia oscuridad, entre sus pupilas y sus párpados, apareció el rostro de la mucha-cha —«Te quiero, Flora», dijo él en voz alta— y luego Rubén, con su mandíbula insolente y su sonrisa hostil; estaban uno al lado del otro, se acercaban, los ojos de Rubén se torcían para mirarlo burlonamente mientras su boca avanzaba ha-cia Flora.

Saltó de la cama. El espejo del armario le mostró un ros-tro ojeroso, lívido. «No la verá —decidió—. No me hará esto, no permitiré que me haga esa perrada.»

La avenida Pardo continuaba solitaria. Acelerando el paso sin cesar, caminó hasta el cruce con la avenida Grau; allí va-ciló. Sintió frío; había olvidado el saco en su cuarto y la sola camisa no bastaba para protegerlo del viento que venía del mar y se enredaba en el denso ramaje de los ficus con un suave murmullo. La temida imagen de Flora y Rubén jun-tos le dio valor, y siguió andando. Desde la puerta del bar vecino al cine Montecarlo, los vio en la mesa de costumbre, dueños del ángulo que formaban las parcelas del fondo y de la izquierda. Francisco, el Melanés, Tobías, el Escolar lo descubrían y, después de un instante de sorpresa, se volvían hacia Rubén, los rostros maliciosos, excitados. Recuperó el aplomo de inmediato: frente a los hombres sí sabía com-portarse.

—Hola —les dijo, acercándose—. ¿Qué hay de nuevo?

—Siéntate —le alcanzó una silla el Escolar—. ¿Qué milagro te ha traído por aquí?

—Hace siglos que no venías —dijo Francisco.

—Me provocó verlos —dijo Miguel, cordialmente—. Ya sa-bía que estaban aquí. ¿De qué se asombran? ¿O ya no soy un pajarraco?

Tomó asiento entre el Melanés y Tobías. Rubén estaba al frente.

–¡Cuncho! –gritó el Escolar–. Trae otro vaso. Que no esté muy mugriento.

Cuncho trajo el vaso y el Escolar lo llenó de cerveza. Miguel dijo «por los pajarracos» y bebió.

–Por poco te tomas el vaso también –dijo Francisco–. ¡Qué ímpetus!

–Apuesto a que fuiste a misa de una –dijo el Melanés, un párpado plegado por la satisfacción, como siempre que iniciaba algún enredo–. ¿O no?

–Fui –dijo Miguel, imperturbable–. Pero sólo para ver a una hembrita, nada más.

Miró a Rubén con ojos desafiantes, pero él no se dio por aludido; jugueteaba con los dedos sobre la mesa y, bajito, la punta de la lengua entre los dientes, silbaba *La niña Popof,* de Pérez Prado.

–¡Buena! –aplaudió el Melanés–. Buena, don Juan. Cuéntanos, ¿a qué hembrita?

–Eso es un secreto.

–Entre los pajarracos no hay secretos –recordó Tobías–. ¿Ya te has olvidado? Anda, ¿quién era?

–Qué te importa –dijo Miguel.

–Muchísimo –dijo Tobías–. Tengo que saber con quién andas para saber quién eres.

–Toma mientras –dijo el Melanés a Miguel–. Una a cero.

–¿A que adivino quién es? –dijo Francisco–. ¿Ustedes no?

–Yo ya sé –dijo Tobías.

–Y yo –dijo el Melanés. Se volvió a Rubén con ojos y voz muy inocentes–. Y tú, cuñado, ¿adivinas quién es?

–No –dijo Rubén, con frialdad–. Y tampoco me importa.

–Tengo llamitas en el estómago –dijo el Escolar–. ¿Nadie va a pedir una cerveza?

El Melanés se pasó un patético dedo por la garganta:

—*I have no money, darling* —dijo.

—Pago una botella —anunció Tobías, con ademán solemne—. A ver quién me sigue, hay que apagarle las llamitas a este baboso.

—Cuncho, bájate media docena de Cristales —dijo Miguel.

Hubo gritos de júbilo, exclamaciones.

—Eres un verdadero pajarraco —afirmó Francisco.

—Sucio, pulguiento —agregó el Melanés—, sí, señor, un pajarraco de la pitri-mitri[1].

Cuncho trajo las cervezas. Bebieron. Escucharon al Melanés referir historias sexuales, crudas, extravagantes y afiebradas y se entabló entre Tobías y Francisco una recia polémica sobre fútbol. El Escolar contó una anécdota. Venía de Lima a Miraflores en un colectivo; los demás pasajeros bajaron en la avenida Arequipa. A la altura de Javier Prado subió el cachalote Tomasso, ese albino de dos metros que sigue en Primaria, vive por la Quebrada ¿ya captan?; simulando gran interés por el automóvil comenzó a hacer preguntas al chofer, inclinado hacia el asiento de adelante, mientras rasgaba con una navaja, suavemente, el tapiz del espaldar.

—Lo hacía porque yo estaba ahí —afirmó el Escolar—. Quería lucirse.

—Es un retrasado mental —dijo Francisco—. Esas cosas se hacen a los diez años. A su edad, no tiene gracia.

—Tiene gracia lo que pasó después —rio el Escolar—. Oiga, chofer, ¿no ve que este cachalote está destrozando su carro?

1. *De la pitri-mitri:* en jerga limeña, eufemismo por «de la puta madre».

–¿Qué? –dijo el chofer, frenando en seco. Las orejas encarnadas, los ojos espantados, el cachalote Tomasso forcejeaba con la puerta.

–Con su navaja –dijo el Escolar–. Fíjese cómo le ha dejado el asiento.

El cachalote logró salir por fin. Echó a correr por la avenida Arequipa; el chofer iba tras él, gritando: «agarren a ese desgraciado».

–¿Lo agarró? –preguntó el Melanés.

–No sé. Yo desaparecí. Y me robé la llave del motor, de recuerdo. Aquí la tengo.

Sacó de su bolsillo una pequeña llave plateada y la arrojó sobre la mesa. Las botellas estaban vacías. Rubén miró su reloj y se puso de pie.

–Me voy –dijo–. Ya nos vemos.

–Me voy –dijo Miguel–. Estoy rico hoy día. Los invito a almorzar a todos.

Un remolino de palmadas cayó sobre él, los pajarracos le agradecieron con estruendo, lo alabaron.

–No puedo –dijo Rubén–. Tengo que hacer.

–Anda vete nomás, buen mozo –dijo Tobías–. Y salúdame a Marthita.

–Pensaremos mucho en ti, cuñado –dijo el Melanés.

–No –exclamó Miguel–. Invito a todos o a ninguno. Si se va Rubén, nada.

–Ya has oído, pajarraco Rubén –dijo Francisco–, tienes que quedarte.

–Tienes que quedarte –dijo el Melanés–, no hay tutías.

–Me voy –dijo Rubén.

–Lo que pasa es que estás borracho –dijo Miguel–. Te vas porque tienes miedo de quedar en ridículo delante de nosotros, eso es lo que pasa.

–¿Cuántas veces te he llevado a tu casa boqueando? –dijo Rubén–. ¿Cuántas te he ayudado a subir la reja para que no te pesque tu papá? Resisto diez veces más que tú.

–Resistías –dijo Miguel–. Ahora está difícil. ¿Quieres ver?

–Con mucho gusto –dijo Rubén–. ¿Nos vemos a la noche, aquí mismo?

–No. En este momento. –Miguel se volvió hacia los demás, abriendo los brazos–: Pajarracos, estoy haciendo un desafío.

Dichoso, comprobó que la antigua fórmula conservaba intacto su poder. En medio de la ruidosa alegría que había provocado, vio a Rubén sentarse, pálido.

–¡Cuncho! –gritó Tobías–. El menú. Y dos piscinas de cerveza. Un pajarraco acaba de lanzar un desafío.

Pidieron bistecs a la chorrillana y una docena de cervezas. Tobías dispuso tres botellas para cada uno de los competidores y las demás para el resto. Comieron hablando apenas. Miguel bebía después de cada bocado y procuraba mostrar animación, pero el temor de no resistir lo suficiente crecía a medida que la cerveza depositaba en su garganta un sabor ácido. Cuando acabaron las seis botellas, hacía rato que Cuncho había retirado los platos.

–Ordena tú –dijo Miguel a Rubén.

–Otras tres por cabeza.

Después del primer vaso de la nueva tanda, Miguel sintió que los oídos le zumbaban; su cabeza era una lentísima ruleta, todo se movía.

–Me hago pis –dijo–. Voy al baño.

Los pajarracos rieron.

–¿Te rindes? –preguntó Rubén.

–Voy a hacer pis –gritó Miguel–. Si quieres, que traigan más.

En el baño, vomitó. Luego se lavó la cara, detenidamente, procurando borrar toda señal reveladora. Su reloj marcaba las cuatro y media. Pese al denso malestar, se sintió feliz. Rubén ya no podía hacer nada. Regresó donde ellos.

–Salud –dijo Rubén, levantando el vaso.

«Está furioso –pensó Miguel–. Pero ya lo fregué.»

–Huele a cadáver –dijo el Melanés–. Alguien se nos muere por aquí.

–Estoy nuevecito –aseguró Miguel, tratando de dominar el asco y el mareo.

–Salud –repetía Rubén.

Cuando hubieron terminado la última cerveza, su estómago parecía de plomo, las voces de los otros llegaban a sus oídos como una confusa mezcla de ruidos. Una mano apareció de pronto bajo sus ojos, era blanca y de largos dedos, lo cogía del mentón, lo obligaba a alzar la cabeza; la cara de Rubén había crecido. Estaba chistoso, tan despeinado y colérico.

–¿Te rindes, mocoso?

Miguel se incorporó de golpe y empujó a Rubén, pero antes que el simulacro prosperara, intervino el Escolar.

–Los pajarracos no pelean nunca –dijo, obligándolos a sentarse–. Los dos están borrachos. Se acabó. Votación.

El Melanés, Francisco y Tobías accedieron a otorgar el empate, de mala gana.

–Yo ya había ganado –dijo Rubén–. Éste no puede ni hablar. Mírenlo.

Efectivamente, los ojos de Miguel estaban vidriosos, tenía la boca abierta y de su lengua chorreaba un hilo de saliva.

–Cállate –dijo el Escolar–. Tú no eres un campeón que digamos, tomando cerveza.

—No eres un campeón tomando cerveza —subrayó el Melanés—. Sólo eres un campeón de natación, el trome de las piscinas.

—Mejor tú no hables —dijo Rubén—; ¿no ves que la envidia te corroe?

—Viva la Esther Williams de Miraflores —dijo el Melanés.

—Tremendo vejete y ni siquiera sabes nadar —dijo Rubén—. ¿No quieres que te dé unas clases?

—Ya sabemos, maravilla —dijo el Escolar—. Has ganado un campeonato de natación. Y todas las chicas se mueren por ti. Eres un campeoncito.

—Éste no es campeón de nada —dijo Miguel, con dificultad—. Es pura pose.

—Te estás muriendo —dijo Rubén—. ¿Te llevo a tu casa, niñita?

—No estoy borracho —aseguró Miguel—. Y tú eres pura pose.

—Estás picado porque le voy a caer a Flora —dijo Rubén—. Te mueres de celos. ¿Crees que no capto las cosas?

—Pura pose —dijo Miguel—. Ganaste porque tu padre es Presidente de la Federación, todo el mundo sabe que hizo trampa, descalificó al Conejo Villarán, sólo por eso ganaste.

—Por lo menos nado mejor que tú —dijo Rubén—, que ni siquiera sabes correr olas.

—Tú no nadas mejor que nadie —dijo Miguel—. Cualquiera te deja botado.

—Cualquiera —dijo el Melanés—. Hasta Miguel, que es una madre.

—Permítanme que me sonría —dijo Rubén.

—Te permitimos —dijo Tobías—. No faltaba más.

–Se me sobran[2] porque estamos en invierno –dijo Rubén–. Si no, los desafiaba a ir a la playa, a ver si en el agua son tan sobrados.

–Ganaste el campeonato por tu padre –dijo Miguel–. Eres pura pose. Cuando quieras nadar conmigo, me avisas nomás, con toda confianza. En la playa, en el Terrazas, donde quieras.

–En la playa –dijo Rubén–. Ahora mismo.

–Eres pura pose –dijo Miguel.

El rostro de Rubén se iluminó y sus ojos, además de rencorosos, se volvieron arrogantes.

–Te apuesto a ver quién llega primero a la reventazón –dijo.

–Pura pose –dijo Miguel.

–Si ganas –dijo Rubén–, te prometo que no le caigo a Flora. Y si yo gano tú te vas con la música a otra parte.

–¿Qué te has creído? –balbuceó Miguel–. Maldita sea, ¿qué es lo que te has creído?

–Pajarracos –dijo Rubén, abriendo los brazos–, estoy haciendo un desafío.

–Miguel no está en forma ahora –dijo el Escolar–. ¿Por qué no se juegan a Flora a cara o sello?

–Y tú por qué te metes –dijo Miguel–. Acepto. Vamos a la playa.

–Están locos –dijo Francisco–. Yo no bajo a la playa con este frío. Hagan otra apuesta.

–Ha aceptado –dijo Rubén–. Vamos.

–Cuando un pajarraco hace un desafío, todos se meten la lengua al bolsillo –dijo Melanés–. Vamos a la playa. Y si no se atreven a entrar al agua, los tiramos nosotros.

---

2. *Se me sobran:* limeñismo por «se jactan, se ufanan».

–Los dos están borrachos –insistió el Escolar–. El desafío no vale.

–Cállate, Escolar –rugió Miguel–. Ya estoy grande, no necesito que me cuides.

–Bueno –dijo el Escolar, encogiendo los hombros–. Friégate, nomás.

Salieron. Afuera los esperaba una atmósfera quieta, gris. Miguel respiró hondo; se sintió mejor. Caminaban adelante Francisco, el Melanés y Rubén. Atrás, Miguel y el Escolar. En la avenida Grau había algunos transeúntes; la mayoría, sirvientas de trajes chillones en su día de salida. Hombres cenicientos, de gruesos cabellos lacios, merodeaban a su alrededor y las miraban con codicia; ellas reían mostrando sus dientes de oro. Los pajarracos no les prestaban atención. Avanzaban a grandes trancos y la excitación los iba ganando, poco a poco.

–¿Ya se te pasó? –dijo el Escolar.

–Sí –respondió Miguel–. El aire me ha hecho bien.

En la esquina de la avenida Pardo, doblaron. Marchaban desplegados como una escuadra, en una misma línea, bajo los ficus de la alameda, sobre las losetas hinchadas a trechos por las enormes raíces de los árboles que irrumpían a veces en la superficie como garfios. Al bajar por la Diagonal, cruzaron a dos muchachas. Rubén se inclinó, ceremonioso.

–Hola, Rubén –cantaron ellas, a dúo.

Tobías las imitó, aflautando la voz:

–Hola, Rubén, príncipe.

La avenida Diagonal desemboca en una pequeña quebrada que se bifurca; por un lado, serpentea el Malecón, asfaltado y lustroso; por el otro, hay una pendiente que contornea el cerro y llega hasta el mar. Se llama «la bajada a los baños», su empedrado es parejo y brilla por el repaso de las llantas de los automóviles y los pies de los bañistas de muchísimos veranos.

–Entremos en calor, campeones –gritó el Melanés, echándose a correr. Los demás lo imitaron.

Corrían contra el viento y la delgada bruma que subían desde la playa, sumidos en un emocionante torbellino; por sus oídos, su boca y sus narices penetraba el aire a sus pulmones y una sensación de alivio y desintoxicación se expandía por su cuerpo a medida que el declive se acentuaba y en un momento sus pies no obedecían ya sino a una fuerza misteriosa que provenía de lo más profundo de la tierra. Los brazos como hélices, en sus lenguas un aliento salado, los pajarracos descendieron la bajada a toda carrera, hasta la plataforma circular, suspendida sobre el edificio de las casetas. El mar se desvanecía a unos cincuenta metros de la orilla, en una espesa nube que parecía próxima a arremeter contra los acantilados, altas moles oscuras plantadas a lo largo de toda la bahía.

–Regresemos –dijo Francisco–. Tengo frío.

Al borde de la plataforma hay un cerco manchado a pedazos por el musgo. Una abertura señala el comienzo de la escalerilla, casi vertical, que baja hasta la playa. Los pajarracos contemplaban desde allí, a sus pies, una breve cinta de agua libre, y la superficie inusitada, bullente, cubierta por la espuma de las olas.

–Me voy si éste se rinde –dijo Rubén.

–¿Quién habla de rendirse? –repuso Miguel–. ¿Pero qué te has creído?

Rubén bajó la escalerilla a saltos, a la vez que se desabotonaba la camisa.

–¡Rubén! –gritó el Escolar–. ¿Estás loco? ¡Regresa!

Pero Miguel y los otros también bajaban y el Escolar los siguió.

En el verano, desde la baranda del largo y angosto edificio recostado contra el cerro, donde se hallan los cuartos de los bañistas, hasta el límite curvo del mar, había un declive de piedras plomizas donde la gente se asoleaba. La pequeña playa hervía de animación desde la mañana hasta el crepúsculo. Ahora el agua ocupaba el declive y no había sombrillas de colores vivísimos, ni muchachas elásticas de cuerpos tostados, no resonaban los gritos melodramáticos de los niños y de las mujeres cuando una ola conseguía salpicarlos antes de regresar arrastrando rumorosas piedras y guijarros, no se veía ni un hilo de playa, pues la corriente inundaba hasta el espacio limitado por las sombrías columnas que mantienen el edificio en vilo, y, en el momento de la resaca, apenas se descubrían los escalones de madera y los soportes de cemento, decorados por estalactitas y algas.

–La reventazón no se ve –dijo Rubén–. ¿Cómo hacemos?

Estaban en la galería de la izquierda, en el sector correspondiente a las mujeres; tenían los rostros serios.

–Esperen hasta mañana –dijo el Escolar–. Al mediodía estará despejado. Así podremos controlarlos.

–Ya que hemos venido hasta aquí que sea ahora –dijo el Melanés–. Pueden controlarse ellos mismos.

–Me parece bien –dijo Rubén–. ¿Y a ti?

–También –dijo Miguel.

Cuando estuvieron desnudos, Tobías bromeó acerca de las venas azules que escalaban el vientre liso de Miguel. Descendieron. La madera de los escalones, lamida incesantemente por el agua desde hacía meses, estaba resbaladiza y muy suave. Prendido al pasamanos de hierro para no caer, Miguel sintió un estremecimiento que subía desde la planta de sus pies al cerebro. Pensó que, en cierta forma, la neblina y el frío lo favorecían, el éxito ya no dependía de la destreza, sino sobre todo de la resistencia, y la piel de Rubén estaba también cárdena, replegada en millones de carpas pequeñísimas. Un escalón más abajo, el cuerpo armonioso de Rubén se inclinó; tenso, aguardaba el final de la resaca y la llegada de la próxima ola, que venía sin bulla, airosamente, despidiendo por delante una bandada de trocitos de espuma. Cuando la cresta de la ola estuvo a dos metros de la escalera, Rubén se arrojó: los brazos como lanzas, los cabellos alborotados por la fuerza del impulso, su cuerpo cortó el aire rectamente y cayó sin doblarse, sin bajar la cabeza ni plegar las piernas, rebotó en la espuma, se hundió apenas y, de inmediato, aprovechando la marea, se deslizó hacia dentro; sus brazos aparecían y se hundían entre un burbujeo frenético y sus pies iban trazando una estela cuidadosa y muy veloz. A su vez, Miguel bajó otro escalón y esperó la próxima ola. Sabía que el fondo allí era escaso, que debía arrojarse como una tabla, duro y rígido, sin mover un músculo, o chocaría contra las piedras. Cerró los ojos y saltó, y no encontró el fondo, pero su cuerpo fue azotado desde la frente hasta las rodillas, y surgió un vivísimo escozor mientras braceaba con todas sus fuerzas para devolver a sus miembros el calor que el agua les había arrebatado de golpe. Estaba en esa extraña sección del mar de Miraflores vecina a la orilla, donde se encuentran la resaca y las olas, y hay remolinos y corrientes encontradas, y el último verano distaba tanto que Miguel había olvidado cómo franquearla sin esfuerzo. No recordaba que es preciso aflojar el cuerpo y abandonarse, dejarse llevar sumisamente a la deriva, bracear sólo cuando se salva una ola y se está sobre la cresta, en esa plancha líquida que escolta a la espuma y flota encima de las corrientes. No recordaba que conviene soportar con paciencia y cierta malicia ese primer contacto con el mar exasperado de la orilla que tironea los miembros y avienta chorros a la boca y los ojos, no ofrecer resistencia, ser un corcho, limitarse a tomar aire cada vez que una ola se avecina, sumergirse –apenas si reventó lejos y viene sin ímpetu, o hasta el mismo fondo si el estallido es cercano–, aferrarse a alguna piedra y esperar atento el estruendo sordo de su paso, para emerger de un solo impulso y continuar avanzando disimuladamente con las manos, hasta encontrar un nuevo obstáculo y entonces ablandarse, no combatir contra los remolinos, girar voluntariamente en la espiral lentísima y escapar de pronto, en el momento oportuno, de un solo manotazo. Luego, surge de improviso una superficie calma, conmovida por tumbos inofensivos; el agua es clara, llana, y en algunos puntos se divisan las opacas piedras submarinas.

Después de atravesar la zona encrespada, Miguel se detuvo, exhausto, y tomó aire. Vio a Rubén a poca distancia, mirándolo. El pelo le caía sobre la frente en cerquillo; tenía los dientes apretados.

–¿Vamos?

–Vamos.

A los pocos minutos de estar nadando, Miguel sintió que el frío, momentáneamente desaparecido, lo invadía de nuevo, y apuró el pataleo porque era en las piernas, en las pantorrillas sobre todo, donde el agua actuaba con mayor eficacia, insensibilizándolas primero, luego endureciéndolas. Nadaba con la cara sumergida y, cada vez que el brazo derecho se hallaba afuera, volvía la cabeza para arrojar el aire retenido y tomar otra provisión con la que hundía una vez más la frente y la barbilla, apenas, para no frenar su propio avance y, al contrario, hendir el agua como una proa y facilitar el desliz. A cada brazada veía con un ojo a Rubén, nadando sobre la superficie, suavemente, sin esfuerzo, sin levantar espuma ahora, con la delicadeza y la facilidad de una gaviota que planea. Miguel trataba de olvidar a Rubén y al mar y a la reventazón (que debía estar lejos aún, pues el agua era limpia, sosegada, y sólo atravesaban tumbos recién iniciados), quería recordar únicamente el rostro de Flora, el vello de sus brazos que en los días de sol centelleaba como un diminuto bosque de hilos de oro, pero no podía evitar que, a la imagen de la muchacha sucediera otra, brumosa, excluyente, atronadora, que caía sobre Flora y la ocultaba, la imagen de una montaña de agua embravecida, no precisamente la reventazón (a la que había llegado una vez hacía dos veranos, y cuyo oleaje era intenso, de espuma verdosa y negruzca, porque en ese lugar, más o menos, terminaban las piedras y empezaba el fango que las olas extraían a la superficie y entreveraban con los nidos de algas y malaguas, tiñendo el mar), sino, más bien, en un verdadero océano removido por cataclismos interiores, en el que se elevaban olas descomunales, que hubieran podido abrazar a un barco entero y lo hubieran revuelto con asombrosa rapidez, despidiendo por los aires a pasajeros, lanchas, mástiles, velas, boyas, marineros, ojos de buey y banderas.

Dejó de nadar, su cuerpo se hundió hasta quedar vertical, alzó la cabeza y vio a Rubén que se alejaba. Pensó llamarlo con cualquier pretexto, decirle «por qué no descansamos un momento», pero no lo hizo. Todo el frío de su cuerpo parecía concentrarse en las pantorrillas, sentía los músculos agarrotados, la piel tirante, el corazón acelerado. Movió los pies febrilmente. Estaba en el centro de un círculo de agua oscura, amurallado por la neblina. Trató de distinguir la playa, o cuando menos la sombra de los acantilados, pero esa gasa equívoca que se iba disolviendo a su paso, no era transparente. Sólo veía una superficie breve, verde negruzca, y un manto de nubes, a ras de agua. Entonces, sintió miedo. Lo asaltó el recuerdo de la cerveza que había bebido, y pensó «fijo que eso me ha debilitado». Al instante pareció que sus brazos y piernas desaparecían. Decidió regresar, pero después de unas brazadas en dirección a la playa, dio media vuelta y nadó lo más ligero que pudo. «No llego a la orilla solo –se decía–, mejor estar cerca de Rubén, si me agoto le diré me ganaste pero regresemos.» Ahora nadaba sin estilo, la cabeza en alto, golpeando el agua con los brazos tiesos, la vista clavada en el cuerpo imperturbable que lo precedía.

La agitación y el esfuerzo desentumecieron sus piernas, su cuerpo recobró algo de calor, la distancia que lo separaba de Rubén había disminuido y eso lo serenó. Poco después lo alcanzaba; estiró un brazo, cogió uno de sus pies. Instantáneamente el otro se detuvo. Rubén tenía muy enrojecidas las pupilas y la boca abierta.

–Creo que nos hemos torcido –dijo Miguel–. Me parece que estamos nadando de costado a la playa.

Sus dientes castañeteaban, pero su voz era segura. Rubén miró a todos lados. Miguel lo observaba, tenso.

–Ya no se ve la playa –dijo Rubén.

–Hace mucho rato que no se ve –dijo Miguel–. Hay mucha neblina.

–No nos hemos torcido –dijo Rubén–. Mira. Ya se ve la espuma.

En efecto, hasta ellos llegaban unos tumbos condecorados por una orla de espuma que se deshacía y, repentinamente, rehacía. Se miraron, en silencio.

–Ya estamos cerca de la reventazón, entonces –dijo, al fin, Miguel.

–Sí. Hemos nadado rápido.

–Nunca había visto tanta neblina.

–¿Estás muy cansado? –preguntó Rubén.

–¿Yo? Estás loco. Sigamos.

Inmediatamente lamentó esa frase, pero ya era tarde. Rubén había dicho «bueno, sigamos».

Llegó a contar veinte brazadas antes de decirse que no podía más: casi no avanzaba, tenía la pierna derecha semiinmovilizada por el frío, sentía los brazos torpes y pesados. Acezando, gritó «¡Rubén!». Éste seguía nadando. «¡Rubén, Rubén!» Giró y comenzó a nadar hacia la playa, a chapotear más bien, con desesperación, y de pronto rogaba a Dios que lo salvara, sería bueno en el futuro, obedecería a sus padres, no faltaría a la misa del domingo y, entonces, recordó haber confesado a los pajarracos «voy a la iglesia sólo a ver a una hembrita» y tuvo una certidumbre como una puñalada: Dios iba a castigarlo, ahogándolo en esas aguas turbias que golpeaba frenético, aguas bajo las cuales lo aguardaba una muerte atroz y, después, quizás, el infierno. En su angustia surgió entonces como un eco, cierta frase pronunciada alguna vez por el padre Alberto en la clase de religión, sobre la bondad divina que no conoce límites, y mientras azotaba el mar con los brazos –sus piernas colgaban como plomadas transversales–, moviendo los labios rogó a Dios que fuera bueno con él, que era tan joven, y juró que iría al seminario si se salvaba, pero un segundo después rectificó, asustado, y prometió que en vez de hacerse sacerdote haría sacrificios y otras cosas, daría limosnas y ahí descubrió que la vacilación y el regateo en ese instante crítico podían ser fatales y entonces sintió los gritos enloquecidos de Rubén, muy próximos, y volvió la cabeza y lo vio, a unos diez metros, media cara hundida en el agua, agitando un brazo, implorando: «¡Miguel, hermanito, ven, me ahogo, no te vayas!».

Quedó perplejo, inmóvil, y fue de pronto como si la desesperación de Rubén fulminara la suya; sintió que recobraba el coraje, la rigidez de sus piernas se atenuaba.

–Tengo calambre en el estómago –chillaba Rubén–. No puedo más, Miguel. Sálvame, por lo que más quieras, no me dejes, hermanito.

Flotaba hacia Rubén, y ya iba a acercársele cuando recordó, los náufragos sólo atinan a prenderse como tenazas de sus salvadores y los hunden con ellos, y se alejó, pero los gritos lo aterraban y presintió que si Rubén se ahogaba él tampoco llegaría a la playa, y regresó. A dos metros de Rubén, algo blanco y encogido que se hundía y emergía, gritó: «no te muevas, Rubén, te voy a jalar pero no trates de agarrarme, si me agarras, nos hundimos. Rubén, te vas a quedar quieto, hermanito, yo te voy a jalar de la cabeza, no me toques». Se detuvo a una distancia prudente, alargó una mano hasta alcanzar los cabellos de Rubén. Principió a nadar con el brazo libre, esforzándose todo lo posible por ayudarse con las piernas. El desliz era lento, muy penoso, acaparaba todos sus sentidos, apenas escuchaba a Rubén quejarse monótonamente, lanzar de pronto terribles alaridos, «me voy a morir, sálvame, Miguel», o estremecerse por las arcadas. Estaba exhausto cuando se detuvo. Sostenía a Rubén con una mano, con la otra trazaba círculos en la superficie. Respiró hondo por la boca. Rubén tenía la cara contraída por el dolor, los labios plegados en una mueca insólita.

–Hermanito –susurró Miguel–, ya falta poco, haz un esfuerzo. Contesta, Rubén. Grita. No te quedes así.

Lo abofeteó con fuerza y Rubén abrió los ojos; movió la cabeza débilmente.

–Grita, hermanito –repitió Miguel–. Trata de estirarte. Voy a sobarte el estómago. Ya falta poco, no te dejes vencer.

Su mano buscó bajo el agua, encontró una bola dura que nacía en el ombligo de Rubén y ocupaba gran parte del vientre. La repasó, muchas veces, primero despacio, luego fuertemente, y Rubén gritó: «¡no quiero morirme, Miguel, sálvame!».

Comenzó a nadar de nuevo, arrastrando a Rubén esta vez de la barbilla. Cada vez que un tumbo los sorprendía, Rubén se atragantaba, Miguel le indicaba a gritos que escupiera. Y siguió nadando, sin detenerse un momento, cerrando los ojos a veces, animado porque en su corazón había brotado una especie de confianza, algo caliente y orgulloso, estimulante, que lo protegía contra el frío y la fatiga. Una piedra raspó uno de sus pies y él dio un grito y apuró. Un momento después podía pararse y pasaba los brazos en torno a Rubén. Teniéndolo apretado contra él, sintiendo su cabeza apoyada en uno de sus hombros, descansó largo rato. Luego ayudó a Rubén a extenderse de espaldas, y soportándolo en el antebrazo, lo obligó a estirar las rodillas; le hizo masajes en el vientre hasta que la dureza fue cediendo. Rubén ya no gritaba, hacía grandes esfuerzos por estirarse del todo y con sus manos se frotaba también.

–¿Estás mejor?

–Sí, hermanito, ya estoy bien. Salgamos.

Una alegría inexpresable los colmaba mientras avanzaban sobre las piedras, inclinados hacia adelante para enfrentar la resaca, insensibles a los erizos. Al poco rato vieron las aristas de los acantilados, el edificio de los baños y, finalmente, ya cerca de la orilla, a los pajarracos, de pie en la galería de las mujeres, mirándolos.

–Oye –dijo Rubén.

–Sí.

–No les digas nada. Por favor, no les digas que he gritado. Hemos sido siempre muy amigos, Miguel. No me hagas eso.

–¿Crees que soy un desgraciado? –dijo Miguel–. No diré nada, no te preocupes.

Salieron tiritando. Se sentaron en la escalerilla, entre el alboroto de los pajarracos.

–Ya nos íbamos a dar el pésame a las familias –decía Tobías.

–Hace más de una hora que están adentro –dijo el Escolar–. Cuenten, ¿cómo ha sido la cosa?

Hablando con calma, mientras se secaba el cuerpo con la camiseta, Rubén explicó:

–Nada, llegamos a la reventazón y volvimos. Así somos los pajarracos. Miguel me ganó. Apenas por una puesta de mano. Claro que si hubiera sido en una piscina, habría quedado en ridículo.

Sobre la espalda de Miguel, que se había vestido sin secarse, llovieron las palmadas de felicitación.

–Te estás haciendo un hombre –le decía el Melanés.

Miguel no respondió. Sonriendo, pensaba que esa misma noche iría al Parque Salazar; todo Miraflores sabría ya, por boca del Melanés, que había vencido esa prueba heroica y Flora lo estaría esperando con los ojos brillantes. Se abría, frente a él, un porvenir dorado.

IV. Otras direcciones: desde el «boom»

Elena Poniatowska

(París, 1933) Una de las manifestaciones más interesantes en la literatura hispanoamericana a partir de la década de los sesenta es la aparición y popularización del género testimonial en varios países del continente. En México, donde ha cobrado gran fuerza, Elena Poniatowska representa de modo eminente esa tendencia. En su caso, el testimonio es algo más que eso: una alianza entre la técnica narrativa para presentar una historia, la profundidad del ensayo antropológico y la inmediatez de la crónica periodística. El resultado es un género nuevo que puede considerarse a caballo entre la historia oral y la novela documental. La trascendencia social de ese híbrido es evidente, sobre todo en un país como México, donde la gran prensa ha producido una endémica crisis de la información y el público está ansioso por conocer los acontecimientos fundamentales que configuran su realidad social. Poniatowska escribe lo que se calla o deforma, da voz a los que no la tienen y registra lo que la memoria debe salvar del olvido. Un claro sentido popular y democrático llena sus páginas; un nuevo heroísmo anónimo y cotidiano –el de sobrevivir pese a todo– anima sus imágenes. Sus crónicas pueden bien compararse, por sus vivos colores, su animación y su afán de desnudar la complicidad del silencio, con la escuela muralista mexicana: básicas lecciones públicas para un pueblo que no sabe bien de sí mismo. Y tampoco deben soslayarse las coincidencias de estas formas con las del *new journalism* y la novela histórica norteamericana –la llamada *faction*– que han cultivado Truman Capote, Norman Mailer y otros.

Nacida de padre de origen polaco y sangre noble, y de madre mexicana, vivió su primera infancia en París. A los nueve años llega a México y a los veintiún años entra a trabajar en el diario *Excelsior* como reportera y entrevistadora; en 1955 pasó a escribir a *Novedades* y continúa haciéndolo ocasionalmente hasta la fecha, aparte de colaborar con otras numerosas publicaciones nacionales y extranjeras. Ha sido invitada por muchas universidades norteamericanas y europeas y su obra ha sido traducida a varias lenguas. Recibió en 1979 el Premio Nacional de Periodismo. En esta labor fue encontrando sus grandes temas y su propio estilo. En su obra tenemos cuentos (*Los cuentos de Lilus Kikus, De noche vienes*), relatos (*Querido Diego, te abraza Quiela*), novelas (*Hasta no verte, Jesús mío; La «flor de lis»*), aparte de las crónicas propiamente dichas (*Todo empezó en domingo, La noche de Tlatelolco, Fuerte es el silencio* o *Nada, nadie*). No siempre es fácil deslindar esos géneros, porque en casi todo hay una base real o documental que su tratamiento literario prefiere no borrar. Lo histórico se hace ficción y la ficción se parece a la historia. Hay que destacar también el creciente sesgo feminista que ha ido cobrando su enfoque de la sociedad mexicana y su visión de los aportes de la mujer a los grandes cambios que el país experimenta.

Progresivamente las obras de ficción han ido ganando mayor terreno en la producción de la autora, aunque sin dejar del todo su vocación testimonial. Sin embargo, en «Cine Prado», que figura en *Los cuentos de Lilus Kikus,* prefiere adoptar el punto de vista de un narrador masculino para contar la absurda historia de amor entre un crítico y una actriz de cine. Lo que leemos es la desengañada carta que él le escribe tras confirmar su impresión de que ella no es la inocente mujer de sus sueños y que realmente vive las pasiones que le imponen sus papeles. Su ingenuidad es evidente y parece reflejar la habitual idea sobre la sexualidad femenina. La carta muestra cómo esta relación imaginaria ha afectado su propia vida matrimonial y su vida a secas. En el fondo, de lo que se trata aquí es de un caso de transferencia de un sentimiento real a un plano imaginario, que revela la confusión emocional del narrador. Cuando confiesa «quisiera quedarme a vivir con usted en la película», pensamos en *La rosa púrpura de El Cairo* (1985), el filme de Woody Allen que trata un tema similar, y un poco en el cuento «Queremos tanto a Glenda», de Cortázar *(véase),* en el que un grupo de admiradores de la actriz Glenda Jackson se empeñan en destruir todos los filmes que no están a la altura de sus cualidades artísticas. El sorpresivo final muestra el grado de alienación al que el narrador ha llegado en su búsqueda de la «mujer ideal». Un detalle interesante: el juego de palabras con un título cinematográfico *(Qué me duras/*quemaduras) parafrasea el de un poema de Xavier Villaurrutia. Entre los premios y distinciones que ha recibido merecen citarse el Nacional de Periodismo (1979), el Alfaguara de Novela (2001), el Rómulo Gallegos (2007), el Biblioteca Breve-Seix Barral (2011) y el Cervantes (2013).

Obra narrativa y testimonial

Lilus Kikus, México: Los Presentes, 1955; *Todo empezó en domingo,* México: Fondo de Cultura Económica, 1960; *Los cuentos de Lilus Kikus,* Xalapa, México: Universidad Veracruzana, 1967; *Hasta no verte, Jesús mío,* México: Era, 1969; Madrid: Alianza Editorial, 1984; *La noche de Tlatelolco,* México: Era, 1971; *Querido Diego, te abraza Quiela,* México: Era, 1978; *[y otros cuentos],* Madrid: Alianza Editorial/Era, 1984; *Gaby Brimmer,* México: Grijalbo, 1979; *De noche vienes,* México: Grijalbo, 1979; *Fuerte es el silencio,* México: Era, 1980; *El último guajolote,* 2.ª ed. corr., México: Cultura/SEP/Martín Casillas, 1982; *Nada, nadie,* México: Era, 1988; *La «flor de lis»,* México: Era, 1988; Madrid, Alianza Editorial, 1988; *Tinísima (Vida de Tina Modotti),* México: Era, 1992; *Paseo de la Reforma,* Barcelona: Plaza & Janés, 1996; *La piel del cielo,* Madrid: Alfaguara, 2001; *Tlapalería,* Mexico: Era, 2003; *Obras reunidas,* México: Fondo de Cultura Económica, 2005; *El tren pasa primero,* Madrid: Santillana, 2005; *Amanecer en el Zócalo. Los 50 días que confrontaron a México,* México: Planeta, 2007; *Leonora,* México: Seix Barral, 2011; *El universo o nada. Biografía del estrellero Guillermo Haro,* México: Seix Barral, 2013; *Llorar en la sopa,* Madrid: Fondo de Cultura Económica, 2014; *Hojas de papel volando,* México: Ediciones Rea, 2014.

Crítica

Bruce Novoa, Juan, «E. P.: The Feminist Origins of Commitment», *Women's Studies International Forum,* 6: 5 (1983), 509-16; *Confrontaciones. El escritor ante el público. E. P.* [diálogo con la autora], México: UAM/Azcapotzalco, 1984; Erro-Peralta, Nora y Maiz-Peña, Magdalena (selec. y pról.), *La palabra contra el silencio: Elena Poniatowska ante la crítica,* Tlalpan, México: Ediciones Era, Universidad Nacional Autónoma de México, 2013; Flori,

Mónica, «Vision of Women: Symbolic Physical Portrayal as Social Commentary in the Short Stories of E. P.», *Third Woman,* 11: 2 (1984), 77-83; Foster, David W., «Latin American Documentary Narratives», *PMLA,* 99: 1 (1985), 41-55; Hancock, Joel, «E. P.'s *Hasta no verte, Jesús mío:* The Remaking of the Image of Woman», *Hispania,* 66: 3 (1983), 353-69; Jorgensen, Beth, «E. P.», en Diane Harting, ed., *Women Writers. A Bio-Bibliographical Sourcebook,* Westport, Connecticut: Greenwood Press, 1990, 472-78; *The Writing of E. P.: Engaging Dialogues,* Austin: University of Texas Press, 1994; Kerr, Lucille, «Gestures of Authorship: Lying to Tell the Truth in E. P.'s *Hasta no verte, Jesús mío*», *Reclaiming the Author: Figures and Fictions in Spanish America,* Durham, N. Carolina: Duke University Press, 1992; Mantero, José María, «Confluencias: liberación y locura en *La "flor de lis"* de E. P.», *La Torre,* 4: 11 (1999), 179-89; Perilli, Carmen, *Catálogo de ángeles mexicanos: E. P.,* Rosario: Beatriz Viterbo Editora, 2006; Santucci Tavares, Filomena, «Women in México: An Analysis of Female Characterization in the Fiction of E. P.», tesis doctoral, University of Ottawa, Canadá, 1989; Scott, Nina M., «The Fragmented Narrative Voice of E. P.», *Discurso Literario,* 7: 2 (1990), 411-20; Sklodowska, Elzbieta, *Testimonio americano. Historia, teoría, poética,* Nueva York: Peter Lang, 1992.

Cine Prado

Señorita:

A partir de hoy, usted debe borrar mi nombre de la lista de sus admiradores. Tal vez debiera ocultarle esta deserción. Pero callándome, iría en contra de una integridad personal que jamás ha eludido los compromisos de la verdad. Al apartarme de usted, sigo un profundo viraje de mi espíritu, que se resuelve en el propósito final de no volver a contarme entre los espectadores de una película suya.

Esta tarde, más bien esta noche, me destruyó usted. Ignoro si le importa saberlo, pero soy un hombre hecho pedazos. ¿Se da usted cuenta? Soy un hombre que depende de una sombra engañosa, un hombre que persiguió su imagen en la pantalla de todos los cines de estreno y de barrio, un crítico enamorado que justificó sus peores actuaciones morales y que ahora jura separarse para siempre de usted, aunque el simple anuncio de *Fruto prohibido* haga vacilar su decisión...

Sentado en una cómoda butaca, fui uno de tantos. Un ser perdido en la anónima oscuridad, que de pronto se sintió atrapado en una tristeza individual, amarga y sin salida. Entonces fui realmente yo, el solitario que sufre y que le escribe. Porque ninguna mano fraternal se ha extendido para estrechar la mía. Mientras usted destrozaba tranquilamente mi corazón en la pantalla, todos se sentían inflamados y felices. Hasta hubo un canalla que rio descaradamente, mientras yo la veía desfallecer en brazos de ese galán abominable que la llevó a usted al último extremo de la degradación humana... Y un hombre que pierde de golpe todos sus ideales ¿no le cuenta para nada señorita?

Hágame usted el favor de ser un poco más responsable de sus actos, y antes de firmar un contrato o de aceptar un compañero estelar, piense que un hombre como yo puede contarse entre el público futuro y recibir un golpe mortal. No hablo movido por los celos, pero, créame usted: en esta película: *Esclavas del deseo* fue besada, acariciada y agredida con exceso. No sé si mi memoria exagera, pero en la escena del cabaret no tenía usted por qué entreabrir los labios, desatar sus cabellos sobre los hombros y tolerar los procaces ademanes y los contoneos de aquel marinero que sale bostezando, después de sumergirla en el lecho revuelto y abandonarla como una embarcación que hace agua... Yo sé que los actores pierden en cierto modo su libre albedrío y que se hallan a merced de los caprichos de un autor masoquista; sé también que están obligados a seguir punto por punto todas las deficiencias y las falacias del texto que deben interpretar. Pero... permítame usted, a todo el mundo le queda, en el peor de los casos, un mínimo de iniciativa, una brizna de libertad, que usted no pudo o no quiso aprovechar.

Si se tomara la molestia, usted podría contestarme que desde su primera película aparecieron algunos de los rasgos de conducta que ahora le reprocho, y es cierto; es todavía más cierto que yo no tengo derecho ni disculpa para sentirme defraudado porque la acepté entonces a usted tal como es. Perdón, tal como creí que era. Como todos los desengañados, yo maldigo el día en que uní mi vida a su destino cinematográfico... ¡Y conste que la acepté toda opaca y principiante, cuando nadie la conocía y le dieron aquel papelito de trotacalles con las medias chuecas y los tacones carcomidos, papel que ninguna mujer decente habría sido capaz de aceptar!... Y sin embargo, yo la perdoné y en aquella sala indiferente y negra de mugre saludé la aparición de una estrella. Yo fui su descubridor, el único que supo asomarse a su alma, pese a su bolsa arruinada y a sus vueltas de carnero. Por lo que más quiera, perdóneme este brusco arrebato...

Se le cayó la máscara, señorita. Me he dado cuenta de la vileza de su engaño. Usted no es la criatura de delicias, la paloma frágil y tierna a la que yo estaba acostumbrado, la golondrina de otoñales revuelos, el rostro perdido entre gorgueras de encaje que yo soñé, sino una mala mujer hecha y derecha, novelera en el peor sentido de la palabra. De ahora en adelante, muy estimada señorita, usted irá por su camino y yo por el mío...

Siga usted trotando por las calles, que yo ya me caí como una rata en la alcantarilla. Y conste que lo de señorita se lo digo solamente para guardar las apariencias. Tómelo usted, si quiere, como una desesperada ironía.

Porque yo la he visto dar y dejarse dar besos en muchas películas. Pero antes, usted no alojaba a su dichoso compañero en el espíritu. Besaba usted sencillamente como todas las buenas actrices: como se besa apasionadamente a un muñeco de cartón. Porque, sépalo usted de una vez por todas, la única sensualidad que vale la pena es la que se nos da envuelta en alma, porque el alma envuelve entonces nuestro cuerpo, como la piel de la uva que comprime la pulpa... Antes, sus escenas de amor no me alteraban, porque siempre había en usted un rasgo de dignidad profanada, porque yo percibía siempre un íntimo rechazo, una falla en el último momento, que rescataba mi angustia y que me hacía feliz. Pero en *La rabia en el cuerpo,* con los ojos húmedos de amor, usted volvió hacia mí un rostro verdadero, ese que no quiero ver nunca más. Dígalo de una vez, usted está realmente enamorada de ese malvado, de ese comediante de quinta fila ¿no es cierto? Por lo menos todas las palabras, todas las promesas que le hizo, eran auténticas, y cada uno de sus ademanes y de sus gestos estaban respaldados por la decisión de su espíritu. ¿Por qué me ha engañado usted como engañan todas las mujeres, a base de máscaras sucesivas y distintas? ¿Por qué no me mostró de una vez el rostro desatado que ahora me atormenta?

Mi drama es casi metafísico y no le encuentro posible desenlace. Estoy solo en mi angustia... Bueno, debo confesar que mi esposa todo lo comprende y que a veces comparte mi consternación. Estábamos recién casados cuando fuimos a ver inocentemente su primera película, ¿se acuerda usted? Aquella del buzo atlético y estúpido que se fue al fondo del mar por culpa suya, con todo y escafandra... Yo salí del cine completamente trastornado, y habría sido una vana pretensión el ocultárselo a mi mujer. Ella, por lo demás, estuvo completamente de mi parte; y hubo de confesar que sus *deshabillés* son realmente espléndidos. No tuvo inconveniente en acompañarme al cine otras seis veces, creyendo de buena fe que la rutina iba a romper el encanto.

Pero las cosas fueron empeorando a medida que se estrena-
ban sus películas. Nuestro presupuesto hogareño tuvo que
sufrir importantes modificaciones, a fin de permitirnos fre-
cuentar las pantallas unas tres veces por semana. Está por
demás decir que después de cada sesión cinematográfica
nos pasábamos el resto de la noche discutiendo... Al fin y al
cabo, usted no era más que una sombra indefensa, una silueta de dos dimensiones, sujeta a las deficiencias de la luz.
Y mi mujer aceptó buenamente tener como rival a un
fantasma cuyas apariciones podían controlarse a voluntad.
Pero no desaprovechaba la oportunidad de reírse a costa de
usted y de mí. Recuerdo su regocijo aquella noche fatal en
que, debido a un desajuste fotoeléctrico, usted habló durante diez minutos con una voz inhumana, de robot casi,
que iba del falsete al bajo profundo... A propósito de su
voz, sepa usted que me puse a estudiar el francés porque no
podía conformarme con el resumen de los títulos en español, aberrantes y desabridos. Aprendí a descifrar el sonido
melodioso de su voz, pero no pude evitar la comprensión
de ciertas palabras atroces, que puestas en sus labios o apli-
cadas a usted me resultaron intolerables. Deploré aquellos
tiempos en que llegaban a mí atenuadas por pudibundas
traducciones; ahora, las recibo como bofetadas.

Lo más grave de todo es que mi mujer me está dando in-
quietantes muestras de mal humor. Las alusiones a usted, y
a su conducta en la pantalla, son cada vez más frecuentes
y feroces. Últimamente ha concentrado sus ataques en la
ropa interior y dice que estoy hablándole en balde a una
mujer sin fondo. Y hablando sinceramente, aquí entre nosotros, ¿a qué sale toda esa profusión de infames transpa-
rencias de tenebroso acetato, ese derroche de íntimas prendas negras? Si yo lo único que quiero hallar en usted es esa

chispita triste y amarga que hay en sus ojos... Pero volvamos a mi mujer.

Hace mohínes y la imita. Me arremeda también. Repite burlona algunas de mis quejas más lastimeras: «Los besos que me duelen en *Qué me duras,* me están ardiendo como quemaduras»... Desechando toda ocasión de afrontar el problema desde un ángulo puramente sentimental, echa mano de argumentos absurdos pero contundentes. Alega, nada menos, que usted es irreal y que ella es una mujer concreta. Y a fuerza de demostrármelo está acabando con todas mis ilusiones... No sé qué es lo que va a suceder si resulta cierto lo que aquí se rumorea, eso de que va usted a venir a filmar una película. ¡Por amor de Dios, quédese en su patria, señorita!

Sí, no quiero volver a verla, aunque cada vez que la música cede poco a poco y los hechos se van borrando en la pantalla, yo soy un hombre anonadado. Me refiero a esas tres letras crueles que ponen fin a la modesta felicidad de mis noches de amor, a dos pesos la luneta. Quisiera quedarme a vivir con usted en la película, pero siempre salgo remolcado del cine por mi mujer, que tiene la mala costumbre de ponerse de pie al primer síntoma de que el último rollo se está acabando...

Señorita, la dejo. No le pido siquiera un autógrafo, porque si llegara a mandármelo yo sería tal vez capaz de olvidar su traición imperdonable. Reciba esta carta como el homenaje final de un espíritu arruinado y perdóneme por haberla incluido entre mis sueños. Sí, he soñado con usted más de una noche, y nada tengo que envidiar a esos galanes de ocasión que cobran un sueldo por estrecharla en sus brazos, y que la seducen con palabras prestadas.

Créame sinceramente su servidor.

P. S.–Se me olvidó decirle que le escribo desde la cárcel. Esta carta no habría llegado nunca a sus manos si yo no tuviera el temor de que le dieran noticias erróneas acerca de mí. Porque los periódicos están abusando aquí de este suceso ridículo: «Ayer por la noche, un desconocido, tal vez loco, tal vez borracho, fue corriendo hasta la pantalla del cine Prado y clavó un cuchillo en el pecho de Françoise Arnoul...».

Ya sé que es imposible, señorita, pero yo daría lo que no tengo con tal de que usted conservara en su pecho, para siempre, el recuerdo de esa certera puñalada.

José Emilio Pacheco

(México, 1939-Ciudad de México, 2014) Pacheco es uno de los más cabales *hommes de lettres* que hayan aparecido en el continente. No sólo porque su obra cultiva –con pareja habilidad– todos los géneros (poesía, cuento, novela, teatro, ensayo, crítica literaria...), sino porque fue un lector voraz y omnívoro, un gran periodista, un espléndido traductor y, en general, un hombre cuya vida se consumió en el ejercicio intelectual y en la devoción por la literatura de cualquier época o en cualquier lengua. Concibió su tarea, con ejemplar modestia, como la de un simple *mediador* entre la tradición recibida y la renovación que le corresponde introducir en ella como un escritor de este tiempo. Así, lo que lee, lo que escribe y las obras de otros que da a conocer constituyen una cadena de estímulos, variantes y respuestas que ha enriquecido la cultura de su país y ha orientado ya a más de una generación. Su vida se caracterizó por su constante trabajo y por su disciplina. Aunque concentrado en lo suyo, no es ajeno a los sucesos de la historia nacional y mundial. Ha colaborado en diversos suplementos literarios, revistas y periódicos. Ha viajado intensamente por América y Europa. Desde 1985 dividió su tiempo entre México y Estados Unidos, como profesor en la Universidad de Maryland. Ha ganado, entre otros muchos, el Premio Magda Donato (1967), el Premio Villaurrutia (1973), el Premio Nacional de Periodismo (1980), el Malcolm Lowry (1992), el José Donoso de Chile (2001), el Octavio Paz de Poesía y Ensayo (2003), el Ramón López Velarde (2003), el Iberoamericano de Poesía Pablo Neruda (2004), el Federico García Lorca (2005), el Reina Sofia de Poesía Iberoamericana (2009) y el Cervantes (2009). Su obra ha sido traducida a varias lenguas.

De su poesía, recopilada bajo el título general de *Tarde o temprano* (1980), baste decir aquí que es un esfuerzo por incorporar al lenguaje poético las palabras de todos los días, con un sesgo irónico y crítico que nos revela el horror y la belleza de nuestra época, de la historia y la naturaleza que repiten incansablemente sus ciclos de grandeza y decadencia. Su narrativa cubre un amplio espectro de tonos, formas e intenciones, que van del realismo tradicional al experimentalismo más innovador (como ocurre en su novela *Morirás lejos),* pasando por la alegoría política o moral, el cuento policial, el cuento fantástico o de horror, el microrrelato, el testimonio de actualidad, la crónica sentimental, etc. Sus narraciones tienden a entrecruzarse con sus textos periodísticos, en cuanto ambos son una fusión de acontecimientos reales y elaboración imaginaria. Considerada en conjunto, su cuentística demuestra que ha sido uno de los narradores más completos y versátiles de América. Quien quiera comprobarlo debe revisar sus volúmenes *El viento distante* y *El principio del placer,* pero sobre todo la edición ampliada de *La sangre de Medusa y otros cuentos marginales,* que reúne piezas escritas entre 1956 y 1984 y ofrece una variada gama de ficciones. Bajo esa variedad de tonos y formas, el lector descubrirá la misma voz, las mismas preocupaciones e imágenes con las que el autor trata de descifrar el mundo en el que vive. Y esa voz es siempre serena y reflexiva, pese a la complejidad o dramática urgencia de los temas que a veces lo conmueven.

«Cuando salí de La Habana, válgame Dios» es uno de los cinco cuentos (más la novela corta que da título al volumen) que componen *El principio del placer,* en el que predominan los motivos de la pérdida de la inocencia, el paso del tiempo y los grandes cambios históricos de México y el mundo moderno. Este relato ocurre a comienzos del siglo XX (hacia el fin nos enteramos de la fecha exacta: mayo de 1912) y cuenta algo en apariencia bastante simple: el viaje de tres días entre La Habana y Veracruz que hace un hombre de negocios como vendedor de productos farmacéuticos de una compañía norteamericana. Pero hay circunstancias y detalles que lo complican. Por un lado, su súbita partida de La Habana se debe a una insurrección de negros en los ingenios azucareros de la isla. Ése es el primer acontecimiento histórico que se mezcla con su travesía: hay referencias al gobierno de Madero en el México revolucionario, evocaciones del período de Maximiliano y la emperatriz Carlota (lo que está asociado con la vieja canción popular que se cita en el título del cuento), el comienzo del poder imperial de la economía norteamericana, etc. Todo esto crea la sensación de un mundo cambiante en lo público y lo privado, de acontecimientos que «hacen época», como el naufragio del *Titanic.* Esos cambios afectan la vida personal del protagonista, seguramente un mexicano exiliado tras la Revolución y trasplantado a Nueva York, cuya rápida expansión urbana lo llena de admiración.

Por otro, hay un elemento romántico: la encendida pasión que despierta en él la joven Isabel, pasajera de la misma nave. Sus cavilaciones amorosas nos revelan que se trata de un hombre casado con una norteamericana, con hijos, a los que está dispuesto a sacrificar por seguir los impulsos o caprichos de su corazón. Aunque en el último tercio del texto hay una significativa reflexión del protagonista provocada por su temor de perder a Isabel («siempre me pasa lo mismo, en vez de gozar del presente ya me entristece la futura nostalgia por el ahora que no volverá»), nada nos prepara para el sorpresivo desenlace que nos depara el último párrafo: Isabel le informa al protagonista de que el supuesto viaje de tres días presuntamente ha durado todo un siglo y que la fecha de llegada a Veracruz es noviembre del 2012; la nave se perdió en el mar tiempo atrás y se convirtió en un barco fantasma. La frase final es sutilmente ambigua: «¿... cómo vamos a vivir en un mundo que ya es otro mundo?», es decir, un mundo distinto del que conocieron pero también el del más allá.

Son notorios los vínculos de este cuento con relatos antiguos o clásicos (como *Rip Van Winkle* [1809] de Washington Irving) que tratan el viejo motivo del viaje en el espacio que se convierte en un viaje en el tiempo por el que entramos a una dimensión de sueño y perturbadora fantasía. Ese motivo ha sido tratado entre nosotros por Carpentier y García Márquez *(véanse)* y, en la tradición literaria mexicana, por José María Roa Bárcena en el célebre «Lanchitas»[1].

1. Véase nuestra *Antología crítica del cuento hispanoamericano del siglo XIX*, Madrid, Alianza Editorial (2017), págs. 122 ss.

Hábilmente, el autor ha demorado ese crucial salto por el que pasamos de un mundo concreto a otro que apenas podemos concebir dando datos minuciosos sobre la actualidad histórica y el veloz avance de nuestra época hacia un promisorio futuro. La fusión de tiempos y el continuo trasiego de la información objetiva en los procesos interiores, y viceversa, están facilitados por una narración que adopta una forma intermedia entre el diario de a bordo y el monólogo interior; los párrafos separados por puntos y comas, en vez de puntos, acentúan el modo fragmentario en el que se registran los hechos y su reflejo en la conciencia del personaje principal.

Obra narrativa

La sangre de Medusa, México: Cuadernos del Unicornio, 1958; *[y otros cuentos marginales],* México: Era, 1990; *El viento distante y otros relatos,* México: Joaquín Mortiz, 1963; *Morirás lejos,* México: Joaquín Mortiz, 1967; Barcelona: Montesinos, 1980; *El principio del placer,* México: Joaquín Mortiz, 1972; *Las batallas en el desierto,* México: Era, 1981.

Crítica

Borinsky, Alicia, «J. E. P.: relecturas e historia», *Revista Iberoamericana,* 51: 150 (1990), 267-73; Cluff, Russell M., ed., *Siete acercamientos al relato mexicano actual,* México: UNAM, 1987, 35-98; Cannavacciudo, Margherita, *Miradas en vida: la narrativa de J. E. P.,* Rosario, Beatriz Viterbo Editora, 2014; Díaz, Nancy Gray, «El mexicano naufragado y la literatura "pop": "La fiesta brava" de J. E. P.», *Hispanic Journal,* 6: 1 (1984), 131-39; Díez, Luis Alfonso,

«La narrativa fantasmática de J. E. P.», *Texto crítico,* 2: 5 (1976), 103-14; Duncan, Cynthia, «The Fantastic as a Vehicle of Social Criticism in J. E. P.'s "La fiesta brava"», *Chasqui,* 14: 2-3 (1985), 3-13; «Detecting the Fantastic in J. E. P.'s "Tenga para que se entretenga"», *Inti,* 32-3 (1991), 41-52; Giordano, Jaime, «Transformaciones narrativas actuales: *Morirás lejos* de J. E. P.», *Cuadernos Americanos,* 44: 1 (1985), 133-40; Graniela-Rodríguez, Magda, *El papel del lector en la novela mexicana contemporánea: J. E. P. y Salvador Elizondo,* Potomac, Maryland: Scripta Humanistica, 1991, 79-124; Hancock, Joel, «Is It Really the Beginning? J. E. P.: *El principio del placer»*, *Chasqui,* 3: 2 (1974), 80-83; Jiménez de Boise, Ivette, Diana Morán y Edith Negrín, *Ficción e historia: la narrativa de J. E. P.,* México: El Colegio de México, 1979; Jiménez de Báez, Yvette (ed.), *J. E. P.: reescritura en movimiento,* México, D. F.: El Colegio de México, Centro de Estudios Lingüísticos y Literarios, 2014; Jones, Julie, «"El viento distante" de J. E. P.: un cuento de transformación», en Merlin H. Foster y Julio Ortega, eds., *De la crónica a la nueva narrativa mexicana. Coloquio sobre literatura mexicana,* México: Oasis, 1986, 443-52; *Homenaje a J. E. P. A veinte años de «Morirás lejos»,* Michoacán, México: Instituto Michoacano de Cultura, [1988]; Negrín, Edith y Ruiz Abreu, Álvaro, *Pasión por la palabra: homenaje a J. E. P.,* México, D. F.: Universidad Nacional Autónoma de México, 2014; Oviedo, José Miguel, «J. E. P., cuentista», *Ínsula,* 535 (1991), 23-4; Torres, Daniel, *J. E. P.: Poesía y poética del prosaísmo,* Madrid: Pliegos, 1990; Verani, Hugo J., *J. E. P. ante la crítica,* México: UNAM, 1987 [inc. bibliog.]; *La hoguera y el viento: J. E. P. ante la crítica* (ed. corr. y aum.), México D. F.: Ediciones Era, 1993; Verani, Hugo J.; Haric, Pol Popovic; Chávez Pérez, F. del (coords.), *J. E. P.: perspectivas críticas,* Monterrey: Tecnológico de Monterrey, 2006.

Cuando salí de La Habana, válgame Dios

A Salvador Barros

Yo estaba nada más de paso en Cuba como representante que soy, o era, de la Ferroquina Cunningham, aquella tarde en la quinta del senador junto al río Almendares tomábamos el fresco después del almuerzo, me había firmado un pedido inmenso, él tiene la concesión de todas las boticas en La Habana, es amigo íntimo del presidente Gómez y socio en el Ferrocarril de Júcaro y el periódico *El Triunfo,* cuando llegaron a avisarle, Dios mío, en Oriente se han sublevado los negros de los ingenios azucareros, van a echar al agua a todos los blancos, a degollarlos, a destriparlos, qué horror; tengo miedo, dije, ahora mismo me voy, el senador insultó a los negros, ya son libres, qué más quieren, no se conforman con nada, además escogen para rebelarse precisamente hoy, décimo aniversario de la República, luego intentó calmarme, aseguró que el Tiburón, es decir el general Gómez, iba a someterlos en unas cuantas horas y, en el caso remoto de que fallara, tropas norteamericanas desembarcarían para proteger vidas y haciendas;

pero no me convenció, no soy hombre de guerra, el chofer del senador me llevó al hotel, hice las maletas, pagué la cuenta y llamé por teléfono a la agencia naviera, el único barco que sale ahora va para México, pero si acabo de llegar de México, bueno, no importa, doy lo que sea, ¿zarpa a las seis, pago a bordo, me aceptan un cheque?;

en el muelle otros negros cantaban, cargaban azúcar, ¿lo sabrían, iban a sublevarse también?, al fin trajeron mi equipaje, una lancha me llevó con otros pasajeros hasta el trasatlántico y subí por la escala colgante al gran barco;

qué alegría estar a salvo en un camarote del *Churruca,* no hay como estos vapores de la Compañía Trasatlántica Española, además sirven excelente comida, siento mucho no haberme despedido de quienes fueron tan amables conmigo, menos mal que organizado como soy terminé el día anterior mis asuntos, en cuanto lo abran iré al despacho telegráfico para enviar un mensaje inalámbrico a Mr. Cunningham, debo explicarle por qué salí de La Habana, aunque ya sabrá todo, en Nueva York se interesan mucho por Cuba;

pasado un rato, me asfixio entre estas cuatro paredes, subo a cubierta, suena la sirena, levan el ancla, brillan las fortalezas de La Cabaña y El Morro, todo parece en calma, quién diría que al otro lado de la isla los negros matan, violan, saquean, las torres de Catedral se alejan, las casas del Malecón se borran, por un instante El Vedado aparece color de rosa, jardines, balnearios, palmeras, disminuyen, se vuelven como un dibujo chino en un grano de arroz, las aguas cambian de color, se oscurecen, nos hundimos en la curva del mar;

a bordo del *Churruca* la gente parece triste, sólo Dios sabe qué va a pasar en Cuba, toca la orquesta esa habanera tan melancólica, *La paloma,* según mi madre la predilecta de Maximiliano y Carlota cuando eran emperadores de México, pobre Maximiliano, pobre Carlota, sobre todo ella, muerta en vida, esperando, sin darse cuenta de que han pasado los años, sí, *La paloma,* mi madre la cantaba en mi cuna, *Cuando salí de La Habana, válgame Dios, / nadie me vio salir si no fui yo;*

entre los pasajeros no hay ningún conocido, vuelvo al camarote, espero la cena, mientras tanto fumo un H. Upmann y termino *La isla de los pingüinos,* gran escritor Anatole France, estoy a punto de quedarme dormido, vienen a cobrarme el pasaje, ¿cuándo llegaremos a Veracruz?, en menos de tres días si hay buen tiempo, responden;

por la noche miro hacia abajo desde la cubierta, las olas se ven temibles al romperse en el costado del barco, si le tengo miedo a una sublevación cuánto más temeré un naufragio, serio inconveniente para alguien que debe ir de un país a otro de Sudamérica con muestras, almanaques y catálogos de los laboratorios Cunningham, y en qué lo voy a hacer si no en barco, por fortuna los de la Trasatlántica Española son los más cómodos y seguros del mundo;

lo mismo opina el matrimonio que me toca a la mesa, unos noruegos muy agradables aunque no demasiado conversadores, ya que no sé francés y ellos hablan inglés británico y casi nada de español, sólo puedo mencionarles dos obras de Ibsen que he visto en Broadway, *Espectros* y *Casa de muñecas,* y preguntarles si su capital, Cristianía, es tan gélida como San Petersburgo, acerca de ella sé un poco, Dav, mi vecino en la Calle 55, es un exiliado enemigo del zar;

el nombre del barco les parece incomprensible a los noruegos, gracias a que leí una novela de Galdós me luzco, les
digo, Churruca fue el almirante español que en 1805 perdió
la batalla de Trafalgar contra Horatio Nelson, una bala de
cañón le arrancó una pierna, Churruca siguió dirigiendo
sus naves con el cuerpo metido en un barril de harina para
frenar la hemorragia, se desangró pero murió de pie como
un héroe, yo al verme así me hubiera dado un balazo, por
increíble que parezca a su vez el almirante Nelson resultó
muerto a bordo del *Victory,* para evitar la corrupción su cadáver fue llevado a Inglaterra en un barril de brandy, hubo
un exceso de toneles en Trafalgar ¿no creen ustedes?;

nadie se ríe, fin de la conversación, no hay más temas de
interés común, hubiera preferido cenar con gente de mi idioma o norteamericanos, para mí es igual, hablo como ellos,
vivo en Manhattan desde niño, mi padre fue otra víctima de
Porfirio Díaz cuando hubo la rebelión de 1879, pero he llegado el último y no debo quejarme, fue una suerte hallar
pasaje en estas condiciones;

por los nervios ceno mucho, no acepto jugar bridge con
los noruegos, me acuesto, no logro dormir, el barco cruje,
oscila, salta, me asomo por la claraboya, no veo nada, tinieblas profundas, pero oigo el chasquido de las olas como un
sollozo, qué extraño, qué ganas de hablar con alguien, no,
no quiero vestirme para subir al salón en donde aún habrá
gente;

tampoco puedo leer con este zangoloteo, ahora cuando
ya se ha inventado casi todo ¿por qué no harán barcos insu-
mergibles y estables?, ¿y si algo nos pasara?, con todo y
telegrafía sin hilos, el descubrimiento genial de Marconi,
¿quién va a auxiliarnos en estas soledades?, por fortuna en
el Golfo de México no hay áisbergs, la corriente tropical los

disuelve, no nos amenaza una tragedia como la del *Titanic,* eso nunca volverá a suceder;

qué cosas tiene el mar, está loco, nadie lo entiende, nos da una noche en el infierno y al amanecer como un plato, tranquilo, ni un rizo en la superficie, qué se hicieron las grandes olas nocturnas, y aunque el capitán echa las máquinas a todo vapor para seguir por este océano de aceite, vamos como si el *Churruca* fuera un barco de vela, qué extraño;

lo bueno es que ya vi a la españolita, los viejos deben de ser sus padres, bellísima, cómo acercarme a ella, mejor esperar a que se rompa el hielo y brote la falsa camaradería de todo viaje, porque al desembarcar, plaf, se acabó, las cosas vuelven a ser como antes, haz de cuenta que nunca nos hubiéramos visto, qué raro, o no tanto, porque nadie sabe si llegará a puerto con vida, y entonces fingimos, nada me preocupa, me siento como en un paseo a orillas del río;

por suerte el hombre que está con ellos es el encargado del Casino Español en México, me acerco, qué gusto de verlo, encantado, señor, beso su mano, señora, a sus pies, señorita, y a las pocas horas ya estamos en las sillas de extensión conversando, eso sí, con los padres al lado, qué encanto de niña, tuve la precaución de quitarme la alianza matrimonial que cargo en el dedo como la argolla de un buey, si Cathy me viera cuando no estoy con ella, bueno, supondrá que en los viajes me doy mis escapadas, los yanquis hacen lo mismo, aunque tengan cuatro hijos como yo y uno más en camino;

pobre Cathy, sola todo el año, tienen la culpa los laboratorios Cunningham y mis esfuerzos por inundar Sudamérica de ferroquinas, píldoras y tricóferos, cuando menos su madre ya no vive en Albany, se cambió a Brooklyn para estar cerca de ella, nunca me he llevado bien con mi suegra aunque adora a los niños;

primera vez que Isabel viene a América, le hablo del pro-
digio que significa Manhattan, la ciudad en que comienza el
futuro; sólo Manhattan es Nueva York, los demás distritos
no importan; le cuento del ferrocarril subterráneo, los túne-
les que se construyen bajo el Hudson y el East River, le digo
que gracias a los ascensores existen los rascacielos y gracias
a los rascacielos hay ascensores en todo el mundo, de la
misma manera que el tren elevado exigió la invención de las
escaleras eléctricas, este mismo año en las grandes tiendas
de departamentos habrá escaleras eléctricas, le hablo del
Niágara y el camino de hierro de Veracruz a México, su padre dirigirá una fábrica de tejidos en Puebla, no cree que
vaya a haber otra revolución contra el presidente Madero,
en cambio está preocupado por Cuba;

qué delicia Isabel, nació en Túnez, qué extraño, la creía
madrileña o andaluza, no, es catalana como sus padres, el
mar reverberante, hace calor a pesar de la brisa, me sonríe,
no estoy bien vestido, pasan hombres de cuello duro, bom-
bines, cachuchas, pecheras albeantes, la orquesta inicia *Ma-
ple Leaf Rag,* cómo suena el catalán le pregunto, Isabel es la
perfección, la juventud y toda la belleza del mundo, fragan-
cia de agua de colonia, el viento empuja el cabello hasta su
boca, me enseña algunas palabras, *oratge* tempestad, *comiat*
despedida, *mati* mañana, *nit* noche, ¿cómo se dice en catalán hay baile esta noche?;

me desespera cenar con los noruegos, Isabel y yo nos miramos de lejos, hasta que al fin la tengo en mis brazos, los
padres sólo nos dejan bailar valses no tango, me alegra porque no sé los pasos, mil gracias, hasta mañana, Isabel;

segunda noche, *nit,* de no dormir, pienso en ella, Isabel estará pensando en el novio que dejó en Barcelona, idiotez sentir celos, cómo voy a exigir fidelidad a quien no tiene com-

promiso alguno conmigo, ni siquiera soñó en este encuentro, sería terrible enamorarme de ella, qué diablos, siempre me pasa lo mismo, en vez de gozar del presente ya me entristece la futura nostalgia por el ahora que no volverá;

en el muelle de Veracruz nos despediremos al bajar del *Churruca,* Isabel se irá a Puebla, me quedaré en el hotel Diligencias mientras llega el barco para Nueva York, no nos veremos nunca o al volvernos a ver seremos otra vez desconocidos, qué triste, pero queda un día más a su lado, un último día, estamos de regreso en cubierta, el sol resplandece sobre el mar en perpetua calma, a lo lejos pasan otros vapores, llegamos a la popa, los padres vigilan sentados en el puente con el español del Casino;

y estoy cerca de ti, Isabel, tienes dieciocho años, en cambio estoy perdiendo el cabello, empiezan a salirme las canas, siento que me ha pasado todo, tú apenas abres los ojos, tu vida está por delante, quisiera tomarle la mano, abrazarla, besarla, no sé, le digo mira y sonríe, arrojan el pan que sobró de ayer, las gaviotas se precipitan a devorarlo, luchan por mendrugos mojados en agua de mar, ¿siempre van tras el barco?, sí cuando hay tierra cerca y también tiburones lo siguen, pero si no arrojan carne, cuando matan un animal echan los desperdicios al agua, traen bueyes, cerdos, carneros, gallinas, ¿ah, sí?, no sabía, los traen vivos, los matan allá abajo, ¿de dónde crees que provienen nuestras comidas?;

¿te gustaría ver la sala de máquinas?, es prodigioso el mecanismo del barco, los transatlánticos son maravillas de la ciencia aplicada, ni dirigibles ni aeroplanos podrán sustituirlos jamás, te impresionó mucho lo del *Titanic* ¿no es cierto?, fue una desgracia aislada, no habrá otro accidente como ése;

nunca voy a olvidar este día, como Fausto decirle al instante, detente, detente, no quiero volver a la Calle 55, el *subway,* los domingos en Brooklyn, los juegos de los niños en Park Slope, los pleitos con los primos, el *stew,* el pay de manzana, la ferroquina, el tricófero, el talco, el jabón de olor, las pastillas para la tos, las píldoras digestivas, las tinturas de pelo, la loción revitalizadora, los almanaques rosados de Cunningham que contienen el santoral de todo el año, anuncian las fases de la luna y los eclipses, los mejores días para sembrar, pescar y cortarse el cabello y las uñas, no quiero saber más de las cuentas, los cobros, las comisiones, las muestras, los fletes, los viáticos, el papeleo, las rencillas dentro de la compañía, las ganancias y pérdidas, el desprecio afectuoso de Mr. Cunningham para quien le da a ganar millones de dólares al año y le ha abierto los mercados de todo el continente a cambio de un sueldo miserable y unas comisiones ridículas, no quiero volver a todo eso, quiero pasar la eternidad contigo, Isabel, la eternidad contigo ¿me escuchas?;

qué pronto, qué pronto ha llegado la noche, la última noche en el barco, antes de que oscurezca le señalo una cumbre nevada, mira, es el Citlaltépetl, el Pico de Orizaba, la montaña más alta de México, llegaremos a Veracruz en el alba;

fiesta de despedida, último baile, ven, Isabel, déjame sentirte en mis brazos, giramos en el vals *Sobre las olas,* no tiene mucho repertorio la orquesta, ahora toca otra vez *La paloma,* le cuento a Isabel, mi madre la cantaba en mi cuna, en el Castillo de Bouchot Carlota, demente, la sigue escuchando en su interior como si aún estuviera en 1866, cuatro años más y su locura cumplirá medio siglo, pobre Carlota, supone que Maximiliano está vivo, ignora el fusilamiento en

Querétaro, cree que no tardará en abrir la puerta del otro castillo, Chapultepec, Miramar, qué tristeza;

la gente abandona el salón, sus padres la llaman, Isabel, no te vayas, quieren estar frescos para el desembarco, oficial, ¿a qué hora fondeamos?, a la seis si Dios quiere, señor, don Baltasar me tiende la mano, fue un placer conocerlo, don Luis, el gusto fue mío, señora, si van a Nueva York allí estoy siempre a sus órdenes, de otra manera haré con el mayor placer cuanto pueda ofrecérseles, ya le di a don Sebastián mi tarjeta, no, no, Isabel, ahora no, nos diremos adiós mañana en el muelle, nunca más, Isabel, nunca nunca, ¿se humedecieron sus ojos?, ¿fue una alucinación?, ahora siento la sal de mis lágrimas, qué vergüenza, he llorado, me han visto;

no dormiré, beberé, camarero, otra igual, que esto pase a mi edad es el colmo, ¿cuánto whisky, cuánto vino he bebido?, hace calor, tengo sueño, frescura de la brisa en cubierta, ya se ven las luces de Veracruz, aún no, sólo el faro, los faros, las islas, la delicia de hundirse en las mantas, ven conmigo, Isabel, no te vayas, me adormezco, me duermo, estoy dormido, sueño algo imposible de recordar, ya no sueño, despierto, alguien toca;

¿quién llama?, Isabel, no es posible, ¿por qué viene sola Isabel, por qué la dejan venir sola a verme?, abro, oigo gritos, carreras, lamentos, me pregunto, le pregunto ¿qué pasa?, no sabes, es horrible, no sabes, ¿qué pasa?, y ahora ella me interroga, me dice ¿cuándo salimos de La Habana?, el 20 de mayo de 1912, respondo, ¿qué día es hoy?, 23, 24, qué importa;

no no no, me contesta llorando, es el 23 de noviembre de 2012, algo pasó, nos tardamos en llegar todo un siglo, no puedes imaginarte lo que ha ocurrido en el mundo, no lo podrás creer nunca, mira, asómate, dime si reconoces algo, hasta la gente es por completo distinta, no nos permiten desembarcar, están enloquecidos, dicen que es un barco fantasma, el *Churruca* de la Compañía Trasatlántica Española se perdió en el mar al salir de La Habana en 1912, tú y yo y todos los que viajamos en él sabemos que no se hundió, para nosotros sólo han pasado tres días, estamos vivos, tenemos la edad que teníamos hace cien años al zarpar de La Habana, pero cuando bajemos a tierra ¿qué ocurrirá?, Dios mío, ¿cómo pudo pasarnos lo que nos pasó, cómo vamos a vivir en un mundo que ya es otro mundo?

Alfredo Bryce Echenique

(Lima, 1939) No es fácil clasificar la obra narrativa de este escritor peruano, pero tal vez no sea inexacto hablar en su caso de un «realismo burlesco», con un toque de romántica nostalgia por un mundo de alegres aventuras y placeres cosmopolitas. La obra de Scott Fitzgerald viene inmediatamente a la mente como uno de los modelos estéticos de su ficción, que ha probado ser sumamente popular tanto en su país como en España. Hay un innato vitalismo en ella, una *joie de vivre* que se expresa mediante un estilo expansivo y espontáneo, de sabor casi oral, que sigue los caprichos y los impulsos cambiantes del narrador, más que las leyes de una forma preestablecida. Pero debajo de la entretenida superficie de sus relatos, se percibe una suave melancolía, una resignada elegía por tantos bienes perdidos: la infancia ya lejana, el amor siempre fugitivo, la seguridad del ambiente de la alta burguesía y los dorados sueños que prometía. Esa fusión agridulce entre el humor y el afecto entrañable da un perfil propio al mundo imaginario de Bryce.

Nacido en el seno de una familia acomodada y de apellido aristocrático (un Echenique fue presidente del Perú el siglo XIX), Bryce escribe sobre un mundo que conoce desde dentro y que puede criticar sin amargura y añorar sin indulgencia. Eso puede apreciarse plenamente en *Un mundo para Julius,* su primera y quizá su más lograda novela (en 1972 ganó el Premio a la Mejor Novela Extranjera en Francia), pues es su propia búsqueda del tiempo perdido, escrita con una exacta dosis de ironía y comprensión. Después de seguir estudios de letras y derecho en la Universidad de San Marcos de Lima, se doctoró en La Sorbona; desde 1975 enseñó por varios años en esa universidad y en Vincennes, y luego en Montpellier. En 1968 ganó una mención honrosa en el Premio Casa de las Américas por su volumen de cuentos *Huerto cerrado.* En sus novelas posteriores, como *Tantas veces Pedro* o *La vida exagerada de Martín Romaña,* se nota una creciente interrelación entre el acto de narrar y el tragicómico dilema de personajes que tratan de inventarse a sí mismos como héroes de novela; es decir, hay un doble drama –el del narrador y el de sus criaturas– que se corresponde con la *mise en abîme* de la estructura novelística. Después de vivir largos años en Madrid, escribiendo y haciendo periodismo, Bryce regresó a Lima en 1998 para establecerse allí definitivamente.

«Con Jimmy, en Paracas» fue publicado por primera vez en 1967 en una revista de Lima e incluido después en *Huerto cerrado;* muchos lo consideran uno de sus mejores cuentos. Aunque aparece como protagonista en otras historias del libro, ésta es la única narrada por Manolo, un *alter ego* favorito del autor. La sutil relación entre el narrador y Jimmy está planteada desde el principio, pues Manolo nos dice

–con una frase que se repetirá como un *leit-motiv*– que evocarlo «es como si lo estuviera viendo» y que, pese a que estaban sentados en la misma mesa, «me parece que lo estuviera observando desde la puerta de ese comedor». Su narración tiene dos focos simultáneos que, en realidad, corresponden a «dos» Manolos: el muchacho que vive la aventura y la persona más madura que la cuenta. Igualmente son dos distintas relaciones las que Manolo narra: primero, la de él con su padre; luego, la de él con Jimmy. De la primera da un testimonio finamente irónico y muy detallado («era muy observador», dice de sí mismo); así conocemos cómo las creencias, los valores y la conducta de una familia de la clase alta limeña se adaptan a ciertos códigos no escritos pero cuidadosamente respetados –una mezcla de cinismo y buenas maneras– para no desentonar en un medio donde todos parecen más poderosos y adinerados. En el fondo, ésta es la verdadera educación que el niño recibe: hay que ocultar los sentimientos personales y jugar según las reglas del mundo al que uno aspira a pertenecer. En la segunda parte, esa educación se completa con Jimmy, el rubio hijo del jefe de su padre, especialmente cuando el amigo de Manolo trata de hacerlo objeto de sus impulsos homosexuales. Nada es como parece, podría ser la conclusión que el muchacho saca del doble episodio. La distancia precisa entre el narrador y lo narrado, el tono afectuoso con el padre y el humor crítico hacia el mundo que lo rodea son dignos de destacarse. Entre los premios recibidos por el autor pueden mencionarse el Casa de las Américas (1968), por el libro de relatos *Huerto cerrado,* el Planeta (2002) por *El huerto de mi amada,* el Grinzane Cavour (Italia, 2002), por *La amigdalitis de Tarzán*, y el FIL de Literatura en Lenguas Romances (2012).

Obra narrativa

Huerto cerrado, La Habana: Casa de las Américas, 1968; Barcelona: Barral, 1972; *Un mundo para Julius,* Barcelona: Barral, 1970; ed. de Julio Ortega, Madrid: Cátedra, 1993 (reed., 2006); *Muerte de Sevilla en Madrid,* Lima: Mosca Azul, 1972; *La felicidad ja ja,* Barcelona: Barral, 1974; *La pasión según San Pedro Balbuena que fue tantas veces Pedro, y que nunca pudo negar a nadie,* Lima: Libre-1, 1977; [bajo el título *Tantas veces Pedro]* Barcelona: Plaza & Janés, 1986; *Todos los cuentos,* Lima: Mosca Azul, 1979; *Cuentos completos,* Madrid: Alianza Editorial, 1981; *La vida exagerada de Martín Romaña,* Barcelona: Argos Vergara, 1981; ed. de Julio Ortega y María Fernanda Lauder, Madrid: Cátedra, 2003; *El hombre que hablaba de Octavia de Cádiz,* Barcelona: Plaza & Janés, 1985; ed. de Julio Ortega y Elena del Río Parra, Madrid: Cátedra, 2003; *Magdalena peruana y otros cuentos,* Barcelona: Plaza & Janés, 1986; *La última mudanza de Felipe Carrillo;* Barcelona: Plaza & Janés, 1988; *Dos señoras conversan,* Barcelona: Plaza & Janés, 1990; *Permiso para vivir. Antimemorias,* Barcelona: Anagrama, 1993; *No me esperes en abril,* Barcelona: Anagrama, 1995; *A trancas y barrancas,* Barcelona: Anagrama, 1996; *Reo de nocturnidad,* Barcelona: Anagrama, 1998; *Guía triste de París,* Madrid: Alfaguara, 1999; *La amigdalitis de Tarzán,* Madrid: Alfaguara, 1999; *El huerto de mi amada,* Madrid: Planeta, 2002; *Cuentos completos, 1964-1974,* Barcelona: Anagrama, 2003; *Permiso para sentir. Antimemorias II,* Barcelona: Anagrama, 2005; *Las obras infames de Pancho Marambio,* Madrid: Planeta, 2005; *La esposa del rey de las curvas,* Barcelona: Anagrama, 2010; *Dándole pena a la tristeza,* Lima: Peisa, 2012

Crítica

Allen, R. F., [reseña de *Huerto cerrado], Books Abroad,* 44 (1970), 283; Barrios, Alba Lía, *Lectura de un cuento: teoría y práctica del análisis del relato* («*¡Al agua patos!*» *de A. B. E.*)*,* Caracas: Academia Nacional de la Historia, 1986; Corticelli, María Rita, *La narrativa de A. B. E.,* Lima: Universidad Nacional de San Marcos, Instituto de Investigaciones Humanísticas, Instituto Italiano de Cultura, 2003; Ferreira, César e Ismael F. Márquez, *Los mundos de A. B. E., Nuevos Textos críticos,* Lima: Pontificia Universidad Católica del Perú, 2004; Flores, Ángel, ed., *Narrativa hispanoamericana*,* «A. B. E.'s», vol. 7, 21-22; Franco, Jean y Tarroux, Christiane (ed.), *Hommage à A. B. E.,* Montepellier: Editions du CERS, 1997; Fuente, José Luis de la, *Más allá de la modernidad: los cuentos de A. B. E.,* Valladolid: Universidad de Valladolid, 1998; Hart, Stephen M. y Wood, David (ed.), *Essays on A. B. E., peruvian literature and culture,* London: Centre of César Vallejo Studies, 2010; Hegstrom Oakey, Valerie, «Initiation and *Bildung* in A. B. E.'s *Huerto cerrado*», tesis de maestría, Bringham Young University, 1986; Krakusin, Margarita, *La novelística de A. B. E. y la tradición sentimental,* Madrid: Editorial Pliegos, 2006; Luchting, Wolfgang A., *A. B. Humores y malhumores,* Lima: Milla Batres, 1975; Olivera la Rosa, Mariano, *Bryce antes de Julius,* Lima: Estruendo Mundo, 2010; Oquendo, Abelardo, «B., un nuevo escritor peruano», *Amaru,* Lima, 1 (1969), 94-95; Ortega, Julio, *El hilo del habla: la narrativa de A. B. E.,* Guadalajara, México: Universidad de Guadalajara, 1994; Ortega Julio y Lauder, María Fernanda, *A. B. E. ante la crítica,* Caracas: Monte Ávila Editores Latinoamericana, 2004: Rose, Sonia V., «Peruanos en el extranjero: El exilio de *Permiso para vivir* de A. B. E.», *Literatura peruana hoy: vivir y creación,* 80-95, Frankfurt, Madrid: Vervuert, Iberoamericana, 1998; Scholz, Lazlo, «Realidad e irrealidad en *Tantas veces Pedro* de A. B. E.», *Revista Iberoamericana,* 67: 155-156 (1991), 533-42; Wood, David, *The fiction of A. B. E.,* London: King's College London, 2000.

Con Jimmy, en Paracas

Lo estoy viendo realmente; es como si lo estuviera viendo; allí está sentado, en el amplio comedor veraniego, de espaldas a ese mar donde había rayas, tal vez tiburones. Yo estaba sentado al frente suyo, en la misma mesa, y, sin embargo, me parece que lo estuviera observando desde la puerta de ese comedor, de donde ya todos se habían marchado, ya sólo quedábamos él y yo, habíamos llegado los últimos, habíamos alcanzado con las justas el almuerzo.

Esta vez me había traído; lo habían mandado sólo por el fin de semana, Paracas no estaba tan lejos: estaría de regreso a tiempo para el colegio, el lunes. Mi madre no había podido venir; por eso me había traído. Me llevaba siempre a sus viajes cuando ella no podía acompañarlo, y cuando podía volver a tiempo para el colegio. Yo escuchaba cuando le decía a mamá que era una pena que no pudiera venir, la compañía le pagaba la estadía, le pagaba hotel de lujo para dos personas. «Lo llevaré», decía, refiriéndose a mí. Creo que yo le gustaba para esos viajes.

Y a mí, ¡cómo me gustaban esos viajes! Esta vez era a Paracas. Yo no conocía Paracas, y cuando mi padre empezó a arreglar la maleta, el viernes por la noche, ya sabía que no dormiría muy bien esa noche, y que me despertaría antes de sonar el despertador.

Partimos ese sábado muy temprano, pero tuvimos que perder mucho tiempo en la oficina, antes de entrar en la carretera al sur. Parece que mi padre tenía todavía cosas que ver allí, tal vez recibir las últimas instrucciones de su jefe. No sé; yo me quedé esperándolo afuera, en el auto, y empecé a temer que llegaríamos mucho más tarde de lo que habíamos calculado.

Una vez en la carretera, eran otras mis preocupaciones. Mi padre manejaba, como siempre, despacísimo; más despacio de lo que mamá le había pedido que manejara. Uno tras otro, los automóviles nos iban dejando atrás, y yo no miraba a mi padre para que no se fuera a dar cuenta de que eso me fastidiaba un poco, en realidad me avergonzaba bastante. Pero nada había que hacer, y el viejo Pontiac, ya muy viejo el pobre, avanzaba lentísimo, anchísimo, negro e inmenso, balanceándose como una lancha sobre la carretera recién asfaltada.

A eso de la mitad del camino, mi padre decidió encender la radio. Yo no sé qué le pasó; bueno, siempre sucedía lo mismo, pero sólo probó una estación, estaban tocando una guaracha, y apagó inmediatamente sin hacer ningún comentario. Me hubiera gustado escuchar un poco de música, pero no le dije nada. Creo que por eso le gustaba llevarme en sus viajes; yo no era un muchachillo preguntón; me gustaba ser dócil; estaba consciente de mi docilidad. Pero eso sí, era muy observador.

Y por eso lo miraba de reojo, y ahora lo estoy viendo manejar. Lo veo jalarse un poquito el pantalón desde las rodillas, dejando aparecer las medias blancas, impecables, mejores que las mías, porque yo todavía soy un niño; blancas e impecables porque estamos yendo a Paracas, hotel de lujo, lugar de veraneo, mucha plata y todas esas cosas. Su saco es el mismo de todos los viajes fuera de Lima, gris, muy claro, sport; es norteamericano y le va a durar toda la vida. El pantalón es gris, un poco más oscuro que el saco, y la camisa es la camisa vieja más nueva del mundo; a mí nunca me va a durar una camisa como le dura a mi padre.

Y la boina; la boina es vasca; él dice que es vasca de pura cepa. Es para los viajes; para el aire, para la calvicie. Porque mi padre es calvo, calvísimo, y ahora que lo estoy viendo ya no es un hombre alto. Ya aprendí que mi padre no es un hombre alto, sino más bien bajo. Es bajo y muy flaco. Bajo, calvo y flaco, pero yo entonces tal vez no lo veía aún así, ahora ya sé que sólo es el hombre más bueno de la tierra, dócil como yo, en realidad se muere de miedo de sus jefes; esos jefes que lo quieren tanto porque hace siete millones de años que no llega tarde ni se enferma ni falta a la oficina; esos jefes que yo he visto cómo le dan palmazos en la espalda y se pasan la vida felicitándolo en la puerta de la iglesia los domingos; pero a mí hasta ahora no me saludan, y mi padre se pasa la vida diciéndole a mi madre, en la puerta de la iglesia los domingos, que las mujeres de sus jefes son distraídas o no la han visto, porque a mi madre tampoco la saludan, aunque a él, a mi padre, no se olvidaron de mandarle sus saludos y felicitaciones cuando cumplió un millón de años más sin enfermarse ni llegar tarde a la oficina, la vez aquella en que trajo esas fotos en que estoy seguro, un jefe acababa de palmearle la espalda, y otro estaba a punto de palmeársela; y esa otra foto en que ya los jefes se habían marchado del cocktail, pero habían asistido, te decía mi padre, y volvía a mostrarte la primera fotografía.

Pero todo esto es ahora en que lo estoy viendo, no entonces en que lo estaba mirando mientras llegábamos a Paracas en el Pontiac. Yo me había olvidado un poco del Pontiac, pero las paredes blancas del hotel me hicieron verlo negro, ya, ya muy viejo el pobre, y tan ancho. «Adónde va a acabar esta mole», me preguntaba, y estoy seguro de que mi padre se moría de miedo al ver esos carrazos, no lo digo por grandes, sino por la pinta. Si les daba un topetón, entonces habría que ver de quién era ese carrazo, porque mi padre era muy señor, y entonces aparecería el dueño, veraneando en Paracas con sus amigos, y tal vez conocía a los jefes de mi padre, había oído hablar de él, «no ha pasado nada, Juanito» (así se llamaba, se llama mi padre), y lo iban a llenar de palmazos en la espalda, luego vendrían los aperitivos, y a mí no me iban a saludar, pero yo actuaría de acuerdo a las circunstancias y de tal manera que mi padre no se diera cuenta de que no me habían saludado. Era mejor que mi madre no hubiera venido.

Pero no pasó nada. Encontramos un sitio anchísimo para el Pontiac negro, y al bajar, así sí que lo vi viejísimo. Ya estábamos en el hotel de Paracas, hotel de lujo y todo lo demás. Un muchacho vino hasta el carro por la maleta. Fue la primera persona que saludamos. Nos llevó a la recepción y allí mi padre firmó los papeles de reglamento, y luego preguntó si todavía podíamos «almorzar algo» (recuerdo que así dijo). El hombre de la recepción, muy distinguido, mucho más alto que mi padre, le respondió afirmativamente: «Claro que sí, señor. El muchacho lo va a acompañar hasta su "bungalow", para que usted pueda lavarse las manos, si lo desea. Tiene usted tiempo, señor; el comedor cierra dentro de unos minutos, y su "bungalow" no está muy alejado». No sé si mi papá, pero yo todo eso de «bungalow» lo entendí muy bien, porque estudio en colegio inglés y eso no lo debo olvidar en mi vida y cada vez que mi papá estalla, cada mil años, luego nos invita al cine, grita que hace siete millones de años que trabaja enfermo y sin llegar tarde para darles a sus hijos lo mejor, lo mismo que a los hijos de sus jefes.

El muchacho que nos llevó hasta el «bungalow» no se sonrió mucho cuando mi padre le dio la propina, pero ya yo sabía que cuando se viaja con dinero de la compañía no se puede andar derrochando, si no, pobres jefes, nunca ganarían un céntimo y la compañía quebraría en la mente respetuosa de mi padre, que se estaba lavando las manos mientras yo abría la maleta y sacaba alborotado mi ropa de baño. Fue entonces que me enteré, él me lo dijo, que nada de acercarme al mar, que estaba plagado de rayas, hasta había tiburones. Corrí a lavarme las manos, por eso de que dentro de unos minutos cierran el comedor, y dejé mi ropa de baño tirada sobre la cama. Cerramos la puerta del «bungalow» y fuimos avanzando hacia el comedor. Mi padre también, aunque menos, creo que era observador; me señaló la piscina, tal vez por eso de la ropa de baño. Era hermoso Paracas; tenía de desierto, de oasis, de balneario; arena, palmeras, flores, veredas y caminos por donde chicas que yo no me atrevía a mirar, pocas ya, las últimas, las más atrasadas, se iban perezosas a dormir esa siesta de quien ya se acostumbró al hotel de lujo. Tímidos y curiosos, mi padre y yo entramos al comedor.

Y es allí, sentado de espaldas al mar, a las rayas y a los tiburones, es allí donde lo estoy viendo, como si yo estuviera en la puerta del comedor, y es que en realidad yo también me estoy viendo sentado allí, en la misma mesa, cara a cara a mi padre y esperando al mozo ese, que a duras penas contestó a nuestro saludo, que había ido a traer el menú (mi padre pidió la carta y él dijo que iba por el menú) y que según papá debería habernos cambiado de mantel, pero era mejor no decir nada porque, a pesar de que ése era un hotel de lujo, habíamos llegado con las justas para almorzar. Yo casi vuelvo a saludar al mozo cuando regresó y le entregó el menú a mi padre que entró en dificultades y pidió, finalmente, corvina a la no sé cuántos, porque el mozo ya llevaba horas esperando. Se largó con el pedido y mi padre, sonriéndome, puso la carta sobre la mesa, de tal manera que yo podía leer los nombres de algunos platos, un montón de nombres franceses en realidad, y entonces pensé, aliviándome, que algo terrible hubiera podido pasar, como aquella vez en ese restaurante de tipo moderno, con un menú que parecía para norteamericanos, cuando mi padre me pasó la carta para que yo pidiera, y empezó a contarle al mozo que él no sabía inglés, pero que a su hijo lo estaba educando en colegio inglés, a sus otros hijos también, costara lo que costara, y el mozo no le prestaba ninguna atención, y movía la pierna porque ya se quería largar.

Fue entonces que mi padre estuvo realmente triunfal. Mientras el mozo venía con las corvinas a la no sé cuántos, mi padre empezó a hablar de darnos un lujo, de que el ambiente lo pedía, y de que la compañía no iba a quebrar si él pedía una botellita de vino blanco para acompañar esas corvinas. Decía que esa noche a las siete era la reunión con esos agricultores, y que le comprarían los tractores que le habían encargado vender; él nunca le había fallado a la compañía. En ésas estaba cuando el mozo apareció complicándose la vida en cargar los platos de la manera más difícil, eso parecía un circo, y mi padre lo miraba como si fuera a aplaudir, pero gracias a Dios reaccionó y tomó una actitud bastante forzada, aunque digna, cuando el mozo jugaba a casi tirarnos los platos por la cara, en realidad era que los estaba poniendo elegantemente sobre la mesa y que nosotros no estábamos acostumbrados a tanta cosa. «Un blanco no sé cuántos», dijo mi padre. Yo casi lo abrazo por esa palabra en francés que acababa de pronunciar, esa marca de vino, ni siquiera había pedido la carta para consultar, no, nada de eso; la había pedido así no más, triunfal, conocedor, y el mozo no tuvo más remedio que tomar nota y largarse a buscar.

Todo marchaba perfecto. Nos habían traído el vino y ahora recuerdo ese momento de feliz equilibrio: mi padre sentado de espaldas al mar, no era que el comedor estuviera al borde del mar, pero el muro que sostenía esos ventanales me impedía ver la piscina y la playa, y ahora lo que estoy viendo es la cabeza, la cara de mi padre, sus hombros, el mar allá atrás, azul en ese día de sol, las palmeras por aquí y por allá, la mano delgada y fina de mi padre sobre la botella fresca de vino, sirviéndome media copa, llenando su copa, «bebe despacio, hijo», ya algo quemado por el sol, listo a acceder, extrañando a mi madre, buenísima, y yo ahí, casi chorreándome con el jugo ese que bañaba la corvina, hasta que vi a Jimmy. Me chorreé cuando lo vi. Nunca sabré por qué me dio miedo verlo. Pronto lo supe.

Me sonreía desde la puerta del comedor, y yo lo saludé, mirando luego a mi padre para explicarle quién era, que estaba en mi clase, etc.; pero mi padre, al escuchar su apellido, volvió a mirarlo sonriente, me dijo que lo llamara, y mientras cruzaba el comedor, que conocía a su padre, amigo de sus jefes, uno de los directores de la compañía, muchas tierras en esa región...

–Jimmy, papá. –Y se dieron la mano.

–Siéntate, muchacho –dijo mi padre, y ahora recién me saludó a mí.

Era muy bello; Jimmy era de una belleza extraordinaria: rubio, el pelo en anillos de oro, los ojos azules achinados, y esa piel bronceada todo el año, invierno y verano, tal vez porque venía siempre a Paracas. No bien se había sentado, noté algo que me pareció extraño: el mismo mozo que nos odiaba a mi padre y a mí, se acercaba ahora sonriente, servicial, humilde, y saludaba a Jimmy con todo respeto; pero éste, a duras penas le contestó con una mueca. Y el mozo no se iba, seguía ahí, parado, esperando órdenes, buscándolas, yo casi le pido a Jimmy que lo mandara matarse. De los cuatro que estábamos ahí, Jimmy era el único sereno.

Y ahí empezó la cosa. Estoy viendo a mi padre ofrecerle a Jimmy un poquito de vino en una copa. Ahí empezó mi terror.

–No, gracias –dijo Jimmy–. Tomé vino con el almuerzo. –Y sin mirar al mozo, le pidió un whisky.

Miré a mi padre: los ojos fijos en el plato, sonreía y se atragantaba un bocado de corvina que podía tener millones de espinas. Mi padre no impidió que Jimmy pidiera ese whisky, y ahí venía el mozo casi bailando con el vaso en una bandeja de plata, había que verle sonreírse al hijo de puta. Y luego Jimmy sacó un paquete de Chesterfield, lo puso sobre la mesa, encendió uno, y sopló todo el humo sobre la calva de mi padre, claro que no lo hizo por mal, lo hizo simplemente, y luego continuó bellísimo, sonriente, mirando hacia el mar, pero mi padre ni yo queríamos ya postres.

–¿Desde cuándo fumas? –le preguntó mi padre, con voz temblorosa.

–No sé, no me acuerdo –dijo Jimmy, ofreciéndome un cigarrillo.

–No, no, Jimmy; no...

–Fuma nomás, hijito; no desprecies a tu amigo.

Estoy viendo a mi padre decir esas palabras, y luego recoger una servilleta que no se le había caído, casi recoge el pie del mozo que seguía ahí parado. Jimmy y yo fumábamos, mientras mi padre nos contaba que a él nunca le había atraído eso de fumar, y luego de una afección a los bronquios que tuvo no sé cuándo, pero Jimmy empezó a hablar de automóviles, mientras yo observaba la ropa que llevaba puesta, parecía toda de seda, y la camisa de mi padre empezó a envejecer lastimosamente, ni su saco norteamericano le iba a durar toda la vida.

–¿Tú manejas, Jimmy? –preguntó mi padre.

–Hace tiempo. Ahora estoy en el carro de mi hermana; el otro día estrellé mi carro, pero ya le va a llegar otro a mi papá. En la hacienda tenemos varios carros.

Y yo muerto de miedo, pensando en el Pontiac; tal vez Jimmy se iba a enterar que ése era el de mi padre, se iba a burlar tal vez, lo iba a ver más viejo, más ancho, más feo que yo. «¿Para qué vinimos aquí?» Estaba recordando la compra del Pontiac, a mi padre convenciendo a mamá, «un pequeño sacrificio», y luego también los sábados por la tarde, cuando lo lavábamos, asunto de familia, todos los hermanos con latas de agua, mi padre con la manguera, mi madre en el balcón, nosotros locos por subir, por coger el timón, y mi padre autoritario: «Cuando sean grandes, cuando tengan brevete –y luego, sentimental–: Me ha costado años de esfuerzo».

–¿Tienes brevete, Jimmy?

–No; no importa; aquí todos me conocen.

Y entonces fue que mi padre le preguntó que cuántos años tenía y fingió creerle cuando dijo que dieciséis, y yo también, casi le digo que era un mentiroso, pero para qué, todo el mundo sabía que Jimmy estaba en mi clase y que yo no había cumplido aún los catorce años.

–Manolo se va conmigo –dijo Jimmy–; vamos a pasear en el carro de mi hermana.

Y mi padre cedió una vez más, nuevamente sonrió, y le encargó a Jimmy saludar a su padre.

–Son casi las cuatro –dijo–, voy a descansar un poco, porque a las siete tengo una reunión de negocios. –Se despidió de Jimmy, y se marchó sin decirme a qué hora debía regresar, yo casi le digo que no se preocupara, que no nos íbamos a estrellar.

Jimmy no me preguntó cuál era mi carro. No tuve por qué decirle que el Pontiac ese negro, el único que había ahí, era el carro de mi padre. Ahora sí se lo diría y luego, cuando se riera sarcásticamente le escupiría en la cara, aunque todos esos mozos que lo habían saludado mientras salíamos, todos esos que a mí no me hacían caso, se me vinieran encima a matarme por haber ensuciado esa maravillosa cara de monedita de oro, esas manos de primer enamorado que estaban abriendo la puerta de un carro del jefe de mi padre.

A un millón de kilómetros por hora, estuvimos en Pisco, y allí Jimmy casi atropella a una mujer en la Plaza de Armas; a no sé cuantos millones de kilómetros por hora, con una cuarta velocidad especial, estuvimos en una de sus haciendas, y allí Jimmy tomó una Coca-Cola, le pellizcó la nalga a una prima y no me presentó a sus hermanas; a no sé cuantos miles de millones de kilómetros por hora, estuvimos camino de Ica, y por allí Jimmy, me mostró el lugar en que había estrellado su carro, carro de mierda ese, dijo, no servía para nada.

Eran las nueve de la noche cuando regresamos a Paracas. No sé cómo, pero Jimmy me llevó hasta una salita en que estaba mi padre bebiendo con un montón de hombres. Ahí estaba sentado, la cara satisfecha, ya yo sabía que haría muy bien su trabajo. Todos esos hombres conocían a Jimmy; eran agricultores de por ahí, y acababan de comprar los tractores de la compañía. Algunos le tocaban el pelo a Jimmy y otros se dedicaban al whisky que mi padre estaba invitando en nombre de la compañía. En ese momento mi padre empezó a contar un chiste, pero Jimmy lo interrumpió para decirle que me invitaba a comer. «Bien, bien –dijo mi padre–. Vayan nomás.»

Y esa noche bebí los primeros whiskies de mi vida, la primera copa llena de vino de mi vida, en una mesa impecable, con un mozo que bailaba sonriente y constante alrededor de nosotros. Todo el mundo andaba elegantísimo en ese comedor lleno de luces y de carcajadas de mujeres muy bonitas, hombres grandes y colorados que deslizaban sus manos sobre los anillos de oro de Jimmy, cuando pasaban hacia sus mesas. Fue entonces que me pareció escuchar el final del chiste que había estado contando mi padre, le puse cara de malo, y como que lo encerré en su silla con esos burdos agricultores que venían a comprar su primer tractor. Luego, esto sí que es extraño, me deslicé hasta muy adentro en el mar, y desde allí empecé a verme navegando en un comedor en fiesta, mientras un mozo me servía arrodillado una copa de champagne, bajo la mirada achinada y azul de Jimmy.

Yo no le entendía muy bien al principio; en realidad no sabía de qué estaba hablando, ni qué quería decir con todo eso de la ropa interior. Todavía lo estaba viendo firmar la cuenta; garabatear su nombre sobre una cifra monstruosa y luego invitarme a pasear por la playa. «Vamos», me había dicho, y yo lo estaba siguiendo a lo largo del malecón oscuro, sin entender muy bien todo eso de la ropa interior. Pero Jimmy insistía, volvía a preguntarme qué calzoncillos usaba yo, y añadía que los suyos eran así y asá, hasta que nos sentamos en esas escaleras que daban a la arena y al mar. Las olas reventaban muy cerca y Jimmy estaba ahora hablando de órganos genitales, órganos genitales masculinos solamente, y yo, sentado a su lado, escuchándolo sin saber qué responder, tratando de ver las rayas y los tiburones de que hablaba mi padre, y de pronto corriendo hacia ellos porque Jimmy acababa de ponerme una mano sobre la pierna, «¿cómo la tienes, Manolo?», dijo, y salí disparado.

Estoy viendo a Jimmy alejarse tranquilamente; regresar hacia la luz del comedor y desaparecer al cabo de unos instantes. Desde el borde del mar, con los pies húmedos, miraba hacia el hotel lleno de luces y hacia la hilera de «bungalows», entre los cuales estaba el mío. Pensé en regresar corriendo, pero luego me convencí de que era una tontería, de que ya nada pasaría esa noche. Lo terrible sería que Jimmy continuara por allí, al día siguiente, pero por el momento, nada; sólo volver y acostarme.

Me acercaba al «bungalow» y escuché una carcajada extraña. Mi padre estaba con alguien. Un hombre inmenso y rubio zamaqueaba el brazo de mi padre, lo felicitaba, le decía algo de eficiencia, y ¡zas! le dio el palmazo en el hombro. «Buenas noches, Juanito», le dijo. «Buenas noches, don Jaime», y en ese instante me vio.

—Mírelo; ahí está. ¿Dónde está Jimmy, Manolo?

—Se fue hace un rato, papá.

–Saluda al padre de Jimmy.

–¿Cómo estás muchacho? O sea que Jimmy se fue hace rato; bueno, ya aparecerá. Estaba felicitando a tu padre; ojalá tú salgas a él. Le he acompañado hasta su «bungalow».

–Don Jaime es muy amable.

–Bueno, Juanito, buenas noches. –Y se marchó, inmenso.

Cerramos la puerta del «bungalow» detrás nuestro. Los dos habíamos bebido, él más que yo, y estábamos listos para la cama. Ahí estaba todavía mi ropa de baño, y mi padre me dijo que mañana por la mañana podría bañarme. Luego me preguntó que si había pasado un buen día, que si Jimmy era mi amigo en el colegio, y que si mañana lo iba a ver; y yo a todo: «Sí, papá, sí, papá», hasta que apagó la luz y se metió en la cama, mientras yo, ya acostado, buscaba un dolor de estómago para quedarme en cama mañana, y pensé que ya se había dormido. Pero no. Mi padre me dijo, en la oscuridad, que el nombre de la compañía había quedado muy bien, que él había hecho un buen trabajo, estaba contento mi padre. Más tarde volvió a hablarme; me dijo que don Jaime había estado muy amable en acompañarlo hasta la puerta del «bungalow» y que era todo un señor. Y como dos horas más tarde, me preguntó: «Manolo, ¿qué quiere decir "bungalow" en castellano?».

Rosario Ferré

(Ponce, Puerto Rico, 1938-San Juan, Puerto Rico, 2016) Es una de las mejores escritoras hispanoamericanas de nuestro tiempo. Esta afirmación corre el riesgo de ser entendida como limitada al círculo de mujeres que escriben, cuando en realidad se hace teniendo en cuenta al conjunto general de escritores, sean hombres o mujeres. No es que su condición femenina sea de poca importancia en su obra, ni que se ignore su orientación feminista; lo que se subraya es que esos elementos no son la razón principal que justifica la lectura de su obra, sino su intrínseca calidad y el rigor literario en que se apoya. No es fácil hallar hoy su alta conciencia artística y moral como escritora.

Perteneciente a una de las grandes familias con poder político y económico en Puerto Rico, descubrió pronto la literatura y con ella la rebeldía que la apartó del camino convencional que su origen y educación familiar parecían señalar. Cursó estudios universitarios en su país y en Estados Unidos, doctorándose en la Universidad de Maryland con una tesis que se publicó bajo el título *Cortázar: el romántico en su observatorio* (1990). Entre 1972 y 1975 publicó la revista *Zona de carga y descarga,* órgano de un conjunto de jóvenes escritores que representaban un nuevo modo de encarar el oficio literario y que provocaron considerable conmoción en el ambiente intelectual puertorriqueño, de costumbres bastante tradicionales. Luego apareció el primero de sus libros, *Papeles de Pandora,* que reunía textos poéticos y narrativos, estableciendo entre ambos secretas asociaciones temáticas y de tono. Desde entonces, la poesía y la narración (cuento, relato, novela) han sido los vehículos esenciales de su visión, aunque también ha escrito notables libros de crítica: *Sitio a Eros* (1989) y *El coloquio de las perras* (1990); en este último intenta algo muy personal y difícil: una crítica que es al mismo tiempo una forma de ficción. Ha escrito también cuentos para niños o más bien para «todos aquellos adultos que quieran llegar a niños»: *El medio pollito, La mona que le pisaron la cola, Los cuentos de Juan Bobo.* Después de vivir alternativamente entre Washington D. C. y San Juan, volvió a residir de modo permanente en la isla tras casarse con un conocido arquitecto puertorriqueño.

Sus libros impresionan por el ardor (a veces febril) de su mundo interior, la lúcida visión del mundo social de su país y la continua invención del lenguaje con el que los explora. Es evidente para el lector que Ferré no escribe por placer y menos por hábito, sino por una urgente necesidad; no tanto con su razón como con sus vísceras. Sus libros son un implacable desgarramiento de la imaginación, la memoria y la palabra; es imposible leerlos con indiferencia. Incluso cuando trata temas convencionales o muy transitados por la tradición literaria femenina de Puerto Rico (en el que la «mujer escritora» ha sido una especie de icono matriarcal),

Ferré lo hace con una gran libertad de formas y como un desafío al modo aceptado de percibir el trabajo literario femenino. Su defensa de la pasión amorosa como un ejercicio de la libertad total y de la autenticidad como la verdad suprema del arte literario pueden resultar insólitos en un medio donde la mujer ha sido generalmente un ser incompleto, separada de sí misma por imposición ajena o por complicidad propia. Esta defensa se nota en *Papeles...*, en los poemas y cartas de *Fábulas de la garza desangrada* (1982) y también en la novela corta y los relatos de *Maldito amor*. Hay un refrescante soplo de aire nuevo en sus textos, una intensidad y gracia que convierten la experiencia más privada en una visión que todos, hombres o mujeres, pueden compartir. Tras su reinserción en la isla, el perfil literario e ideológico de la autora ha sufrido cambios importantes que se reflejan de muchos modos en su obra. Uno de ellos es su conversión en escritora bilingüe (español-inglés).

«La muñeca menor», publicado primero en 1972 en *Zona de carga...* y luego incluido en *Papeles...,* cuenta una bella historia, cuyos múltiples sentidos y niveles no se excluyen sino que se imbrican unos en otros. El texto comienza como una típica crónica familiar, que describe costumbres y ritos domésticos como formas consagradas por viejas tradiciones, pero culmina con una escena sorprendente: todo se traslada a un plano de fantasía o alegoría que supone la violenta destrucción de las reglas de moralidad aceptadas sin discusión. Como está presentado con detalles perfectamente realistas, aceptamos sin dificultad que el mal que sufre la tía vieja sea producido por un animal venenoso que vive largos años dentro de la pierna de la mujer y que, alimentándose de su carne, ha «comenzado a engordar». El motivo de la alimaña ponzoñosa que se ceba en el cuerpo de una mujer aparece también en «El almohadón de pluma» (1907) de Horacio Quiroga, pero el uso que le da la autora no tiene la truculencia del texto del uruguayo. Además, la protagonista no muere físicamente por causa de la chágara, pero sí sufre una especie de muerte social: rechaza a todos sus pretendientes, se encierra a criar a sus sobrinas y a hacerles muñecas. Es evidente que su exclusión del matrimonio es una forma de penitencia impuesta por los prejuicios que ella no resiste; pero el oficio de hacer muñecas –una simbólica transferencia de la maternidad frustrada– se va convirtiendo en algo que tiene una diabólica complejidad y representa un misterioso gesto de protesta: las hace cada vez más perfectas, más grandes, más parecidas a las personas reales que representan; está creando verdaderos *dobles* y poniendo en ellos «marcas» de sí misma. Así, los ojos de las muñecas son hechos con sus joyas personales o previamente sumergidos en el río «para que aprendiesen a reconocer el más leve movimiento de las antenas de las chágaras». La historia se complica más todavía cuando aparece el viejo médico de la tía y descubrimos que, habiendo podido curarla, prefirió alargar el tratamiento para pagar los estudios de medicina de su hijo. A su vez, el hijo se enamora y se casa con la sobrina menor. Como marido, convierte a la muchacha, casi literalmente, en un simple objeto que él contempla y exhibe. Cuando su codicia lo lleva a empeñar los ojos de la muñeca, completa el proceso de identificación: muñeca y mujer permanecen ahora «con los ojos bajos». Son esos ojos los que, al final, hacen posible la terrible venganza de la muchacha y, a través de ella, de la tía vieja. Las imágenes poéticas que envuelven la historia en un clima crecientemente fabuloso y las hipérboles del tipo «cuando la mayor cumplió diez y ocho años había ciento veintiséis muñecas de todas las edades» recuerdan un poco el lenguaje de García Márquez *(véase),* pero lo que la autora nos ofrece es sustancialmente distinto: una notable parábola sobre la familia y el matrimonio como instituciones que pueden ser, bajo la más pacífica apariencia, los más crueles infiernos. Los últimos años de vida de la autora le mantuvieron un poco apartada de la vida literaria debido al síndrome de Parkinson que la llevó finalmente a la muerte. En 1992 ganó el Liberturpries en la Feria del Libro de Fráncfort y en 2009 recibió el premio Literario en los Premios Nacionales de Cultura Puertorriqueña.

Obra narrativa

Papeles de Pandora, México: Joaquín Mortiz, 1976; 2.ª ed. corr. y aum., México: Joaquín Mortiz, 1989; *El medio pollito. Siete cuentos infantiles,* Río Piedras, Puerto Rico: Huracán, 1976; *La caja de cristal,* México: La Máquina de Escribir, 1978; *La muñeca menor,* Río Piedras: Huracán, 1979; *La mona que le pisaron la cola,* Río Piedras: Huracán, 1981; *Los cuentos de Juan Bobo,* Río Piedras: Huracán, 1981; *Maldito amor,* México: Joaquín Mortiz, 1986; *Sonatinas,* Río Piedras: Huracán, 1989; *Las dos Venecias,* México: Joaquín Mortiz, 1992; *La batalla de las vírgenes,* Universidad de Puerto Rico, 1993; *La casa de la Laguna,* Barcelona: Emecé, 1996; *Vecindarios excéntricos,* México: Planeta, 1998; *El vuelo del cisne,* Nueva York: Vintage, 2001.

Crítica

Acosta Cruz, María I., «Historia, ser e identidad femenina en "El collar de camándulas" y *Maldito amor* de R. F.», *Chasqui,* 19 (1990),

23-31; Arrillaga, María, «La narrativa de la mujer puertorriqueña en la década del setenta», *Hómines,* 8 (1984), 27-334; Arroyo, Elsa R., «Contracultura y parodia en cuatro cuentos de R. F. y Ana Lydia Vega», *Caribbean Studies,* 22 (1988), 33-46; Craig, Linda, «Decolonising the mind: Rosario Ferré's *Cuando las mujeres quieren a los hombres*», en *Identity and discursive practices: Spain and Latin America,* 235-238, Bern: Peter Lang, 2000; Dupont, Denise, «R. F., (1938-)». en *A Companion to Latin American Women Writers,* 169-181, Woodbridge: Tamesis, 2012; Erro-Peralta, Nora, «Identidad y creación en *The House of the Lagoon*», en *La seducción de la escritura: los discursos de la cultura hoy, 1996,* 176-181, México D. F.: Universidad Autónoma Metropolitana, 1997; Escalera Ortiz, Juan, «Perspectiva del cuento "Mercedes Benz 220SL"», *Revista Interamericana,* 123 (1982), 407-17; Fernández Olmos, Margarite, «From a Woman's Perspective: The Short Stories of R. F.», en Doris Meyer y M. F. O., eds., *Contemporary Women Authors of Latin America: Introductory Essays,* Brooklyn: Brooklyn College, 1983, 78-90; «Survival, Growth and Change in the Prose Fiction of Contemporary Puerto Rican Women Writers», en Asela Rodríguez de Laguna, ed., *The Puerto Rican in Two Worlds Contexts,* New Brunswick, Nueva Jersey: Transaction Press, 1987, 76-88; Flores, Ángel, ed., *Narrativa hispanoamericana*, «R. F.», vol. 5, 221-22; Hintz, Suzanne S., «An Annotated Bibliography of Works by and about R. F.: The First Twenty Years 1970-1990», *Revista Interamericana de Bibliografía...;* Hintz, Suzanne S., *R. F. A search for identity,* Nueva York: Peter Lang, 1995; López Baralt, Mercedes, «R. F.», en *Latin American Writers: supplement I,* 217-232, Nueva York: Scribner, 2002; López, Ivette, «"La muñeca menor": Ceremonias y transformaciones en un cuento de R. F.», *Explicación de textos literarios,* 11 (1982-83), 49-58; Oviedo, José Miguel, *Escrito al margen*, 310-17; Umpierre, Luz María, «Un manifiesto literario: *Papeles de Pandora* de R. F.», *The Bilingual Review/La Revista Bilingüe,* Binghamton, Nueva York, 9: 2 (1981), 119-25.

La muñeca menor

La tía vieja había sacado desde muy temprano el sillón al balcón que daba al cañaveral como hacía siempre que se despertaba con ganas de hacer una muñeca. De joven se bañaba a menudo en el río, pero un día en que la lluvia había recrecido la corriente en cola de dragón había sentido en el tuétano de los huesos una mullida sensación de nieve. La cabeza metida en el reverbero negro de las rocas, había creído escuchar, revolcados con el sonido del agua, los estallidos del salitre sobre la playa y pensó que sus cabellos habían llegado por fin a desembocar en el mar. En ese preciso momento sintió una mordida terrible en la pantorrilla. La sacaron del agua gritando y se la llevaron a la casa en parihuelas retorciéndose de dolor.

El médico que la examinó aseguró que no era nada, probablemente había sido mordida por una chágara[1] viciosa.

---

1. *Chágara:* cangrejo de río, conocido como *guábara.*

Sin embargo pasaron los días y la llaga no cerraba. Al cabo de un mes el médico había llegado a la conclusión de que la chágara se había introducido dentro de la carne blanda de la pantorrilla, donde había evidentemente comenzado a engordar. Indicó que le aplicaran un sinapismo para que el calor la obligara a salir. La tía estuvo una semana con la pierna rígida, cubierta de mostaza desde el tobillo hasta el muslo, pero al finalizar el tratamiento se descubrió que la llaga se había abultado aún más, recubriéndose de una substancia pétrea y limosa que era imposible tratar de remover sin que peligrara toda la pierna. Entonces se resignó a vivir para siempre con la chágara enroscada dentro de la gruta de su pantorrilla.

Había sido muy hermosa, pero la chágara que escondía bajo los largos pliegues de gasa de sus faldas la había despojado de toda vanidad. Se había encerrado en la casa rehusando a todos sus pretendientes. Al principio se había dedicado a la crianza de las hijas de su hermana, arrastrando por toda la casa la pierna monstruosa con bastante agilidad. Por aquella época la familia vivía rodeada de un pasado que dejaba desintegrar a su alrededor con la misma impasible musicalidad con que la lámpara de cristal del comedor se desgranaba a pedazos sobre el mantel raído de la mesa. Las niñas adoraban a la tía. Ella las peinaba, las bañaba y les daba de comer. Cuando les leía cuentos se sentaban a su alrededor y levantaban con disimulo el volante almidonado de su falda para oler el perfume de guanábana madura que supuraba la pierna en estado de quietud.

Cuando las niñas fueron creciendo la tía se dedicó a hacerles muñecas para jugar. Al principio eran sólo muñecas comunes, con carne de guata de higuera y ojos de botones perdidos. Pero con el pasar del tiempo fue refinando su arte hasta ganarse el respeto y la reverencia de toda la familia. El nacimiento de una muñeca era siempre motivo de regocijo sagrado, lo cual explicaba el que jamás se les hubiese ocurrido vender una de ellas ni siquiera cuando las niñas eran ya grandes y la familia comenzaba a pasar necesidad. La tía había ido agrandando el tamaño de las muñecas de manera que correspondieran a la estatura y a las medidas de cada una de las niñas. Como eran nueve y la tía hacía una muñeca de cada niña por año, hubo que separar una pieza de la casa para que la habitasen exclusivamente las muñecas. Cuando la mayor cumplió diez y ocho años había ciento veintiséis muñecas de todas las edades en la habitación. Al abrir la puerta, daba la sensación de entrar en un palomar, o en el cuarto de muñecas del palacio de las tzarinas, o en un almacén donde alguien había puesto a madurar una larga hilera de hojas de tabaco. Sin embargo, la tía no entraba en la habitación por ninguno de estos placeres, sino que echaba el pestillo a la puerta e iba levantando amorosamente cada una de las muñecas canturreándoles mientras las mecía: «Así eras cuando tenías un año, así cuando tenías dos, así cuando tenías tres», reviviendo la vida de cada una de ellas por la dimensión del hueco que le dejaban entre los brazos.

El día que la mayor de las niñas cumplió diez años la tía se sentó en el sillón frente al cañaveral y no se volvió a levantar jamás. Se balconeaba días enteros observando los cambios de agua de las cañas y sólo salía de su sopor cuando la venía a visitar el doctor o cuando se despertaba con ganas de hacer una muñeca. Comenzaba entonces a clamar para que todos los habitantes de la casa viniesen a ayudarla. Podía verse ese día a los peones de la hacienda haciendo constantes relevos al pueblo como alegres mensajeros incas, a comprar cera, a comprar barro de porcelana, encajes, agujas, carretes de hilos de todos los colores. Mientras se llevaban a cabo estas diligencias, la tía llamaba a su habitación a la niña con la que había soñado esa noche y le tomaba las medidas. Luego le hacía una mascarilla de cera que cubría de yeso por ambos lados como una cara viva dentro de dos caras muertas; luego hacía salir un hilillo rubio interminable por un hoyito en la barbilla. La porcelana de las manos era siempre translúcida; tenía un ligero tinte marfileño que contrastaba con la blancura granulada de las caras de biscuit. Para hacer el cuerpo, la tía enviaba al jardín por veinte higueras relucientes. Las cogía con una mano y con un movimiento experto de la cuchilla las iba rebanando una a una en cráneos relucientes de cuero verde. Luego las inclinaba en hilera contra la pared del balcón, para que el sol y el aire secaran los cerebros algodonosos de guano gris. Al cabo de algunos días raspaba el contenido con una cuchara y lo iba introduciendo con infinita paciencia por la boca de la muñeca.

Lo único que la tía transigía en utilizar en la creación de las muñecas sin que estuviese hecho por ella, eran las bolas de los ojos. Se los enviaban por correo desde Europa en todos los colores, pero la tía los consideraba inservibles hasta no haberlos dejado sumergidos durante un número de días en el fondo de la quebrada para que aprendiesen a reconocer el más leve movimiento de las antenas de las chágaras. Sólo entonces los lavaba con agua de amoniaco y los guardaba, relucientes como gemas, colocados sobre camas de algodón, en el fondo de una lata de galletas holandesas. El vestido de las muñecas no variaba nunca, a pesar de que las niñas iban creciendo. Vestía siempre a las más pequeñas de tira bordada y a las mayores de broderí, colocando en la cabeza de cada una el mismo lazo abullonado y trémulo de pecho de paloma.

Las niñas empezaron a casarse y a abandonar la casa.

El día de la boda la tía les regalaba a cada una la última muñeca dándoles un beso en la frente y diciéndoles con una sonrisa: «Aquí tienes tu Pascua de Resurrección». A los novios los tranquilizaba asegurándoles que la muñeca era sólo una decoración sentimental que solía colocarse sentada, en las casas de antes, sobre la cola del piano. Desde lo alto del balcón la tía observaba a las niñas bajar por última vez las escaleras de la casa sosteniendo en una mano la modesta maleta a cuadros de cartón y pasando el otro brazo alrededor de la cintura de aquella exuberante muñeca hecha a su imagen y semejanza, calzada con zapatillas de ante, faldas de bordados nevados y pantaletas de Valenciennes. Las manos y la cara de estas muñecas, sin embargo, se notaban menos transparentes, tenían la consistencia de la leche cortada. Esta diferencia encubría otra más sutil: la muñeca de boda no estaba jamás rellena de guata, sino de miel.

Ya se habían casado todas las niñas y en la casa quedaba sólo la más joven cuando el doctor hizo a la tía la visita mensual acompañado de su hijo que acababa de regresar de sus estudios de medicina en el norte. El joven levantó el volante de la falda almidonada y se quedó mirando aquella inmensa vejiga abotagada que manaba una esperma perfumada por la punta de sus escamas verdes. Sacó su estetoscopio y la auscultó cuidadosamente. La tía pensó que auscultaba la respiración de la chágara para verificar si todavía estaba viva, y cogiéndole la mano con cariño se la puso sobre un lugar determinado para que palpara el movimiento constante de las antenas. El joven dejó caer la falda y miró fijamente al padre. «Usted hubiese podido haber curado esto en sus comienzos», le dijo. «Es cierto –contestó el padre–, pero yo sólo quería que vinieras a ver la chágara que te había pagado los estudios durante veinte años.»

En adelante fue el joven médico quien visitó mensualmente a la tía vieja. Era evidente su interés por la menor y la tía pudo comenzar su última muñeca con amplia anticipación. Se presentaba siempre con el cuello almidonado, los zapatos brillantes y el ostentoso alfiler de corbata oriental del que no tiene donde caerse muerto. Luego de examinar a la tía se sentaba en la sala recostando su silueta de papel dentro de un marco ovalado, a la vez que le entregaba a la menor el mismo ramo de siemprevivas moradas. Ella le ofrecía galletitas de jengibre y cogía el ramo quisquillosamente con la punta de los dedos como quien coge el estómago de un erizo vuelto al revés. Decidió casarse con él porque le intrigaba su perfil dormido, y porque ya tenía ganas de saber cómo era por dentro la carne de delfín.

El día de la boda la menor se sorprendió al coger la muñeca por la cintura y encontrarla tibia, pero lo olvidó en seguida, asombrada ante su excelencia artística. Las manos y la cara estaban confeccionadas con delicadísima porcelana de Mikado. Reconoció en la sonrisa entreabierta y un poco triste la colección completa de sus dientes de leche. Había, además, otro detalle particular: la tía había incrustado en el fondo de las pupilas de los ojos sus dormilonas de brillantes.

El joven médico se la llevó a vivir al pueblo, a una casa encuadrada dentro de un bloque de cemento. La obligaba todos los días a sentarse en el balcón, para que los que pasaban por la calle supiesen que él se había casado en sociedad. Inmóvil dentro de su cubo de calor, la menor comenzó a sospechar que su marido no sólo tenía el perfil de silueta de papel sino también el alma. Confirmó sus sospechas al poco tiempo. Un día él le sacó los ojos a la muñeca con la punta del bisturí y los empeñó por un lujoso reloj de cebolla con una larga leontina. Desde entonces la muñeca siguió sentada sobre la cola del piano, pero con los ojos bajos.

A los pocos meses el joven médico notó la ausencia de la muñeca y le preguntó a la menor qué había hecho con ella. Una cofradía de señoras piadosas le había ofrecido una buena suma por la cara y las manos de porcelana para hacerle un retablo a la Verónica en la próxima procesión de Cuaresma. La menor le contestó que las hormigas habían descubierto por fin que la muñeca estaba rellena de miel y en una sola noche se la habían devorado. «Como las manos y la cara eran de porcelana de Mikado –dijo–, seguramente las hormigas las creyeron hechas de azúcar, y en este preciso momento deben de estar quebrándose los dientes, royendo con furia dedos y párpados en alguna cueva subterránea.» Esa noche el médico cavó toda la tierra alrededor de la casa sin encontrar nada.

Pasaron los años y el médico se hizo millonario. Se había quedado con toda la clientela del pueblo, a quienes no les importaba pagar honorarios exorbitantes para poder ver de cerca a un miembro legítimo de la extinta aristocracia cañera. La menor seguía sentada en el balcón, inmóvil dentro de sus gasas y encajes, siempre con los ojos bajos. Cuando los pacientes de su marido, colgados de collares, plumachos y bastones, se acomodaban cerca de ella removiendo los rollos de sus carnes satisfechas con un alboroto de monedas, percibían a su alrededor un perfume particular que les hacía recordar involuntariamente la lenta supuración de una guanábana. Entonces les entraban a todos unas ganas irresistibles de restregarse las manos como si fueran patas.

Una sola cosa perturbaba la felicidad del médico. Notaba que mientras él se iba poniendo viejo, la menor guardaba la misma piel aporcelanada y dura que tenía cuando la iba a visitar a la casa del cañaveral. Una noche decidió entrar en su habitación para observarla durmiendo. Notó que su pecho no se movía. Colocó delicadamente el estetoscopio sobre su corazón y oyó un lejano rumor de agua. Entonces la muñeca levantó los párpados y por las cuencas vacías de los ojos comenzaron a salir las antenas furibundas de las chágaras.

Álvaro Mutis

(Bogotá, 1923-Ciudad de México, 2013) Quizá extrañe que se cierre la presente antología con Mutis: es el mayor de este último grupo y podría muy bien encabezarlo. El hecho es que su producción narrativa es muy tardía y desfasada no sólo de su generación, sino de los estilos predominantes en nuestra literatura. Y, para sorpresa suya, lecturas críticas recientes lo señalan como un representante de la «postmodernidad». Mutis ha sido considerado como uno de los grandes poetas vivos de América: es una voz original reconocible por la lucidez y el incandescente ardor de sus imágenes, los paisajes exóticos y el elegíaco tono de derrota y decadencia física. Por la lucidez recuerda un poco la poesía de Borges *(véase);* por el furor alucinado, a los poetas surrealistas; por la pasión marfileña y viajera, a Pessoa y Saint-John Perse; por el carácter sombrío de su erotismo, al Neruda de *Residencia en la tierra* y *Las furias y las penas.* Su obra poética, comenzada a fines de los años cuarenta, no tuvo real difusión hasta 1973, en que la recopiló bajo el título *Summa de Maqroll el Gaviero.* Más discretamente todavía, Mutis había iniciado una obra en prosa con *Diario de Lecumberri,* testimonio de su experiencia en una cárcel mexicana, y aunque en las décadas siguientes publicó relatos y algunos libros que reunían prosa y verso (como *Caravansary* y *Los emisarios),* sólo a partir de 1986, con *La nieve del Almirante,* empezó a publicar una serie de novelas (él las llama «narraciones») que forman todo un ciclo protagonizado por el ubicuo Maqroll. Desde entonces su novelística, que ha marchado a contracorriente del resto por el sabor clásico de su prosa y el desencantado designio narrativo, ganó el aprecio del público y la crítica internacional; una prueba de eso es el Premio Médici que obtuvo en París en 1989. El propio García Márquez *(véase)* ha reconocido la deuda que *El general en su laberinto* tiene con un brillante fragmento narrativo escrito tempranamente por Mutis que él luego abandonó.

Criado en Bruselas, Mutis pasó su juventud en Colombia, donde recorrió los ámbitos que aparecerán constantemente en su obra: la tierra caliente del trópico, las desoladas alturas de la cordillera andina. Se exilió en los años cincuenta en México, donde ha vivido desde entonces. Ha trabajado en diversas empresas comerciales (una compañía aérea, una petrolera, una oficina cinematográfica) mientras, al margen y de manera un tanto secreta, escribía su obra literaria quizá como un rechazo visceral del mundo de los negocios al que estaba vinculado. En sus libros y en sus comentarios críticos ha desplegado siempre una penetrante inteligencia y una rara profundidad de pensamiento; en sus testimonios personales, además, de un humor avasallante.

Sobre su obra narrativa conviene aclarar algunas cosas. La primera es que, en él, las fronteras entre prosa y verso han sido siempre un poco borrosas; de hecho, hablar de *verso* para referirse a su poesía no es muy apropiado, pues lo que encontramos en ella son versículos, letanías o plegarias. Más de una vez estos textos sirven de epílogos a sus relatos y novelas –y éstos son como prolongaciones o desprendimientos de aquéllos–. En verdad, esa unidad está dada por la presencia constante de Maqroll, su *alter ego* y su gran creación literaria: un navegante, un aventurero errante sin patria y sin destino, sin fe pero tenaz, que cruza los mares y protagoniza peripecias insensatas y siempre ruinosas, con las que entretiene sus últimos días. Maqroll fue antes un personaje de su poesía (aparece por primera vez en *Los elementos del desastre,* 1953), pero de allí emigra a su narrativa, donde se convierte en un héroe de talla conradiana: sus tribulaciones de marino son la otra cara de un encuentro con el mal, con el desasosiego y la intolerable pesadumbre de la vida. Otro aspecto importante es el carácter *final y fragmentario* que tienen sus relatos. A través de ellos Maqroll se despide de la vida, de la que sólo quiere dejar unos rastros o recuentos parciales que den testimonio del sinsentido y la miseria de todo. Sus textos tienen esa calidad desesperada e inapelable del mensaje en una botella que lanza el náufrago, la última confesión del hedonista penitente, o del escolio a una obra inacabada. Por los perfiles nítidos de su prosa, la pátina antigua de su atmósfera y la morbidez gótica, muchas de sus páginas evocan los grabados de Doré para *The Rime of the Ancient Mariner* (1875), de Coleridge, o las telas «orientalistas» de Ingres.

«Cocora» pertenece a *Caravansary* (fue publicado en 1980 en una revista mexicana), y reaparece como uno de los fragmentos epilogales de *La nieve...* y es el germen que desarrolla en *Amirbar.* El narrador-protagonista es anónimo pero es el inconfundible Maqroll («soy hombre de mar..., yo que siento todavía en mis huesos el mecerse de la gavia», nos dice), que nos relata otro de los avatares de su peregrinaje, esta vez como velador en los socavones mineros de la zona tropical. El relato es, al mismo tiempo, un registro objetivo del lugar y una lamentación de sus desgracias. Enfermo de malaria, su recuento tiñe todo con el tono alucinatorio de la fiebre: el anacrónico episodio del Príncipe de Viana; la máquina cuyas piezas no se pueden mover y que podría ser Dios o «una representación absoluta de la nada»; sus fugaces encuentros eróticos con las mujeres campesinas con las que alivia «la soledad que me desgasta». Es éste un mundo postrero y sin redención, el último puerto del infatigable viajero, una cárcel o purgatorio que invita a la inercia física y estimula una imaginación enfermiza, sellada en el pensamiento de la muerte. La ecuación viaje/vida es evidente y está subrayada por el sesgo filosófico y estoico que toman sus reflexiones. La exaltada elegancia de la prosa crea un soplo lírico que recorre el texto con imágenes sentenciosas y lúgubres. Entre los premios que ha merecido cabe citar el Nacional de Colombia (1974), el Premio Xavier Villaurrutia de México (1988), el Médicis Étranger (1988), el Roger Caillois (1993), el Príncipe de Asturias (1997), el Reina Sofía (1997) y el Cervantes (2001). Mutis es el único autor, latinoamericano o no, a quien le han sido otorgados estos últimos tres premios

Obra narrativa

Diario de Lecumberri, Xalapa, México: Universidad Veracruzana, 1960; *La mansión de Araucaíma,* Buenos Aires: Sudamericana, 1975; Barcelona: Seix Barral, 1978; *Caravansary,* México: Fondo de Cultura Económica, 1981; *Poesía y prosa,* Bogotá: Instituto Colombiano de Cultura, 1981; *Los emisarios,* México: Fondo de Cultura Económica, 1984; *Prosas* [vol. 2 de *Obra literaria*], Bogotá: Procultura, 1985; *La nieve del Almirante,* Madrid: Alianza Editorial, 1986; *La muerte del estratega. Narraciones, prosas y ensayos,* México: Fondo de Cultura Económica, 1988; *Ilona llega con la lluvia,* Madrid: Mondadori, 1988; *Un bel morir,* Madrid: Mondadori, 1988; *La última escala del Tramp Steamer,* México: Ediciones del Equilibrista, 1988; *Amirbar,* Madrid: Siruela, 1990; *Abdul Bashur, soñador de navíos,* Madrid: Siruela, 1991; *Empresas y tribulaciones de Maqroll el Gaviero,* Madrid: Alfaguara, 2001; *Caminos y encuentros de Maqroll el Gaviero,* Madrid: Editorial Áltera, 2001.

Crítica:

Besse, Nathalie, «L'errance dans *Empresas y tribulaciones de Maqroll el Gaviero,* d'A. M.», Voyages et foundations (2ème série), 89, París: Sorbonne Nouvelle, 2007; Cáceres Delgadillo, Carolina, *Derrumbes: la visión trágica en la narrativa de A. M.,* Bogotá: Universidad de Santo Tomás, 2010; Cobo Borda, Juan Gustavo, *Á. M.,* Bogotá: Procultura, 1989; *Para leer a Á. M.,* Bogotá: Espasa Fórum, 1998; Díaz Xambrano, Rosana, «Convalecencias lúcidas: la enfermedad y el viaje como vías de conocimiento en la obra de A. M.», en *El cuerpo enfermo: representación e imágenes de la enfermedad,* 23-32, Valladolid: Universitas Castellae, 2006; Dornbach, Mária, «Maqroll el Gaviero: un vagabundo cósmico. Cuestiones espacio-temporales en *Amirbar* de A. M.», en *El espacio en la narrativa materna en lengua española,* 274-279, en Könyvkiado, Eötvös Jósef, Budapest, 2003; Ferdinandy, Miguel de, «Un cuento de Á. M.», en *Prosas, cit. supra,* 223-29; Hernández, Consuelo, *A. M.: una estética del deterioro,* Caracas: Monte Ávila Editores, 1996; García Aguilar, Eduardo, *Celebraciones y otros fantasmas. Una biografía intelectual de Á. M.,* Barcelona: Casiopea, 2000; Mutis Durán, Santiago, ed., *Tras las rutas de Maqroll el Gaviero. 1981-1988,* Cali, Colombia: Proartes/Gobernación del Valle/Revista Literaria *Gradiva,* 1988 [inc. bibliogr.]; Oviedo, José Miguel, *«Caravansary:* hastío y fervor», en *Escrito al margen**, 269-72; «M.: viaje al corazón de las tinieblas», *Gradiva,* Bogotá, 2 (julio-agosto de 1987), 62-64; Porras, María del Carmen, *Mirada anacrónica y resistencia: la obra de A. M.,* México D. F., Fondo de Cultura Económica, 2002; Ruiz Portella, Javier, *Caminos y encuentros de Maqroll el Gaviero. Escritos de y sobre A. M.,* Barcelona: Ediciones Altera, 2006.

Cocora

Aquí me quedé, al cuidado de esta mina y ya he perdido la cuenta de los años que llevo en este lugar. Deben ser muchos, porque el sendero que llevaba hasta los socavones y que corría a la orilla del río, ha desaparecido ya entre rastrojos y matas de plátano. Varios árboles de guayaba crecen en medio de la senda y han producido ya muchas cosechas. Todo esto debieron olvidarlo sus dueños y explotadores y no es de extrañarse que así haya sido, porque nunca se encontró mineral alguno, por hondo que se cavara y por muchas ramificaciones que se hicieran desde los corredores principales. Y yo que soy hombre de mar, para quien los puertos apenas fueron transitorio pretexto de amores efímeros y riñas de burdel, yo que siento todavía en mis huesos el mecerse de la gavia a cuyo extremo más alto subía para mirar el horizonte y anunciar las tormentas, las costas a la vista, las manadas de ballenas y los cardúmenes vertigi-

335

nosos que se acercaban como un pueblo ebrio; yo aquí me he quedado visitando la fresca oscuridad de estos laberintos por donde transita un aire a menudo tibio y húmedo que trae voces, lamentos, interminables y tercos trabajos de insectos, aleteos de oscuras mariposas o el chillido de algún pájaro extraviado en el fondo de los socavones.

Duermo en el llamado socavón del Alférez, que es el menos húmedo y da de lleno a un precipicio cortado a pico sobre las turbulentas aguas del río. En las noches de lluvia el olfato me anuncia la creciente: un aroma lodoso, picante, de vegetales lastimados y de animales que bajan destrozándose contra las piedras; un olor de sangre desvaída, como el que despiden ciertas mujeres trabajadas por el arduo clima de los trópicos; un olor de mundo que se deslíe precede a la ebriedad desordenada de las aguas que crecen con ira descomunal y arrasadora.

Quisiera dejar testimonio de algunas de las cosas que he visto en mis largos días de ocio, durante los cuales mi familiaridad con estas profundidades me ha convertido en alguien harto diferente de lo que fuera en mis años de errancia marinera y fluvial. Tal vez el ácido aliento de las galerías haya mudado o aguzado mis facultades para percibir la vida secreta, impalpable, pero riquísima que habita estas cavidades de infortunio. Comencemos por la galería principal. Se penetra en ella por una avenida de cámbulos cuyas flores anaranjadas y pertinaces crean una alfombra que se extiende a veces hasta las profundidades del recinto. La luz va desapareciendo a medida que uno se interna, pero se demora con intensidad inexplicable en las flores que el aire ha barrido hasta muy adentro. Allí viví mucho tiempo y sólo por razones que en seguida explicaré tuve que abandonar el sitio. Hacia el comienzo de las lluvias escuchaba voces, murmullos indescifrables como de mujeres rezando en un velorio, pero algunas risas y ciertos forcejeos, que nada tenían de fúnebres, me hicieron pensar más bien en un acto infame que se prolongaba sin término en la oquedad del recinto. Me propuse descifrar las voces y, de tanto escucharlas con atención febril, días y noches, logré, al fin, entender la palabra Viana. Por entonces caí enfermo al parecer de malaria y permanecía tendido en el jergón de tablas que había improvisado como lecho. Deliraba durante largos períodos y, gracias a esa lúcida facultad que desarrolla la fiebre por debajo del desorden exterior de sus síntomas, logré entablar un diálogo con las hembras. Su actitud meliflua, su evidente falsía, me dejaban presa de un temor sordo y humillante. Una noche, no sé obedeciendo a qué impulsos secretos avivados por el delirio, me incorporé gritando en altas voces que reverberaron largo tiempo contra las paredes de la mina: «¡A callar, hijas de puta! ¡Yo fui amigo del Príncipe de Viana, respeten la más alta miseria, la corona de los insalvables!». Un silencio, cuya densidad se fue prolongando, acallados los ecos de mis gritos, me dejó a orillas de la fiebre. Esperé la noche entera, allí tendido y bañado en los sudores de la salud recuperada. El silencio permanecía presente ahogando hasta los más leves ruidos de las humildes criaturas en sus trabajos de hojas y salivas que tejen lo impalpable. Una claridad lechosa me anunció la llegada del día y salí como pude de aquella galería que nunca más volví a visitar.

Otro socavón es el que los mineros llamaban del Venado. No es muy profundo, pero reina allí una oscuridad absoluta, debida a no sé qué artificio en el trazado de los ingenieros. Sólo merced al tacto conseguí familiarizarme con el lugar que estaba lleno de herramientas y cajones meticulosamente cla-

vados. De ellos salía un olor imposible de ser descrito. Era
como el aroma de una gelatina hecha con las más secretas
substancias destiladas de un metal improbable. Pero lo que
me detuvo en esa galería durante días interminables, en los
que estuve a punto de perder la razón, es algo que allí se levanta, al fondo mismo del socavón, recostado en la pared
en donde aquél termina. Algo que podría llamar una máquina si no fuera por la imposibilidad de mover ninguna de
las piezas de que parecía componerse. Partes metálicas
de las más diversas formas y tamaños, cilindros, esferas,
ajustados en una rigidez inapelable, formaban la indecible
estructura. Nunca pude hallar los límites, ni medir las proporciones de esta construcción desventurada, fija en la roca
por todos sus costados y que levantaba su pulida y acerada
urdimbre, como si se propusiera ser en este mundo una representación absoluta de la nada. Cuando mis manos se
cansaron, tras semanas y semanas de recorrer las complejas
conexiones, los rígidos piñones, las heladas esferas, huí un
día, despavorido al sorprenderme implorándole a la indefinible presencia que me desvelara su secreto, su razón última y cierta. Tampoco he vuelto a visitar esa parte de la
mina, pero durante ciertas noches de calor y humedad me
visita en sueños la muda presencia de esos metales y el terror me deja incorporado en el lecho, con el corazón desbo-
cado y las manos temblorosas. Ningún terremoto, ningún
derrumbe, por gigantesco que sea, podrá desaparecer esta
ineluctable mecánica adscrita a lo eterno.

La tercera galería es la que ya mencioné al comienzo, la
llamada socavón del Alférez. En ella vivo ahora. Hay una
apacible penumbra que se extiende hasta lo más profundo
del túnel y el chocar de las aguas del río, allá abajo, contra
las paredes de roca y las grandes piedras del cauce, da al

ámbito una cierta alegría que rompe, así sea precariamente, el hastío interminable de mis funciones de velador de esta mina abandonada.

Es cierto que, muy de vez en cuando, los buscadores de oro llegan hasta esta altura del río para lavar las arenas de la orilla en las bateas de madera. El humo agrio de tabaco ordinario me anuncia el arribo de los gambusinos. Desciendo para verlos trabajar y cruzamos escasas palabras. Vienen de regiones distantes y apenas entiendo su idioma. Me asombra su paciencia sin medida en este trabajo tan minucioso y de tan pobres resultados. También vienen, una vez al año, las mujeres de los sembradores de caña de la orilla opuesta. Lavan la ropa en la corriente y golpean las prendas contra las piedras. Así me entero de su presencia. Con una que otra que ha subido conmigo hasta la mina he tenido relaciones. Han sido encuentros apresurados y anónimos en donde el placer ha estado menos presente que la necesidad de sentir otro cuerpo contra mi piel y engañar, así sea con ese fugaz contacto, la soledad que me desgasta.

Un día saldré de aquí, bajaré por la orilla del río, hasta encontrar la carretera que lleva hasta los páramos y espero entonces que el olvido me ayude a borrar el miserable tiempo aquí vivido.

Bibliografía general

1. Bibliografías generales y nacionales

«Antologías del cuento hispanoamericano: Notas para una bibliografía», en XIX Congreso Internacional de Literatura Iberoamericana, *Narradores Latinoamericanos. 1929-1979,* Caracas: Ediciones del Centro de Estudios Latinoamericanos Rómulo Gallegos, 1980, vol. II, 287-327.

BECCO, Horacio Jorge, y WILLIAM FOSTER, David. *La nueva narrativa hispanoamericana,* Buenos Aires: Casa Pardo, 1976.

DÍAZ ACOSTA, América, *et al.* (eds.), *Panorama histórico-literario de nuestra América* [vol. I: *1900-1943;* vol. II: *1944-1970],* La Habana: Casa de las Américas, 1982.

ENGELKIRK, John E., y RAMOS, Margaret M., *La narrativa uruguaya* (estudio crítico-bibliográfico), Berkeley, California: University of California Press, 1967.

FLORES, Ángel, *Bibliografía de escritores hispanoamericanos/ A Bibliography of Spanish American Writers, 1609-1974,* Nueva York: Gordian Press, 1975.

FOSTER, David William, *Mexican Literature. A Bibliography of Secondary Sources,* Metuchen, Nueva Jersey: Scarecrow Press, 1981.

–, *Peruvian Literature. A Bibliography of Secondary Sources,* Westport, Connecticut-Londres: Greenwood Press, 1982.

MATKLOWSKY, Bernice D., *Antologías del cuento hispanoamericano: guías bibliográficas,* Washington D. C.: Pan American Union, 1950.

RELA, Walter, *A Bibliographical Guide to Spanish American Literature Twentieth Century Sources,* Nueva York-Westport, Connecticut-Londres: Greenwood Press, 1988.

RODRÍGUEZ REA, Miguel Ángel, «El cuento peruano contemporáneo; índice bibliográfico», *Lexis,* Lima: I. 1900-1930: 7: 2 (1983); II. 1931-1945: 8: 2 (1984); III. 1946-1950: 10: 2 (1986); IV. 1951-1955: 13: 1 (1989); V. 1956-1960: 15: 2 (1991).

TREVIA PAZ, Susana M., *Contribución a la bibliografía del cuento fantástico argentino en el siglo XX,* Buenos Aires: Fondo Nacional de las Artes, 1966.

Universidad Central de Caracas, *Bibliografía del cuento venezolano,* Caracas: Facultad de Humanidades y Educación, 1975.

2. Antologías generales, regionales y temáticas

AGUILERA MALTA, Demetrio, y MEJÍA VALERA, Manuel (eds.), *El cuento actual hispanoamericano,* México: Edic. Andrea, 1973.

BECCO, Horacio Jorge, y ESPAGNOL, Carlota María (eds.), *Hispanoamérica en cincuenta cuentos y autores contemporáneos,* Buenos Aires: Latin Press, 1973.

BURGOS, Fernando (ed.), *Antología del cuento hispanoamericano,* México: Porrúa, 1991.

CARTER E., Dale Jr., *Antología del realismo mágico,* Nueva York: Odyssey Press, 1970.

FLORES, Ángel (ed.), *Narrativa hispanoamericana. 1816-1981,* 8 vols., México: Siglo XXI, 1981.

–, *Cuentos de Hispanoamérica en el siglo XIX,* 3 vols., Madrid: Castalia, 1997.

GORDON, Samuel (ed.), *El tiempo en el cuento hispanoamericano: antología de ficción y crítica,* México: UNAM, 1989.

HAHN, Oscar (ed.), *Antología del cuento fantástico hispanoamericano. Siglo XX,* Santiago: Editorial Universitaria, 1990.

LATCHAM, Ricardo (ed.), *Antología del cuento hispanoamericano contemporáneo,* 2.ª ed., Santiago: Zig-Zag, 1962.

MENTON, Seymour (ed.), *El cuento hispanoamericano,* 2 vols., 2.ª ed., México: Fondo de Cultura Económica, 1972.

ORTEGA, Julio (ed.), *El muro y la intemperie. El nuevo cuento latinoamericano,* Hanover, Nueva Hampshire: Ediciones del Norte, 1989.

RAMÍREZ, Sergio (ed.), *Antología del cuento centroamericano,* 2 vols., 2.ª ed., San José: Editorial Universitaria Centroamericana, 1977.

RELA, Walter, *Antología del nuevo cuento hispanoamericano, 1973-1988,* est. prelim. de David William Foster, Montevideo: Ediciones de la Plaza, 1990.

RODRÍGUEZ FERNÁNDEZ, Mario (ed.), *Cuentos hispanoamericanos,* Santiago: Editorial Universitaria, 1970.

ROJAS, Manuel, *et al.* (eds.), *Quince relatos de la América Latina,* La Habana: Casa de las Américas, 1970.

VARELA, Benito (ed.), *El cuento hispanoamericano contemporáneo,* Tarragona: Ediciones Tarraco, 1976.

VERDEVOYE, Paul (ed.), *Antología de la narrativa hispanoamericana, 1940-1970,* 2 vols., Madrid: Gredos, 1970.

YATES, Donald A. (ed.), *El cuento policial latinoamericano,* México: Ediciones de Andrea, 1964.

3. Antologías nacionales

BAPTISTA GUMUCIO, Mariano (ed.), *Narradores bolivianos,* Caracas: Monte Ávila, 1969.

BARRADAS, Efraín (ed.), *Apalabramiento. Cuentos puertorriqueños de hoy,* Hanover, Nueva Hampshire: Ediciones del Norte, 1983.

CALDERÓN, Alfonso, LASTRA, Pedro, y SANTANDER, Carlos (eds.), *Antología del cuento chileno,* Santiago: Editorial Universitaria, 1989.

CARTAGENA, Aída (ed.), *Narradores dominicanos,* Caracas: Monte Ávila, 1969.

COTELO, Rubén (ed.), *Narradores uruguayos,* Caracas: Monte Ávila, 1969.

DOMÍNGUEZ, Christopher (ed.), *Antología de la narrativa mexicana del siglo XX,* México: Fondo de Cultura Económica, 1989.

ESCOBAR, Alberto (ed.), *Antología general de la prosa en el Perú.* vol. 3, *De 1895 a 1985,* Lima: Ediciones Edubanco, 1986.

IZQUIERDO-TEJIDO, Pedro (ed.), *El cuento cubano contemporáneo (Panorámica y antología),* San José, 1983.

PACHÓN PADILLA, Eduardo (ed.), *Antología del cuento colombiano,* 2 vols., Bogotá: Plaza & Janés, 1980.

PÉREZ-MARICEVICH, Francisco (ed.), *Breve antología del cuento paraguayo,* Asunción: Ediciones Comuneros, 1969.

PRISCO, Rafael Di (ed.), *Narrativa venezolana contemporánea,* Madrid: Alianza Editorial, 1971.

RODRÍGUEZ CASTELO, Hernán (ed.), *Cuento ecuatoriano contemporáneo,* 2 vols., Guayaquil-Quito: Ediciones Ariel, 1970.

YAHNI, Roberto, *70 años de narrativa argentina: 1900-1970,* Madrid: Alianza Editorial, 1970.

4. Historias, estudios y otras obras de consulta

ARROYO, Anita, *Narrativa hispanoamericana actual,* Barcelona: Universidad de Puerto Rico, 1980.

BENEDETTI, Mario, *Literatura uruguaya siglo XX,* 2.ª ed., Montevideo: Alfa, 1969.

BURGOS, Fernando (ed.), *Prosa hispánica de vanguardia,* Madrid: Discursorígenes, 1986.

CARBALLO, Emmanuel, *Protagonistas de la literatura mexicana,* México: Ediciones del Ermitaño-SEP, 1986.

DURÁN, Manuel, *Tríptico mexicano. Juan Rulfo. Carlos Fuentes. Salvador Elizondo,* México: SEP-Setentas, 1973.

FLEAK, Kenneth, *The Chilean Short Story. Writers from the Generation of 1950,* Nueva York: Peter Lang, 1989.

HARSS, Luis, *Los nuestros,* Buenos Aires: Sudamericana, 1966.

LEAL, Luis, *Historia del cuento hispanoamericano,* 2.ª ed. aument., México: Ediciones de Andrea, 1971.

–, *Breve historia del cuento mexicano,* Tlaxclala, México: Universidad Autónoma de Tlaxclala, 1990.

MAC ADAM, Alfred, *Textual Confrontations. Comparative Readings in Latin American Literature,* Chicago/Londres: The University of Chicago Press, 1987.

MORA, Gabriela, *En torno al cuento: de la teoría general y de su práctica en Hispanoamérica,* Madrid: Porrúa-Turanzas, 1985.

MORILLA VENTURA, Enriqueta (ed.), *El relato fantástico en España e Hispanoamérica,* Madrid: Col. Encuentros-Quinto Centenario, 1991.

ORGAMBIDE, Pedro, y YAHNI, Roberto (eds.), *Enciclopedia de la literatura argentina,* Buenos Aires: Sudamericana, 1970.

OVIEDO, José Miguel, *Escrito al margen,* 2.ª ed., México: Premiá, 1987.

PERALTA, Jaime, *Cuentistas chilenos de la generación de 1950,* Madrid: Instituto Ibero-Americano de Gotemburgo, 1963.

PEZZONI, Enrique, *El texto y sus voces,* Buenos Aires: Sudamericana, 1986.

PUPO-WALKER, Enrique (ed.), *El cuento hispanoamericano ante la crítica,* Madrid: Castalia, 1973.

RAMA, Ángel, *La generación crítica,* Montevideo: Arca, 1972.

–, *Primeros cuentos de diez maestros latinoamericanos,* Barcelona: Planeta, 1975.

–, *La novela en América Latina. Panoramas 1920-1980,* Bogotá: Procultura/Instituto Colombiano de Cultura, 1982.

RODRÍGUEZ MONEGAL, Emir, *Literatura uruguaya del medio siglo,* Montevideo: Alfa, 1966.

–, *Narradores de esta América,* Montevideo: Alfa, 1962; vol. 2, Buenos Aires: Alfa Argentina, 1975.

RUFFINELLI, Jorge, *El lugar de Rulfo y otros ensayos,* Xalapa, México: Instituto de Investigaciones Lingüístico-Literarias, Universidad Veracruzana, 1980.

–, *Palabras en orden,* Xalapa: Universidad Veracruzana, 1985.

SAYERS PEDEN, Margaret (ed.), *The Latin American Short Story: A Critical History,* Boston: Twayne, 1983.

SOLÉ, Carlos A., y ABREU, Marta Isabel (eds.), *Latin American Writers,* 3 vols., Nueva York: Scribner's Sons, 1989.

LITERATURA

3405177

ISBN 978-84-9104-742-1

PVP D

Recopilación complementaria de la dedicada
en esta misma colección al relato del siglo XIX,
la presente *Antología crítica del cuento
hispanoamericano del siglo XX* –preparada
asimismo por José Miguel Oviedo– obedece,
en términos generales, a los mismos criterios
que rigen aquélla. No es, pues, una antología
de los grandes cuentistas del siglo,
sino de los cuentos que mejor muestran
la diversidad del género en este período,
ofreciendo un cuadro «vivo y funcional»,
y no un mero catálogo de las principales
figuras nacionales. Precedidos de una excelente
introducción que ordena la producción
cuentística atendiendo a las grandes
líneas que ha seguido su marcha, cada uno
de los relatos va acompañado de una
presentación del autor y una bibliografía
actualizada. Dividida en dos volúmenes
por razones editoriales, esta antología da
cuenta de la notable madurez estética
alcanzada por el cuento hispanoamericano
en el siglo XX.

a editorial   El libro de bolsillo